L'âme de la Vallée

DU MÊME AUTEUR

chez le même éditeur

Le pays bleu :
1. LES CAILLOUX BLEUS, 1984
2. LES MENTHES SAUVAGES, 1985
Prix Eugène Le Roy

LES CHEMINS D'ÉTOILES, 1987
LES AMANDIERS FLEURISSAIENT ROUGE, 1988

La Rivière Espérance :
1. LA RIVIÈRE ESPÉRANCE, 1990
Prix Terre de France/La Vie, 1990
2. LE ROYAUME DU FLEUVE, 1991
Prix littéraire 1992 du Rotary international
3. L'ÂME DE LA VALLÉE, 1993

aux éditions Seghers
(collection « Mémoire vive »)

ANTONIN, PAYSAN DU CAUSSE, 1986
MARIE DES BREBIS, 1989
ADELINE EN PÉRIGORD, 1992

Christian Signol

L'âme de la Vallée

Roman

A Marilyne

« Rien ne m'empêchera de croire que cette grande et pacifique région de France est destinée à demeurer éternellement un lieu sacré pour l'homme et que, lorsque la grand-ville aura fini d'exterminer les poètes, leurs successeurs trouveront ici refuge et berceau. »

Henry Miller
(Le Colosse de Maroussi)

« Ce dont on te prive, c'est de vents, de pluies, de neiges, de soleils, de montagnes, de fleuves, et de forêts : les vraies richesses de l'homme. »

Jean Giono
(Les vraies richesses)

SOMMAIRE

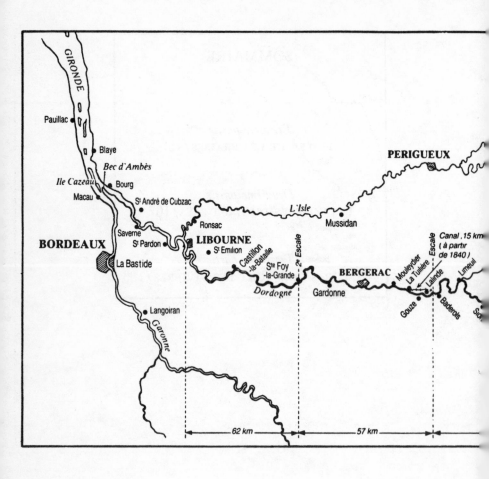

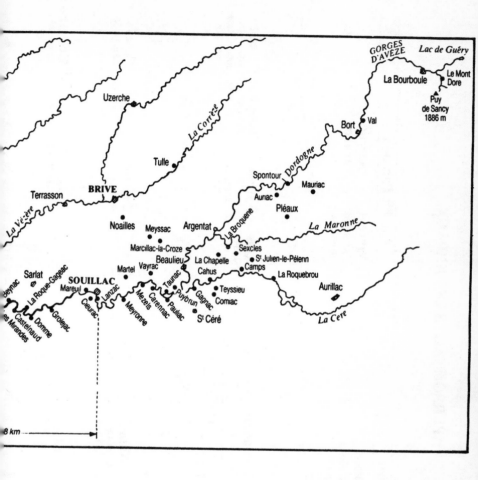

PERSONNAGES PRINCIPAUX

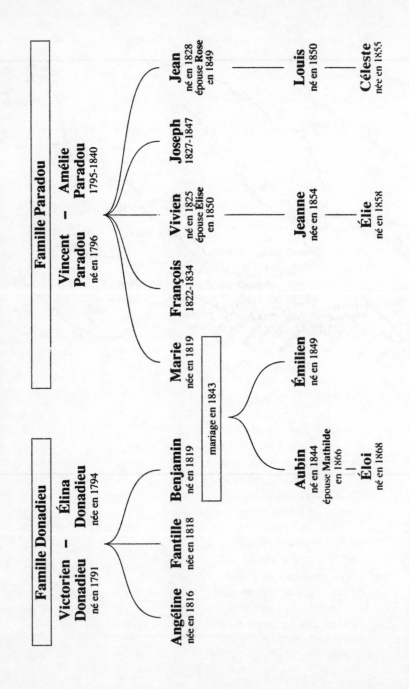

Famille Donadieu

Victorien Donadieu né en 1791 – Élina Donadieu née en 1794

- Angéline née en 1816
- Fantille née en 1818
- Benjamin né en 1819

Famille Paradou

Vincent Paradou né en 1796 – Amélie Paradou 1795-1840

- Marie née en 1819
- François 1822-1834
- Vivien né en 1825 épouse Elise en 1850
- Joseph 1827-1847
- Jean né en 1828 épouse Rose en 1849

mariage en 1843 (Benjamin / Marie)

- Aubin né en 1844 épouse Mathilde en 1866
  - Éloi né en 1868
- Émilien né en 1849

Vivien / Elise :
- Jeanne née en 1854
- Élie né en 1858

Jean / Rose :
- Louis né en 1850
- Céleste née en 1855

En 1843, à son retour du service militaire (sept ans dans la marine), Benjamin s'est marié avec Marie qui l'attendait. Deux enfants viennent embellir cette union : Aubin en 1844, Émilien en 1849. C'est le temps du bonheur dans le royaume du fleuve, que Benjamin, désormais possesseur d'un permis maritime, peut remonter jusqu'à Bordeaux. Dès 1851, pourtant, le coup d'État du prince Napoléon déclenche dans le Sud-Ouest républicain une véritable insurrection. Benjamin y participe avec son ami Pierre Bourdelle, avocat à Marmande. Ce dernier est déporté à Cayenne, tandis que Benjamin, lui, est exilé en Algérie.

Vivien, le frère cadet de Marie, s'est marié avec Élise juste avant de prendre sa part, lui aussi, dans le soulèvement contre Louis Napoléon. Il a été assigné à résidence dans un petit village du département de la Dordogne. Jean, le plus jeune frère de Marie, est parti dans le haut-pays retrouver les forêts de ses rêves et s'est marié avec Rose. Marie se retrouve seule avec Élina, la mère de Benjamin, et apprend à naviguer. Menant les convois de gabares à la place des hommes, la voilà devenue la Belle du Périgord. Reprenant le combat de Benjamin, elle transporte des armes pour les républicains entrés dans la clandestinité sous l'autorité d'Octave Desplas. Elle retrouve Émeline, qui lui a longtemps disputé Benjamin mais qui lui propose son aide pour le faire libérer. Émeline meurt, mais elle a eu le temps de tenir parole : Benjamin rentre enfin d'Algérie et retrouve Marie à Souillac...

Mais déjà les lignes du chemin de fer s'étendent vers le Périgord, mettant en péril le transport fluvial et les gabares des Donadieu.

Première partie

LE FER
ET LES BRAISES

1

La nuit descendait sur les collines avec des chuchotements de fontaine et des soupirs d'enfant qui dort. Le vent était tiède, en ce début du mois de mai, et portait des odeurs antiques de granges enfin ouvertes, de prairies gorgées d'eau, d'arbres gluants de sève douce.

Assise à l'avant de la barque, Marie regardait s'étendre les grands draps de soie grise au-dessus des chênes dont la cime s'estompait lentement. Elle aurait pu être heureuse, ce soir-là, si la sensation d'un péril ne demeurait ancrée en elle depuis plusieurs jours. Elle soupira, croisa le regard de Benjamin debout à l'autre extrémité de la barque. Qu'est-ce qui lui avait pris ? Elle avait cru qu'il s'assagirait avec l'âge et voilà qu'elle le retrouvait plus fou qu'il n'avait jamais été, fût-ce aux pires moments de sa vie. N'avait-il pas décidé de détruire les fondations du pont de chemin de fer que l'on construisait en aval du Buisson ? Depuis quelques mois, elle ne le reconnaissait plus. Depuis, en fait, le jour où l'on avait ouvert la voie ferrée Bordeaux-Brive, le 17 septembre 1860. Un mois plus tard, Benjamin avait commencé à perdre ses premiers marchés. D'autres, très vite, avaient suivi. Désormais, il était plus rentable de faire descendre le bois vers le bas-pays par le chemin de fer, et de même pour la remonte du sel. Et Benjamin devenait fou. Marie avait eu beau appeler Élina à son secours, elle n'avait pas réussi à le fléchir. Il n'avait rien voulu entendre. Bien au contraire. Vivien et les hommes d'équipage non plus. Il fallait agir. Pour le principe. Parce que l'on ne pouvait pas accepter de voir disparaître ce que l'on avait aimé. Parce qu'il fallait vivre.

— Vivre, ce n'est pas retourner en prison, avait protesté Marie.

— On descendra de nuit, avait répondu Benjamin. Personne ne nous verra.

— Le mal est déjà là. Qu'est-ce que ça peut faire qu'une ligne double la Dordogne, puisqu'il en existe déjà une un peu plus haut ?

— On peut pas l'accepter, ou alors nous en crèverons !

Que répondre à cela ? Elle avait murmuré simplement, comprenant qu'elle livrait un combat inutile :

— Dans ce cas, je viendrai aussi.

— Certainement pas !

— S'il le faut, je viendrai seule. Je trouverai une barque...

Cela faisait huit jours. Tous les hommes avaient répondu présents. Benjamin avait choisi les plus fidèles. Deux barques suffiraient. Ils les couleraient quand tout serait fini puis ils remonteraient à pied.

Marie essuya de la main la sueur de son front, leva la tête. La nuit avait enveloppé la vallée qu'éclairait seulement le ruban glacé de la Dordogne. Elle frissonna, chercha de nouveau le regard de Benjamin, mais il était devenu une ombre. Et pourtant qu'ils avaient été beaux les mois qui avaient suivi son retour d'Algérie ! Ils naviguaient tous les deux, les enfants grandissaient (comment se faire à l'idée qu'Aubin eût déjà dix-sept ans ?) et Vincent, comme Élina, se portait du mieux possible malgré leur âge avancé. Vivien, lui, avait eu deux enfants d'Élise : Jeanne en 1854, Élie en 1858, tous deux sains et vigoureux. Que se passait-il, soudain, dans ces vies promises au bonheur ?

Certes, en 1857, le tronçon de la voie ferrée Bordeaux-Périgueux avait porté préjudice au commerce fluvial, mais comment eût-on pu penser que l'achèvement de la voie sur

18

Brive allait lui être fatal ? Et voilà que l'on parlait d'une ligne Périgueux-Agen et d'une autre encore : Périgueux-Bergerac. Mon Dieu ! Qu'allait-on devenir ?

Marie se retourna pour tenter d'apercevoir la barque que menait Vivien, mais elle la distingua à peine. Ils étaient cinq derrière, et parmi les plus déterminés. Même Vincent avait voulu venir. A soixante-cinq ans ! Quelle affaire ! Elle n'avait pas eu la force de trouver les mots, de se battre comme elle l'aurait dû. « Crever pour crever, disaient les hommes, au moins nous nous serons défendus. » Que répondre à cela ? Que leur famille avait besoin d'eux ? « A quoi bon, rétorquaient-ils, si l'on ne peut plus travailler ? » Non, décidément, elle ne pouvait pas lutter contre ce vent fou qui les emportait vers le précipice.

Elle avait beau essayer de percer la nuit du regard, elle n'arrivait pas à se situer. Autant la rivière lui était familière de jour, autant elle lui paraissait redoutable la nuit. Seul Benjamin était capable de se diriger ainsi sans fracasser les bateaux sur les rochers. Elle avait quand même pu distinguer le château de Beynac quand la lune était sortie des nuages. Ensuite on passerait le petit cingle de Bezenac, le grand méandre de Saint-Cyprien, puis ce serait Siorac et, quelques minutes plus tard, Le Buisson. Nul ne parlait. On entendait seulement le bruit des rames qui entraient dans l'eau et, par moments, l'aboiement d'un chien dans un village perdu. C'était une sensation bizarre que de descendre ainsi dans une barque et non dans une gabare, comme elle en avait l'habitude. Marie se sentait plus près de l'eau, la touchait souvent de la main, humectait ses joues, son front, et pour un instant oubliait les raisons de cette folle descente. Et puis la sensation d'un péril grave surgissait de nouveau, terriblement présente, et elle avait envie de crier à Benjamin de s'arrêter, d'accoster, et de rentrer sans commettre cet acte fou dont elle le croyait encore incapable.

Les travaux du pont, ils les avaient vus lors de la dernière remonte, huit jours auparavant : des barges, un treuil, des échafaudages de bois, un caisson en cours de construction. Rien, encore, de bien menaçant. D'ailleurs la menace était ailleurs, elle le savait bien, et on ne pouvait rien contre elle, puisque les trains, déjà, traversaient le Sud-Ouest depuis plus de huit mois. Alors? Pourquoi cette fureur soudaine?

— La Dordogne est à nous! tempêtait Benjamin. Ailleurs, ils font ce qu'ils veulent. Chez nous, nous sommes les maîtres.

Marie avait eu toutes les peines du monde à l'empêcher d'emmener Aubin avec eux. Il était aussi violent, aussi sauvage que son père au même âge. Et il aimait la rivière autant que Benjamin l'aimait. Peut-être même plus passionnément, car cela faisait seulement deux ans qu'il embarquait sur l'*Élina* avec son père. Marie, elle, menait la seconde avec Vivien. Au retour de Benjamin, il n'avait plus été question qu'elle demeurât à terre. Et si Benjamin avait été un peu jaloux de la réputation de Marie sur la Dordogne auprès des bateliers, il avait fini par s'y habituer, même s'il préférait la voir sur la seconde, avec Vivien, plutôt que près de lui, sur l'*Élina*. Elle s'en moquait. L'essentiel, pour elle, était de poursuivre les voyages à Libourne, au bec d'Ambès, à Bordeaux, de se sentir heureuse dans l'immensité et la lumière du fleuve.

Elle lui avait parlé d'Émeline, de ce qu'elle avait fait pour lui, de leur dernière rencontre, mais elle ne lui avait rien dit des armes qu'elle avait transportées pour Desplas, ni à quel péril elle avait échappé. Rien, non plus, des événements de Bordeaux, mais Benjamin savait, car Vincent et Vivien lui en avaient raconté l'essentiel. S'il évitait de parler politique, de prononcer le nom de l'empereur, Benjamin évoquait souvent son ami Pierre, toujours prisonnier à Cayenne, dont il n'avait pas de nouvelles. Les gendarmes, au retour de Benjamin, avaient longtemps surveillé la maison du port, puis ils s'étaient éloignés lorsqu'ils s'étaient aperçus que l'ancien proscrit ne songeait plus qu'à travailler. En 1858, toutefois, lors de l'attentat d'un nommé Orsini, à Paris, ils avaient fouillé la maison. Depuis, on ne les avait plus revus et Marie avait oublié les années noires. Aussi aurait-on pu vivre en paix si les trains ne s'étaient pas mis à rouler sur la voie ferrée de Bordeaux à Brive, et si les marchands, les grossistes, les rouliers d'Auvergne, du Quercy et du Limousin, n'y avaient pas trouvé un profit suffisant pour trahir les bateliers.

Marie eut de nouveau envie de se lever et de crier à Benjamin : « Arrête ! Arrête ! », mais la Dordogne continuait de porter les deux barques vers Le Buisson dont on apercevait quelques quinquets, là-bas, derrière la masse de la colline plus noire que la nuit. Il pouvait être dix heures, ou presque, et la lune avait une nouvelle fois émergé des nuages. Les équipages ne ramaient plus, afin d'éviter de faire du bruit. D'ailleurs ce n'était pas nécessaire. L'eau, quoique basse, était encore nerveuse de la fonte des neiges. Il fallait s'en méfier car elle était capable de tromper la vigilance des hommes, surtout dans l'obscurité.

Les lumières du Buisson défilèrent sur bâbord puis s'éteignirent, cachées qu'elles étaient maintenant par le cingle. Le pont était là, droit devant, du moins les pontons de l'échafaudage et les deux barges qui portaient le treuil.

— Ralentissez ! ordonna Benjamin.

Marie entendit le clapotis des rames manœuvrées dans le sens inverse du courant. La lune, brusquement, disparut. Mais Benjamin avait pu suffisamment juger de la distance pour venir accoster contre les deux barges qui portaient le treuil. La barque souillagaise s'immobilisa. Les hommes se dressèrent.

— Non ! dit Marie.

Mais déjà ils avaient sauté sur les barges et commençaient à scier les poteaux.

— Benjamin ! Non ! dit encore Marie.

Elle tenta de le retenir tandis qu'il sautait à son tour, mais il la repoussa vivement et elle faillit tomber. Dès lors, elle se résigna à guetter sans rien dire, souhaitant seulement que tout cela finît vite. Le choc des outils contre le bois lui parut ébranler la nuit et courir de colline en colline jusque dans les villages. Ce fut pis quand le treuil et les poteaux s'effondrèrent dans la rivière. Les hommes ne parlaient pas mais frappaient violemment, laissant couler dans leurs épaules, leurs bras et leurs mains toute la colère qui s'était accumulée en eux depuis de longs mois. Marie entendit distinctement craquer le plancher défoncé des barges. Le socle de ciment qui était retenu par l'échafaudage creva la surface de l'eau avec un bruit de gouffre que la mer recouvre, puis, subitement, quand l'onde eut déferlé le long de la rivière, le silence retomba.

— Partons! dit Marie.

Mais les hommes s'acharnaient contre les pieux qui dépassaient encore, et ce fut Vivien qui, le premier, retrouva ses esprits.

— Ça suffit! dit-il. Allons-y!

Ils étaient arrivés sur les lieux depuis moins de cinq minutes, mais ces cinq minutes-là avaient paru durer plus d'une heure à Marie. Elle tremblait, ne cessait de tourner la tête vers la rive où elle craignait d'apercevoir des lumières. Elle entendit le bruit caractéristique d'un bateau qui sombre quand la dernière poche d'air explosa à la surface, puis elle comprit au balancement de sa propre barque que les hommes reprenaient pied sur elle.

— Il faut les couler plus loin! dit Benjamin.

Marie se sentit de nouveau portée par le courant. La lune se cacha. Une odeur de bois brûlé alerta les équipages, mais les hommes comprirent qu'elle venait de loin car le vent l'emporta aussitôt. Marie respirait à peine. Elle avait mal. Elle n'en pouvait plus. Elle n'aurait jamais cru que Benjamin et les siens eussent été capables d'un tel forfait. Détruire le travail des autres! Fallait-il qu'ils aient perdu la tête!

— Attention! dit une voix.

Les barques arrivaient sur la rive, qui était basse, à cet endroit, et bordée de prairies. L'homme de proue amortit le choc avec son pied et sauta sur la berge où l'herbe, avec le printemps, commençait à pousser. La deuxième barque accosta aussitôt après. Deux hommes furent chargés d'aller les couler au milieu de l'eau et de regagner la rive à la nage.

— Dispersez-vous ! ordonna Benjamin, et rappelez-vous : il faut être à Souillac avant le lever du jour.

Marie remarqua que sa voix n'avait pas sa sonorité habituelle. Elle sentit qu'il était blessé en lui-même par ce qu'il venait de faire et en fut bizarrement rassurée. Des ombres se fondirent dans les bosquets. Ils restèrent quatre sur la berge : Benjamin, Vivien, Vincent et Marie.

— Vite ! dit Vivien.

Ils partirent sur le chemin de rive puis, avant Le Buisson, s'en éloignèrent en coupant par les champs et les prés. Marie marchait la dernière. Elle entendait son père haleter devant elle. Il peinait beaucoup à cause de sa jambe blessée. Marie marchait en serrant les dents, ne cessant de se répéter : « Mais que s'est-il passé ? Mais qu'est-ce que nous avons fait ? » Elle avait honte de Benjamin, de tous les siens, mais honte d'elle-même, également, pour n'avoir pas été capable de les empêcher d'agir.

Ils marchaient sans lumière et butaient souvent sur des pierres, des racines, des obstacles invisibles. Dès qu'ils retrouvaient le chemin de rive, ils allaient plus vite. Au bout de dix kilomètres, Vincent ne put pas suivre l'allure imposée par Benjamin. Il leur demanda de le laisser là : il rentrerait à son rythme. L'essentiel était que les hommes les plus jeunes fussent rentrés avant le jour. Lui, on ne le soupçonnerait pas. Benjamin accepta. Ils se remirent en route et gagnèrent le flanc des coteaux qui, sur la rive droite, n'était pas très boisé. La nuit sentait l'herbe neuve et soupirait parfois, quand les sèves éclataient sur les branches.

Ils devaient être dans les environs de La Roque-Gageac quand Benjamin, qui marchait en tête depuis leur départ, se laissa glisser à la hauteur de Marie. Les nuages avaient déserté le ciel, emportés par le vent du sud qui, à mesure que les heures passaient, virevoltait dans la vallée comme un oiseau pris au piège. Marie était en sueur, respirait avec difficulté.

— Ça va ? demanda Benjamin.

Elle ne répondit pas. Après la honte, c'est la colère qui,

maintenant, la dévastait. Il le comprit, n'insista pas, rattrapa Vivien. Plus loin, ils firent une halte dans une clairière. Cinq minutes seulement.

— Quelle heure ? demanda Marie.

— Trois heures, répondit Vivien.

Ils repartirent. Marie imaginait déjà les gendarmes chez elle, tous les hommes emmenés en prison. Un sanglot l'étouffa. Elle heurta une pierre, tomba, se releva et reprit sa route sans un mot. Quand donc pourrait-elle enfin être heureuse ? Après Émeline il y avait eu l'empereur, et après l'empereur, il y avait le chemin de fer. Et il y avait surtout cette folie qui s'était emparée des hommes, l'avenir incertain, la rivière et le fleuve menacés. Marcher. Marcher. Cela n'en finirait donc jamais ?

A Cénac, ils reprirent le chemin de rive et Marie songea aux remontes heureuses des années passées. Des odeurs de vieille paille, de combes ombreuses, de feuilles mouillées giclèrent sur le coteau et glissèrent jusqu'à eux. Marie n'en pouvait plus, mais la nécessité d'arriver au port avant le lever du jour la poussait à marcher. Elle était prête à tout supporter pour ne plus jamais avoir à vivre seule, à attendre inlassablement son mari emprisonné. La vallée ne lui paraissait pas hostile, mais familière, comme à l'accoutumée. Et la Dordogne était là, tout près, qui faisait jouer ses médailles en sautillant sur les « maigres ». Pour un peu, si les eaux n'avaient pas été si froides, Marie se fût baignée. C'était là le seul remède à ses craintes, à son angoisse. Seule la Dordogne avait le privilège de la guérir de tous ses maux. Elle le savait. Et elle savait qu'il en serait ainsi jusqu'à la fin de sa vie pour peu qu'elle pût demeurer sur ses rives. Mais en était-elle sûre aujourd'hui ? Qu'allaient-ils devenir, s'ils ne trouvaient plus de bois à descendre et de sel à remonter ?

Les couloirs obscurs de la nuit figuraient ceux de sa vie. Elle avait hâte, maintenant, de voir le jour se lever. Ils débouchèrent dans un pré au sortir d'un bois de châtaigniers, et ce fut comme si les étoiles laissaient couler sur le monde des gouttes de pluie. Il n'y avait pas un nuage. Marie comprit qu'elle pleurait. Elle était épuisée, son corps entier lui faisait mal, son cœur bien davantage encore.

Bientôt deux lèvres s'ouvrirent au-dessus des collines. Une pâleur étrange rampa sur les chênes. C'était le jour. Là-bas, devant eux, apparut le rocher de Raysse qui se détachait en dôme sombre sur la blessure claire du ciel. Marie frissonna, pressa le pas. Elle n'avait plus qu'une hâte : aller se coucher et oublier pour une heure ou deux qu'elle ne pourrait plus jamais regarder Benjamin, Vivien, les hommes d'équipage, les siens, sa vraie famille, avec les yeux de l'affection et de la tendresse.

Elle s'éveilla en sursaut vers huit heures. En bas, des bruits de casserole et de feu qu'on attise indiquaient qu'Élina s'était déjà mise au travail. Le souvenir de la nuit donna comme une nausée à Marie. Elle se leva, fit une rapide toilette, descendit avec la peur de trouver les gendarmes au bas de l'escalier. Elle fut rassurée en apercevant Aubin en train de déjeuner, Élina occupée à faire cuire des légumes. Benjamin, lui, n'était pas là, pas plus qu'Émilien qui dormait encore. L'odeur du café la délivra de ses craintes. Ce matin était si paisible qu'elle se demanda si elle n'avait pas rêvé les événements de la nuit. Elle embrassa Élina, puis son fils, qui répondit à peine à son bonjour. Il n'avait pas accepté de ne pas être du voyage. Elle s'assit face à lui, le dévisagea un instant, reconnut dans ses traits l'air buté et farouche qu'elle connaissait si bien chez Benjamin, observa les boucles brunes qui tombaient jusqu'au milieu du front, les yeux clairs qu'il tenait de son grand-père Victorien, puis elle coupa du pain et se mit à manger.

— Il est sur le port, dit Élina qui désirait montrer à Marie combien elle se sentait proche d'elle.

Mais à peine eut-elle achevé sa phrase que Benjamin entra. Marie évita son regard. Il but un demi-verre de vin, fit le tour de la table, lança :

— Je vais aller jeter l'épervier dans les gravières de Lanzac. Tu viendras ?

Elle ne répondit pas tout de suite, mais, devinant les regards d'Aubin et de Benjamin posés sur elle, elle lâcha finalement :

— Oui. Je serai prête dans deux minutes.

— Alors je t'attends là-bas, dit Benjamin.

Marie savait qu'ils avaient beaucoup à se dire et qu'ils ne seraient vraiment seuls que sur la Dordogne. Ce qui s'était passé la nuit dernière était bien trop grave pour ne pas provoquer une explication qui risquait d'être douloureuse. D'ailleurs elle la souhaitait. Elle en avait besoin. Elle se leva, pensa à la possibilité d'une visite des gendarmes en son absence, voulut dire quelques mots puis y renonça :

— Nous serons là avant midi, fit-elle simplement, s'adressant à Élina.

Elle sortit, se dirigea vers le port, monta dans la barque sur laquelle Benjamin avait déjà pris place. Ils traversèrent la rivière, commencèrent à remonter vers Lanzac sur les calmes de la rive opposée. Ce début de mai était déjà chaud. Des papillons de lumière dansaient sur les rives, puis rejoignaient ceux que la Dordogne faisait naître en surface à mesure que le soleil prenait de la hauteur. Les froissements d'un petit vent du sud retroussaient sur les berges l'herbe émaillée de rosée.

Benjamin et Marie demeuraient silencieux. Leurs regards tardaient à se croiser. Ce fut elle qui se décida, enfin, tandis qu'ils arrivaient sous le pont de la grand-route sans que Benjamin esquissât le moindre geste vers l'épervier.

— Tu ne pêches pas ? demanda-t-elle.

Il fit non de la tête, soutint son regard.

— Je ne te reconnais plus, reprit-elle, et, malgré ses efforts, sa voix se brisa aussitôt.

Il y eut un silence, que troubla seulement le saut d'une ablette mouchant sur des éphémères, puis Benjamin soupira.

— Moi non plus, dit-il, je ne me reconnais pas.

Il se tut un instant, reprit :

— Non, je ne suis pas fier de moi, mais je n'ai pas le choix.

— On a toujours le choix, dit-elle.

— Non ! Plus aujourd'hui !

Sa voix avait porté loin dans le silence du matin. Elle songea fugacement à ces sorties à deux sur la Dordogne, à ces moments bénis où ils avaient été si proches. Avant. Il y avait longtemps.

— Je ne pourrai pas supporter une autre séparation, reprit Marie. Si les gendarmes te...

— Quels gendarmes? Où sont-ils les gendarmes?

— Ils sont peut-être chez nous à l'heure qu'il est.

— Certainement pas. Ils ne retrouveront jamais les barques. Et même s'ils les retrouvaient, ce sont celles qui étaient au rebut. Personne ne les avait jamais vues auparavant.

Ils passèrent sous le pont, accostèrent, plus haut, le long d'une prairie, à l'endroit où, un jour, Marie avait failli se noyer pour avoir voulu suivre Benjamin en eaux profondes. Il attacha la corde à un saule nain, l'aida à descendre, demanda :

— Tu te souviens?

Elle l'arrêta, l'obligea à lui faire face.

— Je me souviens d'un Benjamin qui n'existe plus, fit-elle d'une voix froide.

— Tu te trompes, dit-il, j'ai toujours été comme ça. Je me défends. Je défends les miens : toi, mes enfants, notre vie.

Elle comprit qu'il était bien décidé à crever l'abcès et que c'était bien pour cette raison qu'il avait voulu se trouver seul avec elle.

— Je me bats pour survivre, comme je l'ai toujours fait, reprit-il, les traits durs, conscient que la partie qu'il avait engagée n'était pas gagnée d'avance.

— En détruisant le travail des autres.

— En détruisant les ponts qui vont nous faire crever.

— Et ton père? Tu crois qu'il aurait fait comme toi?

— La même chose.

— Et ta mère, Élina? Lui as-tu demandé ce qu'elle en pensait?

Elle sentit qu'elle avait touché juste. Pour Benjamin, Élina était sacrée. Marie savait qu'il y était attaché autant qu'à elle-même.

— Laisse ma mère, dit-il. C'est aussi pour elle que je me bats.

— Tu te bats mal.

— Arrête ! fit-il en baissant le ton d'une voix qui devint de ce fait si menaçante qu'elle se résolut au silence.

La chaleur, maintenant, asséchait la rosée dans les prés. Des parfums de jonquille glissaient dans l'air devenu plus épais. Le friselis des saules annonçait de prochains vents violets, des nuits épaisses, des langueurs moites. Marie, soudain, n'eut plus le cœur à parler. Ni à se battre. Elle venait de sentir combien la vraie vie était là, contre la terre, les feuilles des arbres, les parfums lourds, à se laisser caresser par le vent dont la voix, elle, disait toujours l'essentiel de la vie. Benjamin dut le sentir. Il prit un ton plus humble, presque suppliant, pour dire, la retenant par le bras :

— Si je ne peux plus naviguer, je me tuerai.

Ils se faisaient face, immobiles, bouleversés par les mots terribles que chacun prononçait.

— Et moi ? dit-elle, moi qui t'ai attendu si longtemps, moi qui n'ai jamais vécu...

Elle allait lui dire « que pour toi », mais elle y renonça. Il eut un vague sourire, caressa la joue de Marie, laissa retomber sa main, murmura :

— Toi, je t'emmènerai avec moi.

Elle comprit qu'il était sincère et elle en fut épouvantée. Aussi ne résista-t-elle pas quand il l'attira contre lui. Il devina alors qu'elle l'avait rejoint, encore une fois, malgré tout ce qui les séparait. L'entraînant vers la barque, il lui dit avant de monter :

— N'aie pas peur. Nous avons toujours gagné tous les deux. Nous gagnerons encore une fois.

Elle hocha la tête sans trouver la force de répondre. D'un coup de rame, Benjamin propulsa la barque dans le courant et la laissa descendre vers le port. L'air, maintenant, portait des odeurs de vase et de feuilles. La vallée semblait prisonnière d'une coquille de silence sous laquelle Marie, d'ordinaire, se plaisait à deviner les confins de la paix éternelle.

— Nous ferons une dernière descente, dit Benjamin. La pluie est pour demain, je le sens. Elle durera deux ou trois jours : assez pour que les eaux restent marchandes.

Marie acquiesça de la tête mais ne répondit pas : elle en était venue à redouter maintenant les voyages à Bordeaux, surtout lorsqu'on ne trouvait pas de sel à remonter ou que le bois se vendait mal. Heureusement, là-bas, Barcos, l'ami fidèle, veillait. Mais pour combien de temps ? Elle préféra n'y plus songer, tourna la tête vers le village dont les toits scintillaient entre les frênes et les peupliers, paisibles, comme toujours, et rassurants. Et si un jour il fallait quitter tout ça ? Pour cacher à Benjamin les larmes qui montaient dans ses yeux, elle se pencha vers l'eau, mouilla son visage et se redressa brusquement en riant. Puis, comme sous le coup d'un besoin subit, elle murmura :

— Benjamin ! Ne refais jamais une chose comme celle de cette nuit, sinon tu me perdras.

Elle lut une fugace lueur de détresse dans son regard, mais il se reprit très vite et dit doucement :

— Si j'avais dû te perdre, ça serait fait depuis longtemps.

Elle consentit à sourire tout en sachant que pour la première fois de leur vie quelque chose de grave, d'étranger, d'inquiétant, s'était glissé entre eux.

Ils accostèrent en amont du port, et, sans prononcer un mot de plus, ils rentrèrent pour le repas de midi, accompagnés par Aubin et Émilien déçus de les voir rentrer sans le moindre poisson.

L'incident survint en fin d'après-midi, alors qu'ils étaient sur le pont de l'*Élina* en train de charger le merrain que Jean, le frère de Marie, continuait, malgré les difficultés, de leur expédier du haut-pays. Par une maladresse inhabituelle chez lui, Aubin en laissa tout à coup échapper une brassée dans la

Dordogne. Benjamin, qui vérifiait le gouvernail à l'autre extrémité de la gabare, lança :

— C'est malheureux de ne pas savoir travailler à dix-sept ans !

Aubin blêmit, serra les poings, répondit avant que Marie ne puisse intervenir :

— Moi, au moins, si je détruis le travail des autres, je ne le fais pas exprès !

Marie n'eut pas le temps de s'interposer. Bousculant les hommes au passage, Benjamin traversa le pont et frappa Aubin avec une violence dont il ne mesura pas les effets. Projeté en arrière, Aubin tomba lourdement dans la Dordogne. Marie cria, mais Vivien, déjà, avait plongé. Il rejoignit Aubin, le maintint hors de l'eau et l'aida à regagner la rive. Marie, livide, s'arrêta devant Benjamin et lui dit d'une voix qu'il ne reconnut pas :

— C'est toi que tu frappes ! Mais tu as raison : tu le mérites.

Puis elle sauta sur le ponton et alla s'occuper d'Aubin qui reprenait ses esprits sans une plainte. Son fils et son mari avaient de tout temps entretenu des rapports difficiles parce qu'ils se ressemblaient. Benjamin avait toujours été très dur avec Aubin, comme son propre père l'avait été avec lui. Mais il ne l'avait jamais frappé de la sorte, même lorsqu'ils s'affrontaient, de part et d'autre de la table et qu'Aubin tardait à baisser les yeux. Il y avait en eux la même force, la même violence, la même fierté. Marie avait toujours su qu'un jour ils s'affronteraient vraiment et que ce serait terrible. Aussi pensait-elle parfois, avec autant de douleur que de soulagement, qu'Aubin allait tirer au sort dans un an et que, peut-être, il partirait loin du port. Elle avait très peur, en effet, de ce qui risquait d'arriver s'ils continuaient à travailler ensemble, sur le même bateau.

Aubin se releva sans le moindre regard pour son père. Marie, alors, se retourna et aperçut les gendarmes près de l'*Élina*. Oubliant aussitôt ce qui venait de se passer, elle vint se placer à côté de Benjamin, à qui le brigadier, dont ils avaient à maintes reprises reçu la visite, demandait :

— Vous avez combien de gabares, Donadieu ?

— Deux, plus un gabarot.

— Ce sont celles-là ?

Il montra l'*Élina* et la seconde, qui étaient couplées Benjamin acquiesça de la tête.

— Et votre gabarot ?

— Là-bas, devant.

— Et des barques ! Avez-vous des barques ?

— Deux également.

— Où se trouvent-elles ?

— Là, je vais vous montrer, répondit Benjamin en se dirigeant vers l'amont.

Les gendarmes le suivirent sans descendre de cheval. Marie, incapable de marcher, les regarda s'éloigner en sentant son cœur s'affoler : une enquête était donc ouverte ! C'était inévitable, elle le savait, et pourtant il lui semblait que les gendarmes se comportaient comme s'ils avaient retrouvé les bateaux qui avaient été coulés en aval du Buisson. Là-bas, le brigadier descendit de cheval et examina les deux barques un long moment. Heureusement, pour sa funeste expédition, Benjamin avait récupéré les deux qui étaient au rebut au fond du jardin, les avait réparées succinctement, puis calfatées et mises à l'eau afin de laisser gonfler le bois pendant la nuit qui avait précédé la descente. Personne, à part Vivien et Vincent, ne connaissait leur existence.

Aubin, qui avait vu les gendarmes, revenait vers Marie et Benjamin, comme pour prendre leur défense. Les hommes d'équipage s'étaient groupés sur le ponton et attendaient sans inquiétude apparente. Les gendarmes retournèrent vers l'*Élina,* descendirent de cheval et exprimèrent le désir de les interroger un à un.

— Comme vous voulez, dit Benjamin.

Il paraissait très calme. Marie se dit qu'il avait dû réfléchir à tout ce qui allait se passer et en fut rassurée.

L'interrogatoire des hommes, au nombre de cinq, ne dura pas plus d'une demi-heure. Quand les gendarmes remontèrent à cheval, furieux qu'aucun d'entre eux n'eût parlé, le regard du brigadier se porta sur Aubin. Il sourit, s'approcha, et Marie se demanda s'il avait vu ce qui s'était passé sur le pont de l'*Élina*. Elle en fut persuadée quand il dit en accentuant son sourire :

— Ce jeune homme-là, je l'emmène.

Marie sentit son sang se figer dans ses veines. Elle prit le bras de son fils, le serra, tandis que Benjamin s'interposait en disant :

— Vous n'avez pas le droit.

— Envers les Donadieu, j'ai tous les droits, dit le brigadier dont les yeux noirs brillaient d'une joie mauvaise.

— Emmenez-moi ! Pas lui ; il n'a que dix-sept ans, reprit Benjamin.

— Il n'y a pas d'âge pour casser et détruire quand on est à bonne école.

— Vous ne l'emmènerez pas ! dit Benjamin. Nous vous en empêcherons.

— J'irai donc chercher des renforts et nous vous arrêterons pour rébellion à la force publique.

Marie sentit que Benjamin et ses hommes étaient prêts à se battre. L'adjoint au brigadier, qui était aussi imposant que lui : très gros, très brun, avec des moustaches qui lui dissimulaient la moitié du visage, dégaina son arme.

— Laissez, père, dit Aubin, j'ai tout le temps, moi.

Et il s'avança vers les gendarmes avant que Marie n'ait pu l'arrêter. Ensuite, tout se passa si vite qu'elle ne se rendit compte qu'on lui prenait son fils qu'au moment où elle le vit s'éloigner, les mains attachées par une corde reliée au troussequin de la selle du brigadier. Elle voulut alors s'élancer, mais Benjamin l'en empêcha. Elle se débattit un instant, puis planta son regard dans le sien. Il y lut une telle douleur, une telle violence qu'il lui dit d'une voix très calme :

— S'ils ne le relâchent pas demain, j'irai me livrer.

Elle fit alors volte-face et s'enfuit sous les prairies que le soleil couchant poudrait de grains de lumière rousse.

Comme elle en avait l'habitude, elle longea la Dordogne vers Lanzac en espérant que son cœur allait se calmer. Elle n'était que refus, douleur et colère. Colère envers les gendarmes, mais surtout envers Benjamin, car il lui semblait que s'il n'avait pas frappé Aubin, le brigadier ne se serait pas intéressé à lui. Il avait dû penser qu'Aubin, pour se venger de son père, le dénoncerait facilement. Mais Marie n'était pas inquiète à ce sujet. Aubin ne nuirait pas à son père. Jamais. Non, ce qu'elle redoutait le plus, c'était d'être séparée de lui pour longtemps comme elle l'avait été de Benjamin.

Elle s'éloigna de la rive, entra dans les prairies dont l'herbe frissonnait sous le vent. Comme l'air était tiède, elle songea que la pluie arriverait dans la nuit, dès que le vent tomberait. Elle regarda un moment les collines qui semblaient se fondre dans une nuée bleue, décrivit une courbe qui la ramena très vite vers la Dordogne, juste en face de la plage de galets où, si souvent, elle avait retrouvé Benjamin. Du fait que l'eau était encore assez haute, la plage n'était pas aussi découverte qu'en été. Elle s'avança néanmoins de quelques mètres, s'assit et, comme à son habitude, entoura ses genoux de ses bras tout en regardant pétiller la Dordogne sur laquelle se débattaient les premières mouches de mai...

Que se passait-il dans sa vie? Elle ne reconnaissait plus le monde dans lequel elle vivait, elle ne reconnaissait plus les siens, et encore moins Benjamin. Et pourtant sa rivière, sa vallée avaient toujours été un refuge privilégié. Aujourd'hui tout changeait. Sa vie, la rivière, la vallée, Benjamin, son fils, tous les siens étaient menacés. Elle s'était toujours crue, ici, inaccessible au malheur, et elle découvrait qu'il s'était à son insu rapproché de ce qu'elle possédait de plus précieux.

Elle sursauta en entendant des pas derrière elle, tourna la tête. En apercevant Benjamin, elle se leva brusquement et recula.

33

— Non, dit-elle, n'approche pas !

— Je t'ai dit que j'irai le chercher, fit-il doucement, d'une voix si basse, si humble, si différente de sa voix habituelle qu'elle sentit qu'il était touché par l'arrestation d'Aubin plus qu'elle ne le croyait.

— Tu casses, tu détruis, tu frappes ton enfant, et demain, qu'est-ce que tu feras ? dit-elle avec une violence qui le désarçonna.

— Demain j'irai le chercher, répondit-il. Et, s'il le faut, je me livrerai.

— Et tu crois que c'est ce que je souhaite ? Retrouver un enfant et perdre un mari, c'est tout ce que tu as à me dire ?

— Écoute, fit-il en approchant d'un pas.

— Non. Je ne veux plus t'écouter.

Comme il avançait de nouveau, elle recula jusqu'à entrer dans l'eau.

— S'ils me le prennent, dit-elle, tu ne me reverras plus.

Il s'arrêta, la considéra un moment sans rien dire, puis il se retourna et partit sans un mot. Elle demeura seule, hésitante à le rappeler, dévastée par le chagrin qui l'empêchait de voir, autour d'elle, tout ce qu'elle aimait de la vie, le soir qui tombait doucement sur les prairies, la lézarde rose du ciel au-dessus des collines, l'assoupissement de la vallée dont les feux s'éteignaient un à un, comme soufflés par le silence.

Le lendemain matin, quand elle se leva, Benjamin était déjà parti.

— Sais-tu où il est allé ? demanda-t-elle à Élina.

— Où veux-tu qu'il soit ? Il est à Souillac, bien sûr.

Et, comme pour atténuer le ton anormalement vif de sa voix :

— Ne t'inquiète pas : il est parti avec Vivien et Vincent.

Marie s'approcha de la fenêtre et regarda un instant tomber

la pluie derrière les carreaux. Puis, revenant s'asseoir, elle demanda :

— Que nous arrive-t-il, Élina ?

Celle-ci s'approcha, s'assit face à Marie, murmura :

— Ça ne sert à rien de trop s'inquiéter. Je suis sûre qu'ils vont le relâcher très vite.

Marie la dévisagea, reconnut ce sourire, cette confiance que la vieillesse n'altérait pas, et elle mesura, une nouvelle fois, combien la présence de la mère de Benjamin lui était précieuse. Elle reprit :

— Je voulais dire : les bateaux, le chemin de fer, ce qu'ils ont fait la nuit dernière.

— Ils ne recommenceront pas. Ils ont bien trop honte d'eux-mêmes.

Élina ajouta, versant du café dans les bols :

— La Dordogne ne s'arrêtera pas de couler, va.

— Mais peut-être sans nous.

— Qu'est-ce que tu dis là ? Il y a toujours eu des bateaux et il y en aura toujours.

Émilien, tout juste réveillé, arriva dans la cuisine en se frottant les yeux. Lui aussi aimait l'eau, et peut-être encore plus que son frère. Il n'était pas brun, mais châtain, avec des yeux marron et deux fossettes rieuses sur les joues. Qui était responsable si les deux garçons se passionnaient autant pour la rivière ? Moi, sûrement, se dit Marie, puisque je leur ai appris à nager dès leur plus jeune âge. Elle s'en voulut, soudain, car il lui sembla qu'elle les avait contraints à aimer un monde qui, peut-être, allait disparaître. Et cependant Émilien, à douze ans, brûlait d'impatience d'embarquer. Il ne cessait d'en faire la demande à son père qui, s'il avait été seul, aurait sûrement accepté. Mais Marie veillait. A quatorze ans, comme Aubin, ce serait bien suffisant.

— Il revient aujourd'hui, mon frère ? demanda brusquement Émilien.

Marie tressaillit. Comment lui avouer que si Aubin revenait, ce serait parce que son père serait retenu prisonnier ? A moins que les gendarmes n'eussent vraiment aucun indice contre lui. Ce qui restait quand même probable. Du moins pouvait-on l'espérer.

— Il sera sans doute là pour midi, dit-elle.

Émilien, rassuré, se mit à manger. Marie, elle, n'en trouva pas la force. Elle se demanda si, malgré la pluie, elle ne ferait pas mieux d'aller à Souillac pour empêcher son père et son frère de se mettre dans un mauvais cas, pour peu qu'ils répondent aux provocations des gendarmes. Elle en parla à Élina qui lui dit :

— Il vaudrait peut-être mieux, en effet.

Aussitôt Émilien demanda à l'accompagner, et Marie eut toutes les peines du monde à le lui interdire. Elle partit donc seule, un peu plus tard, sous une petite pluie si tiède qu'elle lui offrit son visage en fermant les yeux. Décidément, ce début de mai était bien doux, cette année. Il n'y avait plus un souffle de vent. Même la Dordogne, là-bas, paraissait attentive à cette pluie qu'elle accueillait avec des bruits de bouche.

Marie bifurqua vers la gauche et se hâta vers les jardins et les prairies qui respiraient doucement, sans un frémissement. L'idée que Benjamin était capable d'avouer pour sauver son fils surgit brusquement dans sa tête, si précise, si immédiate qu'elle le crut perdu et se mit à courir. Comme elle sortait du couvert des grands frênes au-delà desquels il n'y avait plus d'abri avant la route de Sarlat, elle aperçut Vivien et Vincent qui venaient vers elle. Elle continua de courir jusqu'à eux, puis elle s'arrêta, essoufflée.

— Alors ?

Les deux hommes hésitaient. Ce fut Vivien qui se décida :

— Ils les ont emmenés tous les deux.

— Où ? cria Marie.

— Au Buisson. Ils vont être confrontés à un témoin qui était sur les lieux. Du moins c'est ce qu'ils prétendent.

Marie se sentit un peu soulagée : Benjamin avait rejoint son fils mais il n'avait pas parlé.

— Ils sont partis ?

— Oui, on les a suivis jusqu'à la route.

Marie hésitait, ne savait si elle devait se lancer à leur poursuite ou rentrer chez elle.

— Viens ! dit Vincent. Ça ne sert à rien.

— Vous croyez qu'on nous a vus ? demanda-t-elle sans bouger d'un pouce.

— Mais non. Tout ira bien, tu verras. Ils seront là demain.

Elle se laissa prendre par le bras et revint sur ses pas sans rien dire, perdue dans ses pensées, songeant qu'elle ne pourrait pas rester longtemps à les attendre sans partir à leur secours.

Elle attendit pourtant tout un après-midi, toute une nuit, et toute la journée qui suivit, soutenue par Élina, Vivien, Vincent et les hommes d'équipage qui se relayaient à la maison du port.

— S'ils ne sont pas là demain matin, dit-elle à son père en fin d'après-midi, je partirai avec le gabarot.

— Et qu'est-ce que tu feras ? soupira Vincent en haussant les épaules. Patiente un peu et fais-leur confiance.

C'était aussi l'avis d'Élina, mais Marie était bien décidée à ne pas en tenir compte.

La nuit tomba, épaisse et chaude comme avant un orage d'été. Ils allaient achever de manger quand on entendit des pas sur le chemin. Marie se leva brusquement, mais avant qu'elle n'ait eu le temps de s'approcher de la porte, celle-ci s'ouvrit sur Aubin et Benjamin qui lui dit :

— Tiens ! Je te le ramène, ton fils.

Ils riaient, semblaient heureux, et Marie songea que cette épreuve les avait peut-être rapprochés. Allons ! Tout n'était peut-être pas inutile dans les événements des jours derniers. Les deux hommes prirent leur place à table et Benjamin dit simplement :

— Il s'agissait d'un faux témoin, évidemment, mais on en a vu d'autres.

Et il ajouta, avec un clin d'œil à l'adresse d'Aubin :

— Pas vrai, petit ?

— Sûr, père. Ça n'a pas été bien difficile.

L'âme de la vallée

Ils paraissaient avoir trouvé la complicité que Marie avait toujours crue impossible. Il lui sembla alors qu'avec une telle alliance entre ces deux forces qu'elle avait vues contraires, ils ne pouvaient pas perdre le combat qu'ils venaient d'engager sur la rivière.

2

C'étaient les premières eaux de voyage de l'automne. Cinq mois ou presque avaient passé depuis les événements du mois de mai, et les matelots de l'*Élina* manœuvraient avec une énergie toute neuve à l'approche du bec d'Ambès, s'apprêtant à traverser la Garonne pour aller attendre la renverse à l'abri de l'île Cazeau. Les eaux étaient tout juste marchandes, en cette fin du mois d'octobre, car il n'avait pas beaucoup plu depuis l'été, et les risques de s'échouer sur les bancs de sable préoccupaient Benjamin qui menait le convoi.

Il se retourna pour vérifier que la seconde ne le suivait pas de trop près, aperçut Vivien et Marie à plus de cinquante mètres en arrière et, rassuré, s'apprêta à amorcer la manœuvre la plus délicate du voyage. Le temps était très bas, en effet, avec un long cortège de nuages qui roulaient leurs grandes épaules grises et qui, là-bas, quelques lieues en avant, semblaient se précipiter dans la mer bordelaise. Le vent soufflait en rafales courtes mais nerveuses qui soulevaient des vaguelettes d'un vert très pâle et rendaient la manœuvre dangereuse.

On avait affalé la voile, le courant étant encore suffisant pour traverser. Il allait être midi. Depuis plus de cinq minutes, Benjamin apercevait les terres-neuvas qui coupaient le confluent de la Dordogne et de la Garonne, séparés seulement par une centaine de mètres. Il fallait manœuvrer, car le moment approchait où il ne pourrait plus dériver vers tribord sans risquer de s'échouer. A cet instant-là, il avait toujours l'impression de s'en remettre à la chance et il n'aimait pas cette sensation de ne pas maîtriser totalement la situation. Il arrivait que la ligne des cargos et des terres-neuvas fût facile à franchir, notamment quand ils arrivaient assez espacés, mais, ce matin, ils surgissaient les uns derrière les autres à grande vitesse, du fait que le jusant était encore puissant.

A la seconde même où il décida de donner son coup de gouvernail pour couper la Garonne, Benjamin aperçut le terre-neuvas qui arrivait sur bâbord toutes voiles déployées. La moindre hésitation pouvait être fatale. Jugeant que la distance était suffisante, il maintint sa ligne sans hésiter, tandis que son regard croisait celui d'Aubin qui s'était retourné, une lueur d'effroi dans les yeux. La corne de brume du terre-neuvas, qui avait vu l'obstacle, retentit et sembla lézarder le silence. N'importe quel autre matelot eût sans doute modifié sa route, au risque de s'échouer, mais pas Benjamin qui possédait une notion très précise de la distance et de la vitesse sur des eaux qu'il connaissait bien. Ce n'est qu'au dernier moment qu'il laissa un peu de champ à l'*Élina* sur tribord, la faisant du même coup fuser sur l'eau en la redressant brusquement. Elle passa à moins de vingt mètres devant la proue du terre-neuvas et s'en alla dériver lentement vers l'île, sur la rive opposée de la Garonne.

Benjamin se retourna alors vers la seconde que barrait Vivien et constata avec satisfaction qu'elle s'était engagée juste derrière le terre-neuvas et qu'elle allait passer plus facilement qu'il ne l'avait fait. Reprenant sa position habituelle, il contrôla calmement la manœuvre jusqu'à ce qu'Aubin jette l'ancre à trente pas de l'île.

Comme à leur habitude, les hommes se mirent à manger en attendant la renverse. Aubin avec l'équipage, et Benjamin, lui, tout seul à l'autre extrémité, comme tous les maîtres de bateau. Il jeta un coup d'œil vers la seconde qui jetait l'ancre en amont et s'immobilisait, ouvrit son panier, coupa du pain et du lard et commença à manger. A l'instant où il releva la tête, il croisa le regard d'Aubin et il y lut une sorte de respect si profond, si inattendu, si sincère, qu'il en fut touché. C'est que les choses avaient bien changé entre son fils et lui, depuis leur interrogatoire du Buisson. Benjamin se rappela l'instant où il était entré dans la gendarmerie et la manière dont Aubin s'était levé en l'apercevant, manifestement très surpris par sa présence.

— Je suis venu te chercher, avait simplement dit Benjamin. Ne t'en fais pas, fils, je ne repartirai pas sans toi.

Le brigadier n'avait pas essayé de le jeter dehors ; au contraire il semblait l'attendre. S'il n'avait pas osé arrêter Benjamin devant ses hommes la veille, il avait tout de suite compris qu'en emmenant Aubin, Benjamin viendrait se livrer de lui-même. Seul Aubin semblait étonné. Mais soulagé, aussi, de n'être plus seul pour faire front.

Ils étaient partis en voiture vers Le Buisson sans pouvoir se parler, mais leurs regards suffisaient à dire ce qu'ils étaient contraints de garder pour eux : Benjamin, qu'il était mortifié d'avoir frappé son fils, Aubin, que la présence de son père près de lui scellait une alliance bien plus forte, bien plus précieuse qu'elle n'avait jamais été.

Au Buisson, ils avaient été confrontés à un homme que Benjamin connaissait pour l'avoir employé plusieurs fois lors des manœuvres de changement de rive. Ce n'était pas un mauvais homme, mais un pauvre hère que les gendarmes manipulaient, parfois, quand il avait du mal à nourrir sa nombreuse famille. Il n'avait pas osé accuser Benjamin qui l'avait souvent payé plus qu'il ne le devait. Les gendarmes, furieux, l'avaient chassé, non sans l'avoir menacé de représailles. Puis ils avaient repris la route vers Souillac en compagnie de leurs prisonniers, l'œil soupçonneux, cherchant encore dans quel piège ils auraient pu faire tomber le père et le fils Donadieu. Une fois à Souillac, ils les avaient relâchés au bout d'une heure, après les avoir menacés eux aussi : l'enquête n'était pas close et ils seraient amenés à se revoir.

Au retour, sur la route du port, Benjamin avait essayé maladroitement d'expliquer à son fils qu'il n'était pas dans ses habitudes de beaucoup parler, mais que le plus important, entre un père et son fils, ne pouvait pas se dire.

— Je sais, père, avait répondu Aubin. Je sais tout cela, ne vous inquiétez pas.

Puis Benjamin s'était brusquement arrêté au milieu du chemin, forçant Aubin à faire de même et avait ajouté :

— Nous allons vers des temps très difficiles, fils, qui peuvent nous apporter du malheur.

Il avait hésité, puis avait poursuivi, en tendant la main à Aubin :

— Est-ce que je peux compter sur toi ?

— Vous le savez bien, avait répondu Aubin en serrant la main tendue.

Ils étaient repartis très vite vers la maison du port et ils étaient arrivés souriants dans la grande cuisine où attendaient Marie, Émilien et Élina...

Un brusque coup de vent tira Benjamin de ses pensées. C'était la marée basse, mais la renverse n'était pas loin. Dans moins de dix minutes arriverait le mascaret. Benjamin se redressa pour apercevoir la seconde où Marie et Vivien devisaient en mangeant, puis il s'absorba de nouveau dans ses pensées. Il songea à son voyage d'été effectué dans le haut-pays, à Spontour, et plus haut, même, vers Nauzenac, Saint-Projet, où Jean avait acheté des coupes. Son beau-père était mort. C'était lui, qui, maintenant, dirigeait l'entreprise et il n'y suffisait pas.

— Si vous n'avez plus d'ouvrage à Souillac venez donc me voir, avait-il dit en riant. Ici, le chemin de fer, on ne le verra jamais.

Benjamin n'avait rien répondu. Il n'envisageait pour rien au monde de quitter Souillac et sa vallée. Il savait que tant qu'il recevrait du bois de son beau-frère et tant que Barcos continuerait à le lui acheter, il pourrait toujours descendre à Bordeaux. Pour le sel, évidemment, c'était plus compliqué. Il allait devoir le vendre à perte. Mais il pensait que lorsque les grossistes s'apercevraient que le sel livré par voie ferrée avait un goût de fumée, ils reviendraient vers lui. Et ce n'était pas parce que la dernière campagne avait été mauvaise que celle qui commençait le serait également. Les marchands de bois comme les marchands de sel finiraient bien par comprendre qu'ils ne pouvaient pas renoncer à un moyen de transport qu'ils utilisaient depuis des siècles à la satisfaction de tous.

Oui, décidément, cette campagne allait être celle de la revanche. Il en était sûr. Et jamais plus il n'aurait à détruire un pont, dont les travaux, d'ailleurs, n'avançaient guère. Car il s'en voulait de cet acte fou, non seulement pour Marie, pour les siens, mais aussi parce qu'il s'était fait peur. Il avait compris, en mai, que plutôt que la ruine, il ne reculerait devant rien. Et sa propre détermination l'effrayait.

Le mascaret fit osciller l'*Élina* de la poupe à la proue et ramena Benjamin à la réalité. Le vent se leva, traînant derrière lui les premières vagues du portant. Benjamin fit claquer son couteau, reprit sa place au gouvernail. Déjà, les hommes hissaient la petite voile bleue pour appareiller. Il donna un ordre. L'ancre relevée, l'*Élina* s'engagea dans la Garonne derrière les couraux du bas-pays et les barques de pêche de la mer bordelaise.

Il se demandait chaque été s'il allait retrouver la rivière, le fleuve, tels qu'il les avait laissés en juin. Et chaque fois il redoutait de ne plus les reconnaître, de ne plus savoir les dompter, les soumettre. Mais il suffisait d'une seule descente pour retrouver le même émerveillement, la même allégresse qui, chaque fois, faisaient mesurer à Benjamin combien les voyages étaient indispensables à sa vie. Surtout sur le fleuve, dans l'immensité de l'eau et de la lumière où il lui semblait qu'il allait se fondre, devenir peut-être à son tour de l'eau, de la lumière, un espace infini. Et chaque fois aussi il ne pouvait détacher son regard des hérons, des sarcelles, des avocettes au plumage cendré, de tout ce petit peuple qui avait élu domicile dans ce royaume ébloui. Là-bas, sur bâbord, les marais désolés semblaient des vagues immobiles du fleuve, tandis que sur tribord Macau apparaissait, émergeant à peine du rivage bleuté. Plus loin, c'était Saint-Louis-de-Montferrand, puis Bassens, et encore plus loin, là-bas, assoupie dans la lumière, la colline de Lormont.

Les nuages avaient déserté le ciel qui était d'un bleu très pâle, délavé par les pluies des derniers jours. Il ne faisait pas froid, encore, et Benjamin se félicitait de pouvoir entreprendre encore une ou deux descentes. Du moins si les eaux demeuraient marchandes, car l'été avait été très sec, et les pluies de l'automne n'avaient pas haussé suffisamment le niveau de la Dordogne. Il se laissa griser par cette impression d'infinie liberté, d'espace ouvert, qu'il connaissait si bien depuis son « temps » dans la marine, et dont il avait besoin. Il en rêvait, parfois : descendre la mer bordelaise, seul dans le vent, et naviguer jusqu'à la mer. Car la mer lui manquait, même s'il ne l'avait jamais avoué à personne, et surtout pas à Marie. Qu'y pouvait-il ? Il était de cette race d'hommes qui ont connu les grands espaces et qui en rêvent toute leur vie. Lui, il y reviendrait. Il ne savait quand ni comment, mais il lui semblait qu'un jour il reprendrait la mer, seul, tout seul, peut-être pour y mourir.

Il avait tellement l'habitude de la descente que, malgré le trafic intense, son esprit s'évadait constamment. Ainsi le temps passait-il vite, trop vite, et s'étonnait-il, chaque fois, en arrivant au grand cingle qui précédait Lormont où se trouvaient les entrepôts de son ami Barcos, de toucher déjà au port. Ce fut Aubin qui le rappela à la manœuvre indispensable à l'appontement. Elle était plus facile qu'à La Bastide, du fait que l'on accostait en dehors du port proprement dit, face au quartier de Bacalan, et qu'il y avait donc peu de gros bateaux ancrés au milieu de la Garonne.

La voile ferlée, la gabare solidement amarrée, Benjamin sauta sur les quais. Il contrôla du regard la manœuvre de la seconde menée par Vivien, puis il partit vers les entrepôts de Barcos. Il constata que les quais de Lormont, jusqu'alors envahis seulement par le merrain et la carassonne, étaient maintenant traversés par des rails sur lesquels des manœuvres poussaient des wagonnets. Il faillit même être happé au passage par l'un d'entre eux et il sentit la colère se réveiller au fond de lui. Puis, comme il poursuivait sa route, il découvrit que leurs rails pénétraient jusque dans les entrepôts de Barcos. Il s'arrêta, les poings serrés, tremblant sur ses jambes, de nouveau dévasté par une fureur dont il avait cru le foyer éteint. Et voilà qu'elle se réveillait dès qu'il posait les pieds sur les quais. Immobile, oppressé, il respirait très vite, essayant de repousser cette vague de fureur qu'il connaissait bien depuis le printemps dernier.

C'est à peine s'il sentit la présence de Marie à ses côtés. Elle l'avait rejoint après avoir vu les rails, elle aussi, devinant ce qui devait se passer en lui. Elle lui prit le bras, murmura :

— Reste calme. Ça ne veut rien dire.

Il se tourna vers elle, la dévisagea un instant, ne répondit pas et, l'entraînant avec lui, pénétra dans les entrepôts de Barcos. Celui-ci donnait des directives à des ouvriers au fond d'un hangar immense. Il n'entendit pas approcher Benjamin et Marie, se retourna quand ils furent près de lui, ayant deviné leur présence au regard de ses employés par-dessus son épaule.

Dès qu'il aperçut le visage de Benjamin, Barcos comprit ce que pensait son ami et voulut se montrer enjoué :

— Vous tombez bien, dit-il en embrassant Marie et en tendant la main à Benjamin.

Celui-ci feignit de ne pas la voir et murmura, les dents serrées :

— Alors, toi aussi, Hippolyte ?

Le sourire se figea sur le visage de Barcos qui répondit :

— Quoi donc, moi aussi ? Laisse-moi t'expliquer.

— Il n'y a rien à expliquer, dit Benjamin, j'ai tout compris en arrivant sur le quai.

Et il fit volte-face, obligeant Marie à le suivre.

— Attends, dit Barcos, je vais te le prendre, ton merrain. Les rails, c'est simplement pour mes clients de l'intérieur des terres

Benjamin se retourna.

— La Garonne ne te suffisait pas ?

— Écoute, Donadieu, il faut vivre avec son temps.

— C'est ça, ironisa Benjamin, et regarder les autres crever.

— Mais puisque je te dis que je te le prends, ton merrain.

— A quel prix ?

Le marchand se troubla. Marie, qui ne bougeait ni ne disait mot, eut très peur, tout à coup, mais Barcos n'osa pas annoncer le prix qu'il avait manifestement arrêté avant l'arrivée de Benjamin.

— Même tarif qu'au printemps : 480 francs le millier.

Benjamin se détendit quelque peu. Compte tenu de la concurrence du chemin de fer, il ne pouvait pas espérer mieux, mais c'était assez pour payer l'approvisionnement effectué par Jean, et les hommes d'équipage. Si tout se passait bien, il lui resterait cinq francs par millier. La situation n'était donc pas si catastrophique. Il consentit enfin à sourire, accepta le verre que lui proposait toujours le marchand lors de chaque voyage.

Celui-ci les précéda en direction de son bureau, les fit asseoir. Ils burent leur verre en silence, songeant encore, tous les trois, au malaise qui n'était pas tout à fait dissipé. Marie, elle, avait compris que le prix proposé par Barcos ne reflétait pas la réalité des cours. Tandis que le marchand se justifiait, expliquant à Benjamin pourquoi il avait fait relier ses entrepôts aux voies ferrées du Paris-Orléans, Marie observait cet homme aux cheveux blancs repoussés en boucles vers l'arrière, son profil d'empereur romain, et songeait qu'elle le trouvait vieilli, fatigué. Elle devinait surtout qu'il était gêné car il savait qu'il ne pourrait pas garantir ce prix très longtemps. « C'est toujours ça de gagné », songea Marie en s'apercevant que Benjamin retrouvait ses habitudes et sa confiance. Selon Barcos, en effet, les rails qui entraient chez lui étaient simplement destinés à approvisionner les clients qui ne

46

pouvaient l'être par voie fluviale. Il se développait, en quelque sorte, mais sans remettre en question le transport traditionnel. Bref, on pouvait compter sur lui.

Ils prirent congé du marchand pour aller, comme ils en avaient l'habitude, aux salinières, laissant les bateaux et les hommes sous la responsabilité de Vivien. Ils trouvèrent un passeur de leur connaissance qui remonta la Garonne jusqu'au pont et les déposa là. Ils partirent sur le quai, côte à côte, comme à chacun de leur voyage, et arrivèrent rapidement chez le responsable des ventes : M. Labrède, un gros homme à rouflaquettes, portant chapeau haut de forme et gilet de soie. Marie ne l'aimait pas, même si elle n'avait jamais traité avec lui du temps où elle naviguait seule. Elle savait d'instinct que c'était un homme capable de trahir n'importe qui et dont on ne pouvait attendre aucune faveur. Il leur proposa du sel à cinquante francs l'hectolitre, pas un franc de moins. C'était le prix auquel le touchaient les grossistes, vendu et déchargé en gare de Brive. Il fallait travailler à perte, et c'était la première fois.

Benjamin entraîna Marie à l'écart. La lueur de désarroi qu'elle lut dans son regard la meurtrit.

— Réfléchissons, dit-elle, attendons demain.

— Non, décida-t-il tout à coup, je ne veux pas remonter à vide. Il ne faut pas inquiéter les hommes.

— Et si on ne le vend pas ?

— On vendra. A perte s'il le faut.

Il y avait une lueur farouche dans ses yeux, une lueur un peu folle, la même que celle du mois de mai. De nouveau elle eut peur, mais elle parvint à le lui cacher. Ils conclurent le marché, arrêtèrent l'heure de chargement du lendemain matin, puis s'éloignèrent, préoccupés, silencieux, vers la barque qui les attendait en aval du port, bien décidés à dissimuler aux hommes d'équipage que pour la première fois de leur vie, ils allaient travailler en perdant de l'argent.

La remonte fut agréable, car le soleil était de retour. Il fallait donc se hâter, le niveau des eaux baissant chaque jour d'un pied. Et pourtant Benjamin n'en avait guère envie, car les forêts de chênes et de châtaigniers allumaient des incendies de toutes les couleurs sur les collines. Il songeait par ailleurs qu'une fois à Souillac, il allait devoir vendre le sel au meilleur prix possible, ce qui n'allait pas être facile. En fait, il ne se sentait bien que sur la rivière. Dès qu'il posait le pied sur la terre ferme, les ennuis commençaient. Et ce n'était que le premier voyage. Que se passerait-il à la fin de la campagne? Il n'y avait pas d'autres solutions que de se battre, résister, attendre que tout le monde se rende compte combien le transport par chemin de fer était néfaste pour la marchandise.

L'après-midi déclinait. L'étape du soir était prévue à Bergerac. A l'entrée du Périgord, l'immense plaine paraissait assoupie dans une grande paix. Ses prairies et ses arbres fruitiers, qui portaient encore leurs feuilles, tremblaient douce-ment dans le vent tiède venu de la mer. Après le clocher de Saint-Pierre-d'Eyraud, de longues îles accompagnaient la Dordogne, où les aulnes et les frênes étaient crêtés d'or et de bronze. Puis ce fut le confluent de la Gardonnette, le château de Saint-Martin, le petit manoir de Riandole, et, sur tribord, toujours la même plaine paisible étendue dans la lumière chaude des heures qui précèdent la nuit en automne.

Après les manœuvres de changement de rive de Gardonne, Benjamin se laissa aller à songer à l'époque où il n'avait que le seul souci de la solidité des cordelles. Quel plaisir c'était, alors, de sentir approcher la nuit, la chaleur des auberges, la présence des hommes autour de lui! Il lui sembla qu'il ne revivrait plus jamais cela et quelque chose en lui se révulsa. Il tressaillit, aperçut sur sa gauche le petit bourg de La Force juché sur un plateau encore vert qu'embrasait le soleil couchant, puis ce fut l'église de Lamonzie et le pigeonnier carré qui lui servait de sentinelle, et là-bas, enfin, les premières maisons de Bergerac.

Une fois l'*Élina* solidement amarrée au quai, face au

faubourg de la Madeleine, Benjamin paya les bouviers puis il se dirigea vers l'auberge où il avait repris ses habitudes, depuis la disparition de l'ancien propriétaire. Il ne faisait pas encore tout à fait nuit et les quais bruissaient de l'activité des hommes au travail. Il tardait à Benjamin de retrouver la compagnie de ses matelots autour de la table.

Quelques mètres avant l'auberge, pourtant, une femme s'avança vers lui et demanda :

— Vous êtes Benjamin Donadieu ?

— Oui, madame, répondit-il tout en examinant cette femme âgée qu'il n'avait jamais vue mais qui lui rappelait quelqu'un. Petite, les cheveux blancs peignés en chignon, les yeux clairs, elle était vêtue d'une longue robe de taffetas et d'un caraco noir. Il se dégageait de sa frêle silhouette une expression de noblesse et de dignité.

— Je suis la mère de Pierre, dit-elle. Je voudrais vous parler.

Et, comme Benjamin, stupéfait, ne répondait pas.

— Vous voulez bien me suivre chez moi ? Votre femme aussi, bien sûr, car c'est bien votre femme, n'est-ce pas ?

— Oui, dit Marie qui s'était approchée. Juste le temps de prévenir l'équipage et nous vous suivons.

Ils expliquèrent à Vivien qu'ils devaient partir, puis ils rejoignirent la mère de Pierre qui les attendait, immobile et sans impatience, un peu plus loin. Celle-ci les précéda dans les ruelles jusqu'à l'église, puis elle ouvrit la porte d'une petite maison qui se trouvait un peu en retrait de la grand-rue, au fond d'un jardin aux allées gravillonnées. Elle fit entrer Benjamin et Marie dans une sorte de bureau, les invita à s'asseoir dans des fauteuils de reps grenat, leur proposa un verre qu'ils refusèrent, puis elle s'assit à son tour face à eux. Elle paraissait minuscule, soudain, dans son fauteuil, et sa voix était douce et frêle.

— J'habite ici depuis la mort de mon mari, dit-elle. J'ai dû vendre notre grande maison. Mais ce n'est pas pour vous dire ça que je vous ai invités, chez moi, c'est pour vous parler de Pierre.

Benjamin sentit des frissons courir dans son dos. Ce bureau sombre et cette voix grave lui faisaient envisager le pire.

— Mon fils est mort des fièvres à Cayenne, reprit la vieille dame. Mais avant de mourir il a écrit une lettre pour vous : la voici.

Dès qu'il avait entendu prononcer le nom de Pierre sur le port, Benjamin s'attendait à une telle nouvelle, mais le fait de l'entendre de la bouche même de la mère de son ami le bouleversa. Il hésita à tendre la main, comme si l'enveloppe que lui tendait la vieille dame allait le brûler.

— Il y en avait une pour moi, dit Mme Bourdelle comme pour le convaincre de s'en saisir. Avec la vôtre, ce sont les deux seules qui me soient jamais parvenues.

Elle hésita, poursuivit :

— Aussi, si vous vouliez bien me dire...

Benjamin hocha la tête, prit l'enveloppe, la déchira, se mit à lire pour lui-même :

> *Benjamin,*
>
> *Je vais mourir. Je le sais. Ma mère est seule. Je ne reviendrai pas. Prends soin d'elle, s'il te plaît. Et ne m'oublie pas. Un jour, tu sais, nous gagnerons.*
>
> *Pierre*

Ses doigts tremblaient quand il tendit la lettre à la vieille dame. Elle la lut, la lui rendit sans un mot, sans une larme, et Benjamin la donna à Marie.

— N'ayez point de crainte, monsieur, dit la mère de Pierre, je ne vous embarrasserai pas. J'ai tout ce qu'il me faut.

Et, comme Benjamin tentait de protester :

— J'ai pu vendre à bon prix la maison de Marmande. De toute façon, si mon fils était revenu, il n'aurait pas pu vivre là-bas.

— Mais vous êtes seule, dit Benjamin.

— Non point : une vieille servante veille sur moi.

Elle se tenait très droite, très digne, et un léger sourire errait sur ses lèvres.

— Nous pouvons nous arrêter lors de chaque voyage, dit Marie. Ça ne nous dérangera pas.

— C'est bien aimable à vous. Mais ne vous sentez pas obligés, dit la vieille dame ; puis elle leva une main, hésita, murmura :

— Ne l'oubliez pas, c'est tout ce que je vous demande, et n'abandonnez pas son combat. Ainsi il continuera à vivre à travers vous.

Elle soupira, ajouta :

— Quant à moi, à mon âge, je n'attends plus que de le rejoindre, et son père aussi.

Un long silence se fit dans la pièce que les rideaux de velours pourpre rendaient plus sombre malgré la lueur de la lampe. Ni Benjamin ni Marie n'osaient se lever.

— Je vous remercie de m'avoir accompagnée jusqu'à chez moi, reprit la mère de Pierre.

— Si nous pouvons vous aider, n'hésitez pas à faire appel à nous, dit Benjamin. Vous pouvez nous demander tout ce que vous voudrez.

De nouveau, elle hésita, puis :

— Vous la verrez, vous, la République. Ce jour-là, il faudra...

Elle eut du mal à poursuivre, soupira :

— Ils ne me rendront pas son corps. Il va être enterré à Cayenne. Mais ça ne fait rien. Ce jour-là, s'il vous plaît, venez fleurir la tombe des Bourdelle ici, à Bergerac.

— Je vous le promets, dit Benjamin.

De nouveau le silence s'installa. La vieille dame se leva, ouvrit un tiroir dans le bureau, saisit un coffret, revint vers eux.

— Une dernière chose, dit-elle : il m'a demandé de vous

51

remettre ça. Il y a quelques livres : Voltaire, Montesquieu...
Prenez-les, s'il vous plaît.

Benjamin se saisit du coffret, remercia.

— Je vous raccompagne, dit la vieille dame.

Elle souriait. Devant la porte, elle ajouta :

— Mon époux disait : « Tout ce qui ne parvient pas à nous
détruire nous fortifie. » Aujourd'hui je suis forte... plus que
jamais peut-être.

Benjamin et Marie remercièrent et saluèrent. La porte se
referma sans bruit.

Dans la rue, qui sentait la poix et le goudron, ils marchèrent
d'abord en silence, tous deux encore sous le coup de l'émotion
qui les avait gagnés. Benjamin ne sentait pas la douleur. Pas
encore. Il avait tellement été malmené par le sort, ces derniers
mois, qu'il s'était forgé une sorte de carapace.

A mesure qu'il marchait, pourtant, il se répétait ces mots
que rythmaient ses pas : « Pierre est mort, Pierre est mort », et
la souffrance s'insinuait peu à peu en lui. Marie le sentait, mais
elle n'osait pas lui prendre le bras ni prononcer le moindre
mot. Qu'aurait-elle pu lui dire ? Elle savait que le fardeau qu'il
portait venait subitement de s'alourdir et elle se sentait
impuissante à l'aider. Lui, revoyait le beau visage de la mère
de Pierre et se reprochait de n'avoir pas essayé de lui venir en
aide. Mais depuis qu'il était revenu d'Algérie, il avait volontairement coupé tous les ponts avec ce qui lui rappelait le passé.
Par peur de reprendre la lutte. Pour ne plus faire le malheur
des siens. Et aujourd'hui il avait l'impression d'avoir trahi
Pierre, les idées qui leurs étaient chères, la cause républicaine
en particulier. Et la mère de Pierre était seule, ou presque, et
elle avait besoin de lui, il en était sûr, même si elle prétendait le
contraire.

Tout en marchant, il songeait à leur complicité sur le
Duguay-Trouin, à leurs rencontres de Bordeaux, à leur combat
de Marmande, à cette force, cette grandeur qu'il avait

devinées chez Pierre dès les premiers jours. Et lui, Benjamin, l'avait trahi. Il avait honte de lui-même autant qu'il avait eu honte, après coup, d'avoir saboté les travaux du pont du Buisson. Mais que lui arrivait-il? Qui était-il vraiment? Il n'avait plus qu'un désir, dans cette nuit épaisse d'octobre qui achevait de tomber, c'était de dormir, d'oublier au moins jusqu'au lendemain ces idées noires qui ne cessaient de le harceler comme un essaim de guêpes folles.

Une fois à l'auberge, il ne prit même pas le temps de dîner. Il monta dans sa chambre, suivi par Marie qui venait d'expliquer à Vivien et Aubin ce qui s'était passé. Ils se couchèrent sans un mot, mais Benjamin eut beau souffler la bougie, il ne put trouver le sommeil. Dix minutes plus tard, il se releva, ralluma la bougie, alla s'asseoir sur la chaise unique de la chambre, tandis que Marie, réveillée par la lumière, s'asseyait au bord du lit.

— Je vais reprendre la lutte, dit-il, brusquement, sans regarder Marie qui, à ces mots, avait pâli.

— Tu n'y penses pas, dit-elle doucement. Est-ce que l'Algérie ne t'a pas suffi?

Il la dévisagea douloureusement, et, serrant les poings, cria :

— Il est mort, tu comprends? Il est mort.

Elle laissa passer quelques secondes, souffla :

— Justement.

Il sursauta. Son regard se fit plus dur.

— Justement quoi? Tu ne comprends donc pas qu'il est mort pour rien!

Elle savait qu'il ne fallait pas le prendre de front, et que par la douceur, comme elle l'avait si souvent vu faire à Élina avec Victorien, elle parviendrait à le calmer.

— Mais non, dit-elle. Il n'est pas mort pour rien. Tout ce qu'il a semé va germer un jour, j'en suis sûre.

— Quand nous serons morts à notre tour?

Elle soupira. Sa voix se fit plus douce encore :

— Non, bien avant.

Son ton de certitude étonna Benjamin, l'apaisa brusquement. Il reprit, mais plus bas, lui aussi, comme s'il n'avait plus de force, soudain, pour exprimer la colère et la douleur qui étaient en lui :

— Je l'ai trahi. Et il est mort.

Elle ne répondit pas tout de suite, mais elle se leva et s'approcha de lui :

— Tu n'as trahi personne, dit-elle, et surtout pas nous.

Elle posa une main sur son épaule, reprit :

— Aujourd'hui, tu le sais bien, le combat est sur la rivière, et nous avons besoin de toute notre énergie.

Il fit comme s'il n'avait pas entendu.

— Je n'aurais jamais dû le quitter, à Marmande, le dernier jour, dit-il.

— Et aujourd'hui tu serais mort aussi.

Il se leva brusquement, commença à se rhabiller.

— Qu'est-ce que tu fais ? demanda-t-elle.

— Je vais marcher. Je ne peux pas dormir.

Il ajouta, comme elle l'interrogeait du regard :

— J'ai besoin d'être seul.

Il hésita, dit encore :

— Après le chemin de fer, c'est Napoléon qui resurgit. On dirait qu'ils ont signé un pacte pour mieux nous détruire.

Marie hocha la tête pensivement, puis :

— Justement, dit-elle, si nous gagnons sur la rivière, nous gagnerons aussi contre lui.

Il demeura un instant silencieux, puis il ouvrit la porte et murmura tout en la refermant sur lui :

— J'espère que tu as raison, sans quoi tout ça finira très mal.

Au terme de cette remonte sans autre incident, Benjamin fit la tournée des grossistes en sel qu'il avait l'habitude d'approvisionner. Trois jours à sillonner les routes du Quercy, de Corrèze et de Dordogne avec Vivien. Les compagnies de chemin de fer avaient décidé de livrer une guerre sans merci aux bateliers. Ce n'était plus à cinquante francs l'hectolitre que les marchands touchaient le sel dans les gares, mais à quarante-cinq. A ce prix-là, Benjamin ne pouvait plus payer ni son équipage ni les rouliers qui, avant l'arrivée du chemin de fer, acheminaient les marchandises. Eux aussi commençaient à disparaître, premières victimes de cette concurrence féroce. Aussi Benjamin ne dut-il qu'aux bonnes relations qu'il entretenait depuis longtemps avec deux ou trois grossistes de pouvoir écouler son sel à quarante-cinq francs.

Le retour à Souillac fut douloureux. A midi, après le repas, Benjamin, Vivien, Vincent et Marie tinrent conseil dans la grande cuisine :

— Il faut débarquer les hommes d'équipage, dit Vivien. Il n'y a pas d'autre solution.

Benjamin songea à tous ces hommes qui avaient été toujours fidèles, et qui avaient aidé Marie quand il était en Algérie.

— Jamais! dit-il. Je préfère travailler à perte.

— Pendant combien de temps? demanda Vivien.

— Le temps qu'il faudra.

Un lourd silence tomba. Marie, qui était demeurée silencieuse depuis le début, murmura :

— Nous les payerons avec quoi?

Il la dévisagea durement, comme s'il découvrait seulement sa présence.

— Avec l'argent du bois, dit-il avec force.

— Et nous? Avec quel argent vivrons-nous?

— On se débrouillera.

De nouveau le silence s'installa. Puis :

— Nous ne sommes pas seuls, dit-elle. Vivien a deux enfants.

— Moi aussi, dit Benjamin.

Marie regarda Vivien, qui avait pâli. Elle ne lui avait jamais vu cet air si hostile. Jamais, pourtant, il n'y avait eu la moindre dispute entre son mari et son frère. Elle eut peur, tout à coup, et appela à son secours Élina qui, à ses yeux, était la seule à pouvoir convaincre Benjamin. Celle-ci s'approcha, tenta d'intervenir :

— Ton père, commença-t-elle...

— Mon père, l'interrompit-il, il aurait fait comme moi.

Et il ajouta, se levant brusquement en renversant sa chaise :

— J'ai dit que je ne débarquerai pas les hommes, et personne ne me fera changer d'avis !

Puis il sortit et disparut en claquant la porte derrière lui. Ils demeurèrent un moment sans parler. Aubin et Émilien, qui avaient entendu les éclats de voix, étaient descendus de leur chambre. Ils s'approchèrent de la table, quêtant du regard une explication. Marie observait Vivien qui était d'une pâleur extrême.

— Ne dis rien, ne fais rien, lui dit-elle ; je t'en prie. Je saurai bien le convaincre. De toute façon, nous pouvons tenir au moins trois mois.

Vivien acquiesça furtivement puis partit sans un mot, suivi par Vincent. Marie rassura les enfants, aida Élina à débarrasser la table ; après quoi elle sortit à son tour pour aller à la rencontre de Benjamin.

On était au début de novembre, mais il ne faisait pas froid. L'été de la Saint-Martin était précoce, cette année, ce qui n'arrangeait pas les affaires des bateliers, car l'eau était à peine marchande. S'il ne pleuvait pas avant trois jours, on ne pourrait pas repartir. Marie, en fait, ne s'en inquiétait pas. Elle n'était pas pressée de retrouver les mêmes problèmes à Bordeaux et à la remonte du sel. Elle avait bien d'autres soucis, aujourd'hui, et surtout celui d'éviter une dispute entre Benjamin et Vivien. Et comme elle avait peur qu'ils se trouvent face à face sur les bateaux, elle se dirigea vers le port. Benjamin travaillait sur l'*Élina*, avec Vidal et Jacques Mourgues. Elle salua les hommes d'équipage, les aida à nettoyer le pont, puis Aubin et Émilien arrivèrent, et elle leur laissa la place, car Benjamin n'aimait pas la voir travailler en présence de ses fils.

Elle ne s'éloigna pas pour autant, passa sur la seconde où

elle commença à réparer les mailles de l'épervier. De temps en temps, elle jetait un regard sur l'*Élina* ou vers le chemin sur lequel pouvait apparaître Vivien, puis elle revenait à son ouvrage, maniant avec dextérité son aiguille de buis et sa cordelette tressée. Un peu plus tard, les hommes partirent. Aubin et Émilien s'en furent à la pêche sur une barque, et elle vit Benjamin monter dans la deuxième. Portant l'épervier, elle se précipita et embarqua à son tour, sans un mot.

L'après-midi commençait à décliner. Le vent d'ouest arrachait par rafales les feuilles des frênes et des peupliers qui venaient délicatement se poser sur la Dordogne. Benjamin se laissa glisser vers les calmes situés avant le pas du Raysse, puis il tendit les rames à Marie et se dressa pour jeter l'épervier. Combien de fois n'avaient-ils pas pêché ainsi, tous les deux, au temps où l'on ne parlait pas encore du chemin de fer! Toute une somme de souvenirs heureux affluèrent en elle, la bouleversèrent. Pourquoi fallait-il tellement trembler aujourd'hui alors que la rivière demeurait la même? Et ce ciel, éternellement lissé de fins nuages, et cette vallée, où les cuivres et les ors mouchetaient encore le vert des collines et des prairies? Et Benjamin lançait l'épervier avec la même adresse, et les poissons frétillaient dans la barque, entre elle et lui, et les minutes coulaient dans la paix, le silence, aussi douces, aussi belles qu'elles n'avaient jamais été.

Marie étouffa un sanglot, que Benjamin n'entendit pas. Il reposa l'épervier qui étincelait de gouttes d'argent, s'assit à l'avant, lui laissa les rames. Comme ils en avaient l'habitude, ils traversèrent pour aller dans les prairies, sous le château de Cieurac. Ils attachèrent la barque à un saule, descendirent, marchèrent dans l'herbe épaisse en direction des bois. Marie avait préparé les mots qu'elle devait dire, mais, tout à coup, elle s'y refusait. Elle pensait à la fidélité des hommes d'équipage, à Vidal qui l'avait tant aidée, à Jacques, le mousse, qui avait grandi près d'elle, aux cinq autres qui partageaient leur vie avec courage depuis si longtemps. Elle ne pouvait pas prononcer les mots que Vivien, lui, avait prononcés à table.

Ç'eût été reconnaître une défaite, se trahir, abandonner la lutte. Elle dit à Benjamin, avant qu'ils ne remontent dans la barque :

— Tu as raison. On ne peut pas lâcher les hommes comme ça. Eux aussi ont une famille. On verra à la fin de la saison.

Quand ils furent face à face sur l'eau, Benjamin planta son regard où brillait une lueur farouche dans le sien, et dit gravement :

— Si nous devons nous sauver, ce sera tous ensemble ou pas du tout.

3

Un an, ou presque, avait passé. En cette fin septembre, l'été se prolongeait agréablement et il semblait à Marie que l'eau de la Dordogne n'avait jamais été aussi tiède. Pendant toute la durée des beaux jours, elle s'était baignée dans la rivière, le soir, à la tombée de la nuit, avait plongé dans les grands fonds pour se débarrasser de tous les soucis qui l'accablaient. Elle en sortait comme lavée, propre et nette, dormait mieux, oubliait tout pour quelques heures, et c'était bon de plonger dans le sommeil comme en eau profonde, de ne plus être hantée, enfin, par les événements des derniers mois.

La campagne qui s'était achevée en juin, en effet, avait été catastrophique. Vivien, Élise et leurs deux enfants étaient partis en mars dans les environs de Carsac où ils avaient trouvé une métairie. Vivien, qui avait appris à travailler la terre dans la ferme des Prades, à Thiviers, n'avait eu aucun mal à se faire confier un bien à cultiver. Même si Vincent n'avait pas voulu les suivre alors qu'il vivait avec eux sur le port, cette séparation avait été pour Marie une déchirure qu'elle avait très mal acceptée. Vincent habitait désormais avec Marie, Benjamin, Élina et les enfants, et ce n'était pas toujours facile, car, en vieillissant, comme il souffrait toujours de sa jambe, il devenait irritable. Heureusement, Élina, elle, ne changeait pas et gardait le sourire, même les soirs où

Benjamin criait à table, s'en prenant aux marchands, à ses fils, à lui-même, au monde entier.

Pour clôturer la dernière campagne et payer l'équipage, il avait dû vendre le gabarot. Puisqu'on ne disposait plus de bateau d'allège, il fallait désormais moins charger l'*Élina* et la seconde, surtout à la remonte. Les hommes d'équipage se doutaient de ce qui se passait, mais ils n'en parlaient pas et, au contraire, travaillaient davantage, pour faire front eux aussi, car ils avaient compris que leur maître de bateau ne les sacrifierait pas.

En juillet, Marie avait suivi Benjamin à Spontour, dans le haut-pays, chez son frère Jean qu'elle n'avait pas vu depuis longtemps. Celui-ci avait renouvelé son offre d'association en disant :

— Du bois ! Du bois ! Regardez ! Il n'y a que ça ici ! Suffit de le descendre. Tu le vois, toi, le chemin de fer, dans nos montagnes ? Il exploserait bien avant ! Non, ici, on aura toujours besoin de bateaux.

— Quitter Souillac ? Jamais ! avait répondu Benjamin ; et Marie, à ces mots, avait senti son cœur s'affoler.

Depuis, elle ne pensait qu'à cela : devoir abandonner un jour sa maison, la vallée, les prairies, et elle n'avait pas assez d'heures dans la journée pour profiter des menus plaisirs qu'elle tirait naturellement de la vie en ces lieux. Car la menace de la banqueroute s'affirmait et l'année qui s'annonçait allait être décisive. Mais ce dont elle avait le plus peur, c'était des réactions de Benjamin. Elle avait en effet entendu parler de sabotage sur les voies ferrées et connaissait la sanction pour ceux qui s'en rendaient coupables : c'était la peine de mort.

Elle frissonna à cette idée, tandis qu'elle s'avançait vers l'eau dans la nuit qui tombait, chargée d'odeurs de feuilles sèches, de regain couché, de raisins mûrs. L'été à son déclin réchauffait encore les fins de jour avec des vents lourds et des bouffées torrides qui dévalaient comme des torrents la rocaille des collines. Comme toujours en cette saison, la Dordogne buvait la chaleur de la terre à grands coups de lèvres le long des rives. Marie sentait sous ses pieds jouer les galets moussus sur lesquels il était si difficile de tenir en équilibre. Allait venir le moment où l'eau atteindrait sa poitrine, où le courant la cueillerait comme une feuille le vent à la cime des arbres.

Dès qu'elle perdit l'équilibre, elle se laissa aller et bascula sur le dos, face aux premières étoiles. A ce moment-là, chaque fois, elle oubliait tout pour ne penser qu'à se fondre dans l'eau, à n'être plus qu'une brindille emportée par le courant et qui s'échouerait là-bas, un peu avant le Raysse, sur les galets. Ce fut bien, ce soir-là, la même impression d'appareiller vers un autre monde, vers les étoiles, où rien d'autre n'existait que les caresses de l'eau sur la peau, la sensation de n'appartenir à personne, sinon à l'eau, au ciel, à l'univers entier.

Quand le courant devint trop fort et qu'elle ne parvint plus à maintenir sa tête hors de l'eau, elle aspira une grande goulée d'air, se retourna, et plongea. Dès lors, il lui fut facile de gagner les grands fonds, plus calmes mais qui voisinaient avec le gouffre, sous le rocher du Raysse. Elle descendit plus bas, remonta plusieurs fois pour respirer, redescendit toujours plus profond, et, enfin, émergea de nouveau sous les étoiles qu'il lui sembla pouvoir décrocher de la main.

Elle était ivre d'eau, de nuit, de vent, et elle sentait son cœur battre à grands coups dans sa poitrine. Épuisée, elle traversa la Dordogne en brasses régulières pour aller marcher dans les prairies, de l'autre côté. Malgré la tiédeur de l'air, le vent la fit frissonner. Elle s'allongea pour se sécher sur le regain, songea à ces nuits folles où elle n'était pas seule, où Benjamin l'accompagnait. Or aujourd'hui, il la fuyait. Pourquoi? C'était comme s'il lui cachait quelque chose. Et elle avait peur. Ce soir plus que les autres soirs alors que, d'ordinaire, la baignade la délivrait de tous ses tourments. La pensée que Benjamin avait peut-être besoin d'elle la contraignit à revenir vers la rivière. Où était-il à cette heure? Et pourquoi la fuyait-il depuis quelques jours?

Elle entra de nouveau dans l'eau et remonta vers le port en

longeant la rive à l'abri du courant, puis elle traversa face à la plage de galets d'où elle était partie, comme à son habitude. Chaque fois qu'elle émergeait de l'eau, son regard se portait vers l'arbre où elle avait si souvent retrouvé Benjamin. Elle reconnut alors sa silhouette qu'elle aurait identifiée entre mille, même dans la nuit la plus épaisse. Ainsi, elle avait deviné qu'il était venu la chercher, ce soir, alors qu'il ne l'avait pas fait depuis leur retour du haut-pays. Elle courut vers lui, s'assit, demanda :

— Tu ne veux pas nager ? Elle est presque tiède.

Il ne répondit pas tout de suite, soupira, puis :

— J'ai l'impression qu'elle n'est plus la même, souffla-t-il.

Et l'amertume de sa voix donna à Marie la certitude qu'il était venu là pour lui annoncer quelque chose de grave. Elle insista, pourtant, cherchant à l'entraîner vers l'eau :

— Ça te fera du bien, tu verras.

Il résista, mais elle était résolue à ne rien entendre, cette nuit, à ne penser qu'au plaisir de l'eau, à retrouver ce qu'ils avaient vécu, il n'y avait pas longtemps encore, à reléguer dans l'ombre tous les soucis.

— Viens ! S'il te plaît !

Elle était debout, le tirait par le bras. Sans doute à cet instant ressentit-il lui aussi le besoin d'oublier puisqu'il céda brusquement, quitta sa chemise et la suivit.

Sitôt dans l'eau, ils se laissèrent couler, enlacés, comme ils savaient si bien le faire pour utiliser la force du courant, et respirer à tour de rôle, tournant sur eux-mêmes sans se lâcher. Ils descendirent ainsi la Dordogne sur plus de cinq cents mètres et se retrouvèrent en face du rocher de la Raysse. Là, au lieu de se diriger vers les prairies, Benjamin partit vers la droite, nageant d'une main, entraînant Marie avec lui. Un peu avant le rocher, il plongea et elle le suivit jusque dans les profondeurs qui précédaient le gouffre où, il y avait si longtemps, elle avait failli mourir prisonnière. Lorsqu'ils furent vraiment à bout de souffle, ils remontèrent à la surface, et Benjamin, comme chaque fois qu'il émergeait à l'air libre, cria de plaisir. Quelques secondes plus tard, il l'entraîna de nouveau vers les profondeurs où l'eau était presque tiède, tant elle était gorgée de la chaleur de l'été. C'était une eau caressante, attirante, dont le velours glissait sur la peau en faisant jouer les muscles et courir des longs frissons du bas du dos jusqu'à la nuque.

Marie réalisa que Benjamin cherchait à l'attirer vers le gouffre au moment où ils entrèrent dans le grand remous dont elle connaissait si bien l'étreinte dangereuse. Elle résista, mais il parvint à la maintenir sur le bord extérieur du remous, sans pour autant l'entraîner davantage. Ce n'était pas un ordre qu'il lui donnait. C'était plutôt une question qu'il lui posait. Elle le devina quand il se colla contre elle et ne bougea plus. Son cœur battait à tout rompre et elle sentait déjà la douleur dans ses oreilles, ses yeux, sa poitrine. Elle comprit qu'il s'abandonnait à elle, alors que d'ordinaire c'était elle qui s'en remettait à lui, aux confins de ces lisières où ils allaient parfois, d'un accord tacite, pour mieux se trouver. Vivre ou mourir. C'était le choix qu'il lui laissait, cette nuit si bleue de septembre qui portait encore tant de chaleur, tant d'espérance. Fallait-il qu'il souffrît !

Elle n'eut pas le temps de réagir. Le remous les avait pris, les entraînant vers le gouffre, alors que l'air, déjà, leur manquait. Ce fut elle qui, la première, commença à se battre, mais aussitôt il l'imita. Comme les eaux n'étaient pas trop fortes, ils réussirent à ne pas se laisser entraîner vers le bas. Mais fallait-il encore sortir du piège. Ce fut Benjamin qui ouvrit le passage, à grandes brasses et à grands coups de talons, tandis que Marie sentait ses forces l'abandonner, son cœur cogner contre ses tempes à les briser. Ils émergèrent à l'air libre un peu plus loin et, comme il sentit qu'elle ne pouvait plus avancer, il l'aida à glisser vers la plage de galets, où, si souvent, ils s'étaient échoués, à bout de souffle.

Un long moment passa, sans que ni l'un ni l'autre puisse esquisser un geste ou prononcer un mot. Marie sentait la peur, encore, vibrer en elle, et à l'idée de ce qu'il lui avait proposé sans oser le lui dire, elle en avait la chair de poule. Elle pensa à ses enfants, à Élina, à leur vie qui avait été si heureuse, au couloir obscur dans lequel ils étaient engagés désormais, et elle ne put retenir un gémissement. Quand il comprit qu'elle pleurait, il la souleva dans ses bras, la porta dans la prairie, l'allongea dans l'herbe et, sans un mot, s'étendit contre elle.

Quand la pluie se mit à tomber, la veille du jour où Aubin devait tirer au sort, Marie y vit un heureux présage, se souvenant du jour où Benjamin était revenu, sa feuille de délivrance à la main, tandis qu'elle l'attendait sous le grand chêne. Aussi insista-t-elle pour accompagner son fils sur le chemin du bourg, de la même manière qu'elle avait accompagné Benjamin il y avait... Mon Dieu, combien d'années ? Plus de vingt, sûrement, peut-être plus — mais elle n'eut pas le cœur de les compter.

Pendant tout le temps où il déjeuna, ce matin-là, Marie observa son fils, tout en mangeant elle-même debout, devant la cheminée. Elle ne pouvait détacher son regard des boucles brunes, des yeux si clairs qu'il tenait de son grand-père Victorien, de ce visage taillé à coups de serpe, et de cette farouche détermination qui animait ses traits. Car elle savait ce qu'il pensait, son fils : il voulait partir pour ne pas demeurer à la charge de ses parents, ne pas être une bouche de plus à nourrir, alors que l'on ne gagnait même plus sa vie sur la rivière. Il avait même proposé à Benjamin, s'il tirait un bon numéro, d'aller se vendre :

— Je te l'interdis bien ! avait tonné Benjamin. Il ferait beau voir que j'aie trimé toute ma vie pour que mes fils soient obligés de se vendre comme je l'ai fait !

Aubin n'avait pas insisté, mais Marie savait qu'il y pensait toujours, comme elle. Au reste, elle s'en voulait de le souhaiter, parfois, car elle pensait que la vie allait devenir de plus en plus difficile pour la famille. Par ailleurs, elle redoutait les heurts qui, depuis quelques mois, se produisaient entre Benjamin et

Aubin. Car Benjamin ne supportait rien ni personne. Aubin, souvent, prenait sur lui pour ne pas répondre, mais jusqu'à quand ?

Il se leva, s'apprêta à sortir. Et, comme elle approchait :

— Ce n'est pas la peine, dit-il, à quoi ça sert ?

Marie ne répondit pas, mais prit son manteau de pluie et l'attendit sur le seuil tandis qu'il s'habillait calmement. Ils s'éloignèrent ensuite sur le chemin, longeant la Dordogne qui avait pris la couleur de la pluie et roulait, sur leur droite, ses eaux grises que musclait chaque automne. Marie pensa à Benjamin qui n'avait pas voulu assister au départ de son fils et travaillait sur l'*Élina*.

— Tu sais comment il est, dit-elle à Aubin, sans préciser de qui elle parlait, mais il comprit sans peine.

— Il a raison, répondit Aubin, à quoi ça sert ? Ce soir, de toute façon, je serai là.

Elle préféra ne pas répéter ce qu'elle lui avait raconté, la veille au soir, comment elle avait attendu Benjamin sous le grand chêne et son impression qu'en agissant de même aujourd'hui, il aurait, lui, Aubin, la même chance que son père au tirage au sort.

— La chance ? avait-il répondu. Est-ce que vous en êtes sûre ?

Mais oui, la chance. On ne donnait pas si facilement sept ans de sa vie à un empereur qui ne pensait qu'à faire la guerre. Aubin avait fini par en convenir, et c'est à cela qu'il pensait, ce matin, près de sa mère, tandis qu'ils avançaient le long de la rive huilée par la pluie. Privés d'eau depuis le début de l'été, l'herbe et les arbres la recevaient avec des murmures et des longs soupirs qui rendaient les prairies vivantes et rêveuses comme une femme endormie.

Dès qu'ils eurent obliqué vers la gauche et dépassé les jardins, Aubin s'arrêta brusquement :

— Vous n'allez pas me suivre jusque là-bas ? dit-il.

Marie s'arrêta elle aussi, sourit :

— Allons ! dit-elle, puisqu'il le faut.

Elle l'embrassa, fermant les yeux, et la pluie sur son visage lui donna la sensation, un bref instant, d'avoir elle aussi dix-huit ans. Il se dégagea vivement, mais elle n'en fut pas blessée : il avait déjà accepté bien des choses, ce matin. Elle le regarda s'éloigner et demeura un long moment immobile sous la pluie, incapable de faire demi-tour, d'abandonner son fils au destin qui l'attendait là-bas.

Elle s'y résolut un peu plus tard, revint lentement sur ses pas, songeant qu'elle allait recommencer à attendre, si Aubin partait, comme elle avait attendu le retour des hommes, une grande partie de sa vie. Une fois parvenue sous le grand chêne, elle s'y abrita un long moment, de la même manière qu'elle s'y était abritée il y avait plus de vingt ans pour attendre Benjamin.

Elle allait repartir vers le port quand elle reconnut la silhouette qui s'avançait sur le chemin. Elle ne bougea pas, jusqu'au moment où Benjamin arriva près d'elle, murmurant :

— Je savais que je te trouverais là.

Cela lui fit plaisir qu'il se fût souvenu. Elle s'essuya les yeux et les joues, demanda :

— Tu te rappelles ?

Il fit « oui » de la tête, la prit contre lui.

— Allez, viens, maintenant, dit-il, tu vas prendre froid.

Elle se laissa entraîner vers la maison où, pour oublier que la vie de son fils se jouait sans qu'elle y pût rien, elle se mit à aider Élina qui préparait le repas de midi dans la cuisine.

Au début de l'après-midi, pourtant, ce fut plus fort qu'elle : elle revint sous le grand chêne. La pluie avait cessé. Les arbres s'égouttaient avec des froissements furtifs qui faisaient courir des frissons dans le dos de Marie. Toute la terre respirait avec une sorte d'allégresse. Marie songea un moment à ce plaisir qui venait du plus profond d'elle, chaque fois qu'elle se retrouvait ainsi seule au monde, accueillant par chacun de ses sens la vie de la terre, des arbres et des feuilles, certaine que l'essentiel était là, toujours, et peut-être le seul bonheur qui ne fût jamais menacé par personne. Et cette alliance, aujourd'hui, lui semblait aussi protéger Aubin.

Elle marcha à sa rencontre, puis, comme elle ne le voyait pas venir, elle s'arrêta dans les prairies d'où se levaient des vagues au parfum poivré, les mêmes qui jaillissaient sous ses pieds, la nuit, après les baignades, dans les foins coupés. Allons! Aujourd'hui le monde parlait le même langage qu'elle. Aujourd'hui, rien de grave ne pouvait arriver. Aussi, quand Aubin surgit, souriant, vers cinq heures de l'après-midi, et qu'il lui annonça la bonne nouvelle, elle n'en fut pas vraiment surprise. Mais heureuse, oui. A tel point qu'elle courut derrière lui jusqu'à la maison, puis sur le port, où les hommes chargeaient le merrain.

Benjamin les aperçut, descendit, prit Aubin par les épaules et dit :

— Alors toi aussi, fils, un bon numéro!

— Oui, père, dit Aubin, nous allons pouvoir en faire des voyages ensemble!

A ces mots, un silence de plomb tomba brusquement. Les hommes d'équipage avaient levé la tête et les observaient en silence. En une seconde, toute leur joie venait d'être effacée par les paroles prononcées par Aubin. « Quels voyages? Y en aurait-il encore longtemps, des voyages? » songea amèrement Marie. Elle laissa là les deux hommes et leur tourna le dos, afin qu'ils n'aperçoivent pas les larmes qui montaient dans ses yeux. Ce jour qui aurait pu être si beau était gâché, comme les autres, depuis des mois et des mois, sans qu'apparût la moindre lueur d'espoir à l'horizon.

Les eaux étant enfin marchandes, on entreprit la première descente de la saison par un temps gris et tiède, mais sans pluie. Aubin avait pris la place de Vivien sur la seconde, près de Marie, tandis qu'Émilien avait embarqué pour la première fois sur l'*Élina*, avec son père. Benjamin l'avait exigé et Marie n'avait pas trouvé la force de s'y opposer. De même n'avait-il pas cédé d'un pouce sur la présence des hommes d'équipage. Aucun n'avait été débarqué. « Mais pour combien de temps ? » se demandait Marie. Depuis que Benjamin les payait avec le maigre bénéfice réalisé sur la vente de bois, il devait de l'argent aux bouviers et il ne restait plus rien pour la maison. Ils vivaient de la pêche, du jardin, des quelques sous de la vente du gabarot, mais bientôt viendrait l'hiver et Marie ne savait ce que ferait Benjamin qui avait dit, la veille du départ :

— On verra à Noël. En attendant, on embarque.

Marie se demandait s'il n'y avait pas de sa part une sorte de folie, de besoin de destruction, mais elle n'osait pas s'opposer à ses décisions, pas plus, d'ailleurs, qu'Élina ou Vincent.

La descente avait été agréable, surtout en aval de Limeuil, car le ciel s'était dégagé dès le premier après-midi. Depuis Lalinde, en passant par Saint-Capraise, Mouleydier et Bergerac, les bateaux étaient descendus sans le secours des rames, le courant étant suffisant, et les équipages avaient pu profiter du flamboiement que l'automne allumait chaque année sur les rives. Et de même, le lendemain, au milieu des empiècements aux couleurs si différentes des champs et des prés, dans le parfum des moûts et le velours d'un vent au goût de treille, jusqu'à Castillon-la-Bataille où l'on avait dû hisser la voile et se montrer vigilant en raison du trafic. Plus bas, le ciel, de nouveau, s'était voilé, et de grandes ailes de nuages s'étaient déployées au-dessus du fleuve, escortant les bateaux avec, par moments, de grands froissements qui faisaient soudainement s'envoler les oiseaux comme des nuées de guêpes sur les rives.

A Bordeaux, contrairement à ce qu'avait craint Marie, les prix étaient demeurés les mêmes qu'avant l'été. L'écroulement qu'elle redoutait ne s'était pas produit. Du moins pas encore. Les deux bateaux repartirent donc à la remonte sans s'attarder, et tout se passa bien jusqu'à Castillon-la-Bataille où l'on parvint sans difficulté grâce à la marée et au vent portant.

Le lendemain en fin de matinée, les gabares de Donadieu arrivèrent au relais de tire situé entre Pessac et Saint-Seurinde-Prats. Benjamin descendit pour donner la cordelle au maître bouvier, un gros homme noir et rude, dont la réputation n'était pas bonne tant il avait eu de démêlés avec les bateliers. Il s'appelait Justin Cypière, menait ses bouviers aussi rudement que ses bêtes, parlait haut et fort, et se battait, souvent, dans les auberges. Il avait réussi à établir une sorte de monopole sur son parcours, tant les autres patrons bouviers en avaient eu assez de se heurter à lui.

Quand Benjamin, ce matin-là, lui tendit la cordelle de l'*Élina*, il la laissa retomber sans la prendre. Benjamin crut d'abord à une maladresse et, connaissant bien l'homme, se baissa pour la ramasser. Comme il la lui tendait une deuxième fois, le bouvier n'ouvrit pas davantage sa main, et Benjamin demeura face à lui, avec sa cordelle, se demandant ce que cela signifiait.

— Tu me dois dix tires, Donadieu, tonna le patron bouvier, et je ne te remonterai plus tant que tu ne m'auras pas payé.

Benjamin pâlit, serra les dents sous l'affront. Déjà, Marie, qui s'était aperçue de l'incident, s'approchait. Les hommes, qui étaient descendus des bateaux, demeuraient à distance mais ne perdaient rien de ce qui se passait.

— Je t'ai toujours payé, dit Benjamin. Je te payerai ce que je te dois à la prochaine descente. Tu as ma parole.

— Tu payes tout de suite ou tu restes là, dit le patron bouvier.

— Allons, fit Marie, vous savez bien que vous serez payé.

— Je veux l'être tout de suite ! répéta le bouvier, buté. Tout le monde sait bien que vous travaillez à perte et que bientôt vous vendrez tout pour aller courir les chemins.

Benjamin fit un pas en avant et Marie crut qu'il allait le frapper. Elle appela Aubin qui l'aida à séparer les deux hommes, car Benjamin avait déjà empoigné le bouvier. D'autres bateaux étant arrivés au relais, un attroupement s'était formé à proximité. Marie devinait que Benjamin avait honte, une honte mortelle, affreuse, d'être accusé ainsi devant ses hommes et devant les bateliers qu'il connaissait. Elle fut

69

certaine que s'il avait été seul avec le patron bouvier, il l'aurait tué.

— C'est ton dernier mot ? fit-il, ramassé sur ses jambes, prêt encore à frapper.

— Non c'est pas le dernier ! répondit l'homme. Dégage la place si tu ne peux pas payer ; il y en a d'autres qui attendent !

Il fallut se mettre à quatre pour retenir Benjamin et l'entraîner vers l'*Élina*.

— Fais reculer les bateaux, dit Marie à Aubin, tandis qu'elle prenait le bras de Benjamin et l'emmenait vers l'aval en essayant de le calmer.

Les bateliers s'étaient dispersés. Benjamin tremblait d'une rage qui l'avait comme vidé de son sang. Jamais il n'avait subi un tel affront. Marie pas davantage, même lorsqu'elle était seule à naviguer, même lorsqu'elle avait dû négocier les marchés avec des hommes plus retors que ce patron bouvier.

— Je le tuerai, disait Benjamin entre ses dents serrées, je te jure que je le tuerai !

— Arrête ! disait Marie. Arrête ! ça ne sert à rien. Il faut trouver de l'argent, c'est tout.

Il la regarda, décida brusquement :

— Reste ici. Moi je vais retourner à Castillon et je reviendrai le plus vite possible.

Elle hésita, puis, songeant qu'il fallait mieux l'éloigner du bouvier, accepta. Benjamin disparut sur le chemin de rive et, là-bas, à quelques centaines de mètres, rejoignit la route dans l'espoir de trouver une voiture. Blessée jusqu'à l'âme elle aussi, Marie revint lentement vers les bateaux, puisant tout au fond d'elle-même la force de sourire.

Le convoi ne repartit qu'en fin d'après-midi, dut s'arrêter à Saint-Aulaye-de-Breuilh à cause de la nuit, et non à Bergerac comme les Donadieu en avaient l'habitude. Au retour de Benjamin, c'est Marie qui avait pris l'argent et était allée payer le bouvier. Elle avait fait en sorte que Benjamin restât sur le bateau jusqu'à ce que la tire se termine.

Elle avait attendu d'être seule avec Benjamin à l'auberge de Saint-Aulaye pour lui demander où il avait trouvé l'argent.

— Chez un notaire de Castillon. J'ai donné la seconde en gage.

A cette nouvelle, elle avait chancelé mais n'avait rien dit. A partir de ce moment-là, pourtant, la peur s'était glissée en elle, une peur tenace, mordante, qui ne l'avait pas quittée pendant toute la remonte et l'avait incitée à surveiller Benjamin qu'elle savait mortifié. Il n'avait pas desserré les dents, était demeuré fermé, hostile, et, elle le savait, elle le devinait, désormais capable des pires folies, comme au Buisson, lors d'un récent printemps.

A Limeuil, à l'auberge, les bateliers qui dînaient près d'eux avaient parlé de sabotages exécutés sur la voie ferrée. Les gendarmes avaient trouvé des troncs d'arbre, des pierres, et ils avaient ouvert une enquête. Marie, à ce moment-là, avait croisé le regard de Benjamin, et la peur, de nouveau, était entrée en elle. Puis la remonte avait repris, et il ne s'était heureusement pas trouvé un seul bouvier pour refuser de tirer les bateaux. Avant d'arriver à Souillac, elle avait essayé d'engager la conversation avec Benjamin pour savoir quels étaient ses projets, mais il était resté muré dans son silence, avec, au fond des yeux, cette lueur folle et désespérée qu'elle redoutait tellement.

Elle savait qu'avec leur arrivée à Souillac, le plus difficile, pour elle, commencerait. Car autant il lui était facile de le surveiller sur les bateaux, autant une fois à terre il pouvait aller et venir librement et se lancer dans elle ne savait quelle folie.

Au moment de se lever, le lendemain de leur arrivée, elle se rendit compte qu'elle ne sentait plus sa présence à ses côtés. Elle descendit, trouva Élina qui lui dit avoir entendu Benjamin dans la cuisine avant le lever du jour. Une terrible angoisse en elle, Marie courut jusqu'au port et découvrit que la seconde n'était plus là. Elle revint toujours en courant vers la maison, interrogea Vincent, Aubin, Émilien, mais aucun ne savait où était parti Benjamin.

Elle voulut se lancer tout de suite à sa poursuite avec l'*Élina*, et Vincent eut toutes les peines du monde à l'en dissuader.

— Attends un peu! lui dit-il. De quoi as-tu peur?

Comment avouer devant ses propres enfants qu'elle redoutait un geste fou sur une voie ferrée, ou ailleurs: chez le bouvier, dans un port, chez le notaire?

— Allons! dit Élina, fais-lui confiance. Il ne doit pas être loin.

— Après avoir pris la seconde?

— Et alors? On est sûr au moins qu'il est sur la Dordogne.

Cette idée rassura un peu Marie, mais pour très peu de temps. Si Benjamin s'arrêtait dans un port, il pouvait très bien abandonner son bateau un jour ou deux, puis venir le reprendre après avoir mené à bien Dieu sait quelle vengeance. Non, elle devait partir à sa poursuite, et tout de suite.

— Demain! dit Aubin avec une fermeté qui la surprit. Attendons au moins demain, et nous partirons ensemble.

Elle finit par accepter, ne voulant pas montrer à ses enfants l'étendue de son inquiétude.

Un peu plus tard, en fin de matinée, comme elle se rendait sur le port pour voir si le bateau n'était pas revenu, elle y trouva Vidal et deux autres matelots qui s'étonnèrent auprès d'elle de l'absence de la seconde.

— Le patron est parti, dit-elle, et on ne sait pas où.

Ils montèrent sur l'*Élina*, s'assirent, préoccupés.

— Vous savez, dit Vidal après être resté un long moment silencieux, nous ne sommes pas fous; nous savons ce qui se passe.

— Ah! dit Marie, vaguement soulagée, mais cependant persuadée qu'ils ne connaissaient pas l'ampleur du désastre.

— Pourquoi ne pas nous en avoir parlé plus tôt? reprit Vidal.

Marie sourit, répondit:

— Il ne veut pas se séparer de vous.

Les trois hommes baissèrent la tête, touchés par cet aveu qui n'était jusqu'à ce jour qu'un soupçon.

— Alors c'est nous qui allons partir, dit Vidal, ce sera mieux pour tout le monde. Sinon, ça finira mal.

Marie comprit qu'il nourrissait des craintes au sujet de Benjamin et sa peur se réveilla.

— Il ne vous a rien dit ? demanda-t-elle sans parvenir à dissimuler son angoisse. N'avez-vous rien surpris pendant la dernière remonte ?

— Non, dit Vidal, mais vous, que savez-vous au juste ?

Elle hésita, finit par avouer, tellement elle se sentait seule et désespérée :

— J'ai très peur qu'il s'en prenne aux voies ferrées.

Les trois hommes se consultèrent du regard, et, comme ils tardaient à répondre, Marie sentit que ce qu'elle redoutait ne leur paraissait pas improbable. Elle en fut encore plus inquiète et ne put cacher les larmes qui brillaient dans ses yeux.

— Ne vous en faites pas, dit Vidal, on va partir à sa recherche, et quand on l'aura trouvé on lui dira qu'on veut s'en aller.

— Il ne le supportera pas, dit Marie.

Et elle ajouta, essayant de se reprendre :

— Vous le connaissez aussi bien que moi.

— Vous savez, dit Vidal, ça fait plus de six mois qu'on a compris ce qui se passe et qu'on cherche autre chose.

— De toute façon, ajouta Jacques Mourgues, on savait que ce serait la dernière saison. Alors, un peu plus tôt ou un peu plus tard...

Marie le dévisagea, songea qu'il avait été mousse avec elle et qu'il était un peu son fils.

— Où iras-tu, toi ? demanda-t-elle.

— Je reviendrai à la terre. Ne vous inquiétez pas, avec deux bras, on se débrouille toujours.

— Et vous, Vidal ?

73

— Moi, je descendrai à Libourne ou à Bordeaux et je m'embarquerai.

— Vous croyez ? dit-elle.

Et elle ajouta, précisant sa pensée :

— Vous croyez que vous pourrez recommencer une vie ailleurs ?

— Il le faudra bien, dit Vidal.

Devant leur courage, leur détermination, elle s'en voulut de sa faiblesse.

— Il le faudra bien, oui, murmura-t-elle.

— Bon ! dit Vidal en se levant, on va prendre les barques de pêche. Avec l'*Élina*, il faudrait payer la remonte et c'est pas le moment.

— Merci, répéta Marie en esquissant un sourire.

— Ne vous en faites pas, allez, on va le retrouver et on lui dira qu'il n'est pas responsable.

— Merci, répéta Marie en esquissant un sourire.

Elle eut alors l'impression d'avoir trouvé des alliés sur qui elle pouvait vraiment compter.

Le lendemain, comme convenu, elle partit avec Aubin sur la barque qu'elle utilisait d'ordinaire pour la pêche avec Benjamin. Elle n'avait pas dormi de la nuit, mais depuis sa conversation avec les hommes d'équipage, elle se sentait plus forte. La présence d'Aubin, au demeurant, l'incitait à faire preuve d'optimisme. Ce n'était pas le moment de flancher. Benjamin et ses enfants avaient besoin d'elle. Il fallait faire face comme elle avait toujours su le faire dans les moments difficiles.

Ils avaient mis leur manteau de pluie car le ciel était menaçant. Aubin était à l'avant et Marie, assise à l'arrière, se servait de sa rame comme gouvernail. L'eau était suffisamment forte pour porter la barque même à travers les calmes sur lesquels, d'ordinaire, il fallait ramer. Si près de l'eau, Marie retrouvait les mêmes sensations que lors de la descente nocturne vers Le Buisson, et elle ne se sentit soulagée qu'après avoir dépassé le pont qui, aujourd'hui, était en cours d'achèvement. Elle repoussa l'idée que Benjamin pût recommencer ce qu'il avait déjà fait, s'efforça de porter son attention sur le chemin de rive au bord duquel, de temps en temps, ils s'arrêtaient pour interroger les bouviers. Mais, s'ils avaient vu passer les matelots de Donadieu, lui, ils ne l'avaient pas vu.

Comme ils descendaient plus vite qu'avec les gabares, ils dépassèrent Limeuil et Mauzac durant la première journée et firent halte à Lalinde. Le lendemain, ils reprirent la descente dès le lever du jour et ne trouvèrent nulle trace jusqu'à Saint-Martin, bien après Bergerac, où, enfin, des bateliers leur signalèrent avoir vu Donadieu et ses matelots à Sainte-Foy.

Bien que ce fût la fin de l'après-midi, Marie décida de repartir. A l'idée de savoir Benjamin si proche, en effet, le besoin de savoir était plus fort que les risques de la navigation nocturne. Mais elle n'eut pas besoin d'aller jusqu'à Sainte-Foy. A Gardonne, ils aperçurent Jacques Mourgues sur la rive où ils accostèrent aussitôt.

— Il est là-bas, avec Vidal, fit Jacques dès que Marie et Aubin eurent mis pied à terre. Ne vous inquiétez pas, ajouta-t-il aussitôt, il ne s'est rien passé de grave.

Comme ils se dirigeaient vers l'auberge, ils croisèrent Vidal qui dit à Marie :

— Je lui ai parlé. Allez le voir, je vous laisse avec lui. Nous autres, on va coucher dans la grange et on repartira demain.

Marie aperçut Benjamin, assis, là-bas, sur une barque au radoub.

— Laisse-nous, s'il te plaît, dit-elle à Aubin. Attends-nous à l'auberge.

Elle s'approcha, surprit Benjamin car il s'était accoudé sur ses genoux et regardait le sable devant lui.

— Alors, toi aussi ? dit-il. Je suis donc un enfant pour que l'on me surveille de la sorte ?

Elle ne répondit pas, s'assit près de lui.

— Pourquoi ne m'avoir rien dit ? demanda-t-elle au bout d'un instant.

Il garda le silence, demeurant hostile, puis, avec une sorte de rage :

— Je fais ce que j'ai à faire. Je paye mes dettes.

— Si tu me l'avais dit, je me serais moins inquiétée.

Elle avait mis le plus de douceur possible dans sa voix pour ne pas le heurter.

— Je ne savais pas ce que j'allais faire en me levant. Ça m'a pris tout d'un coup. Je ne pouvais plus vivre comme ça.

Marie hocha la tête, demanda :

— Et alors ? Qu'as-tu fait ?

— Hier j'ai vendu la seconde à Castillon, et depuis je remonte en payant les bouviers.

Elle crut que son cœur s'arrêtait : il avait vendu la seconde ! Il sembla à Marie que le monde s'était mis à tourner follement autour d'elle. Elle ne put s'empêcher de demander à mi-voix :

— Qu'allons-nous devenir ?

— Tu as parlé avec Vidal, répondit-il, alors tu en sais autant que moi.

Des cris s'échappaient de l'auberge derrière eux, mais ils ne les entendaient pas, isolés qu'ils étaient dans cette nuit qui tombait sur eux et sur le monde. Il sembla à Marie que Benjamin pleurait, lui à qui elle n'avait jamais vu verser la moindre larme de sa vie. Elle évitait soigneusement de regarder dans sa direction, essayait de desserrer l'étau refermé sur sa poitrine en respirant l'air tiède à grandes bolées. Elle ne savait que dire, ni que faire, s'en voulait d'avoir songé qu'il était capable de saboter la voie ferrée alors qu'il ne pensait qu'à payer ses dettes, que c'était là son seul souci. Elle faillit lui prendre le bras, mais elle sentit qu'il ne le fallait pas. Plusieurs minutes passèrent, et elle n'osa ni bouger ni parler.

Il la surprit lorsqu'il se redressa brusquement et dit, d'une voix qui avait retrouvé toute sa force :

— Bon ! Demain on a de la route à faire. On avisera quand on sera chez nous !

Elle le suivit jusqu'à l'auberge, réconfortée de le voir marcher avec une énergie si rapidement retrouvée, et avec l'impression qu'il était toujours le même : l'homme fort près de qui elle vivait depuis plus de trente ans.

4

Les hommes étaient donc partis, et Benjamin n'avait pas essayé de les retenir. Il se disait qu'il les avait gardés avec lui le plus longtemps possible et qu'il aurait continué jusqu'au bout s'ils n'avaient pas pris eux-mêmes l'initiative de s'en aller. Et de cela il ne doutait pas ; personne, d'ailleurs, n'en doutait autour de lui : il avait suffisamment montré de détermination pour cela. Cette idée l'aidait beaucoup, de même que celle de n'avoir plus de dettes, désormais, et de pouvoir continuer à naviguer sur l'*Élina*.

Ils étaient quatre, sur le bateau, ce matin-là, au départ de Libourne : Marie, Aubin, Émilien et Benjamin. On était à la fin du mois d'avril et tout paraissait possible encore, à condition de se contenter de peu, de travailler ainsi en famille sans avoir à payer un équipage. Le prix que leur consentait Jean sur le bois permettait de l'écouler chez Barcos avec un bénéfice suffisant pour payer la remonte. Benjamin avait décidé de ne plus charger de sel, mais plutôt diverses denrées telles que du sucre, du café et du poisson séché qu'il écoulait lui-même dans les bourgs du Quercy ou de la Dordogne. Cette manière de procéder s'était révélée à peu près rentable lors des voyages précédents, mais il passait désormais beaucoup de temps sur les routes, et pendant ce temps-là le fleuve lui manquait.

Aussi était-ce avec un plaisir multiplié qu'il levait l'ancre, chaque fois, en compagnie de Marie et de ses fils, pour ces voyages que pour rien au monde il n'aurait abandonnés. Et ce matin plus qu'à l'ordinaire, peut-être, car c'était après Libourne, précisément, que la Dordogne était la plus belle, pour qui aimait ces grands espaces que dominait le tertre de Fronsac dont les épaules rondes luisaient dans la rosée. Là, Benjamin oubliait tout ce qui portait atteinte au plaisir de la navigation. Et Marie, près de lui, le sentait, qui avait aussi repris espoir et barrait avec le même plaisir qu'auparavant, lorsqu'il lui cédait le gouvernail. Aubin et Émilien, eux, se tenaient l'un sur bâbord pour surveiller le trafic, l'autre à la proue, guidant leur père avec une connaissance du fleuve qui, souvent, l'étonnait.

La gabare passa le méandre de Fronsac, puis celui de Vayres, et bientôt apparurent sur bâbord les talus délimités par les « esteys ». La matinée coula dans le silence et la lumière, puis l'*Élina* dépassa les nombreux petits ports de la rive droite qui semblaient surveiller, sur les collines, les vignes et les châteaux. Bientôt, ce fut Bourg et ses odeurs violentes de goudron et de moût, puis l'équipage s'apprêta aux manœuvres du bec d'Ambès.

Il était midi lorsque l'*Élina* s'arrêta à l'abri de l'île Cazeau et que les Donadieu s'apprêtèrent à manger. Il faisait une journée de grand soleil et de grand vent. Les bateaux semblaient pris entre le ciel et l'eau comme dans une banquise. Benjamin se surprit à penser que tout ce qu'ils avaient vécu avait servi à les rapprocher davantage et que la vie serait belle s'ils pouvaient continuer à vivre ainsi, ensemble, sur le fleuve. Il lisait la même conviction dans le regard de Marie, et il était heureux, dans ce matin si lumineux, comme il ne l'avait pas été depuis longtemps.

Ils mangèrent en silence, savourant ces minutes qu'ils avaient crues perdues pour toujours ; étonnés, même, de se trouver là après tous les obstacles qui s'étaient dressés devant eux pour le leur interdire. Autour d'eux, les bateaux se balançaient au gré de vaguelettes qui venaient mourir sur l'île et le cliquetis des drisses contre les mâts rythmaient leur attente en leur donnant l'illusion, comme à chaque voyage, d'un proche appareillage pour le grand large. Ce n'était que la Garonne qui les attendait, mais l'immensité du fleuve les surprenait toujours, une fois venue la renverse, et ce voyage-là, tous les quatre ne l'auraient échangé contre aucun autre tellement il était devenu nécessaire à leur vie.

Celui-ci, d'ailleurs, fut encore plus éblouissant que les précédents, car le soleil d'avril semblait ne pas avoir définitivement brisé les glaces de l'hiver qui, sur les rives et sur les talus, réverbéraient la lumière comme lors d'un matin de gel. Bouche ouverte, Benjamin aspirait l'air froid qui sentait les embruns, manœuvrait l'*Élina* avec une sorte d'euphorie qui le réconciliait avec la vie. La gabare dépassa Saint-Louis-de-Montferrand, puis l'on aperçut Bassens sur bâbord, et beaucoup plus loin, la colline de Lormont sous laquelle se trouvaient les entrepôts de Barcos.

Une fois son bateau amarré, Benjamin sauta sur le quai de Lormont sans la mointre appréhension. Au contraire, il avait hâte de retrouver le marchand dont l'amitié ne s'était pas démentie pendant les mois si difficiles qu'ils avaient traversés. En cette fin d'après-midi, l'activité des quais, sur lesquels circulaient des wagonnets de plus en plus nombreux, donna même à Benjamin l'impression de s'être intégré dans ce monde qui, pourtant, avait tellement changé en peu de temps.

Il ne se rendit compte qu'il s'était passé quelque chose que lorsqu'il se trouva devant le portail clos de son ami Barcos. Marie venait de le rejoindre, et ils demeuraient là, tous deux, immobiles, pas vraiment inquiets, encore, mais surpris, plutôt, d'apercevoir l'entrepôt désert à travers la grille. Il leur fallut un long moment avant de comprendre que la porte ne s'ouvrirait pas. Ils retournèrent alors sur leurs pas, et Benjamin s'approcha d'un contremaître qui donnait des ordres à des hommes en train de charger un wagon.

— Pourquoi c'est fermé, chez Barcos? demanda-t-il alors.

Le contremaître en blouse grise se tourna à peine vers lui pour répondre, comme si cela n'avait plus guère d'importance.

— C'est la banqueroute, mon pauvre monsieur, il paraît qu'ils l'ont mis en prison, Barcos.

Benjamin voulut encore poser d'autres questions, mais le contremaître s'éloigna sans plus lui accorder d'attention. Il se retourna vers Marie qui avait entendu et dont le visage était d'une extrême pâleur. Il crut qu'elle allait tomber, la prit par le bras, s'approcha d'un ouvrier qui semblait attendre l'arrivée d'un wagonnet.

— Pourquoi c'est fermé, chez Barcos ? demanda-t-il une nouvelle fois.

L'homme haussa les épaules et ne répondit pas. Celui-là ne savait rien, c'était évident. Benjamin voulut entraîner Marie vers un autre entrepôt, mais elle le retint en disant :

— Allons à l'auberge, là on saura vraiment.

Ils expliquèrent brièvement à Aubin et à Émilien ce qui se passait, traversèrent la Garonne sur une barque de louage et remontèrent jusqu'aux salinières en direction de l'auberge où se trouvait toujours leur ami républicain, dont ils s'étaient volontairement éloignés après le retour d'Algérie de Benjamin. Quand ils arrivèrent, la nuit tombait. L'aubergiste, qui avait beaucoup vieilli et se déplaçait difficilement, les reçut comme à son habitude avec beaucoup de chaleur, les fit asseoir et leur tint compagnie un moment. Pour Barcos, oui, il savait : la banqueroute le guettait depuis longtemps car il avait tardé à jouer le jeu du chemin de fer et ces messieurs avaient décidé de se passer de lui. Les compagnies privilégiaient les négociants qui avaient signé les premiers avec elles. Les autres devaient être éliminés. Pour survivre, Barcos avait eu recours à quelques manœuvres frauduleuses et il avait été dénoncé. Aujourd'hui, il se trouvait en prison et son entrepôt était sous séquestre. Il était peu probable qu'il ouvrît un jour de nouveau, ou alors ce serait sous l'autorité d'un nouveau propriétaire.

L'aubergiste parla aussi de la mort de Pierre, du mouvement républicain qui redressait la tête un peu partout dans le Sud-Ouest, mais Benjamin et Marie n'écoutaient plus. C'était comme si, soudain, leur bateau naufragé les précipitait dans une eau glacée. Ils remercièrent l'aubergiste, repartirent sans songer à manger, silencieux, insensibles au vent de la mer et à la majesté des grands voiliers dont les mâts scintillaient sous la lune.

Depuis quelque temps, ils avaient pris l'habitude de dormir sur le pont et non pas dans les auberges, pour faire des économies. Quand ils arrivèrent sur l'*Élina*, Aubin et Émilien dormaient déjà entre deux tas de merrain, à la proue. Ils se couchèrent sous une bâche, sur la plate-forme du gouvernail, s'enroulèrent dans une couverture, et, serrés l'un contre l'autre, sans un mot, ils s'abîmèrent dans ce gouffre ouvert sous leurs pieds, incapables de dormir, de s'avouer que le coup qui venait de leur être porté allait sûrement sonner le glas de leurs dernières espérances.

Le lendemain, il fallut essayer de vendre le bois. Benjamin s'y employa seul, malgré l'insistance de Marie qui voulait le suivre, craignant un geste de désespoir. Il suivit les quais jusqu'à La Bastide, trouva un acquéreur à 430 francs le millier. C'était le prix que leur consentait Jean. Et ils allaient devoir payer la remonte. Il vendit quand même, car il n'était pas question de ramener le merrain et la carassonne à Souillac. Ils manœuvrèrent au début de l'après-midi pour décharger leur bois, puis, comme c'était le début du jusant, ils partirent sans acheter les denrées qu'ils ne pouvaient plus payer désormais.

La remonte fut d'une grande tristesse malgré le soleil du printemps. Marie essaya de donner le change pour ne pas trop inquiéter Émilien et Aubin, mais Benjamin n'ouvrit pas la bouche, ou à peine, simplement pour annoncer les manœuvres. Une idée fixe l'obsédait : c'était peut-être leur dernier voyage. Ils allaient devoir cesser de naviguer, peut-être même devraient-ils quitter le port, leur maison, leur bateau. Chaque fois que ces pensées se formaient en lui, un vent de révolte se levait, et, lui qui n'avait jamais désespéré, qui s'était toujours battu, il sentait une immense lassitude le submerger comme ces vagues de l'océan qui roulent les noyés sur des dizaines de kilomètres avant d'abandonner leur corps. Il ne pouvait pas accepter une telle défaite. C'était au-dessus de ses forces. C'était comme si sa vie, celle de son père, celle de tous les bateliers de la Dordogne n'avaient jamais servi à rien ou pis encore : n'avaient jamais eu de sens.

Le lendemain de leur arrivée à Souillac, il se leva bien avant le jour et, en prenant soin de ne réveiller personne, il sortit, se dirigea vers le port, monta sur l'*Élina* et s'en alla. Le jour pointait à peine au-dessus des collines, soulignant leur arrondi de galets qui rosissait imperceptiblement. De grands trains de nuages se succédaient sous la lune d'une brillance glacée. Il faisait froid, et Benjamin, qui n'avait même pas pris la peine de se vêtir convenablement, frissonnait en manœuvrant le gouvernail au passage du Raysse. Il ne savait pas encore où il allait, mais il partait. Il le fallait. Parce qu'il ne pouvait pas supporter l'idée de voir sa vie se briser et que c'était le seul moyen de mettre de la distance entre elle et lui. Définitivement. Il n'en pouvait plus. Il fuyait sur cette eau qui le trahissait mais dont il ne pouvait pas se passer, pourtant, et qui était aussi nécessaire à sa vie que l'air qu'il respirait.

Il navigua toute la matinée sans s'arrêter, et puis ce fut Limeuil, le cingle de Trémolat, Mauzac. Il dormit sur un peyrat un peu avant Lalinde, mangea le pain et le lard qu'il avait emportés, repartit, ne répondant ni aux bouviers qui reconnaissaient l'*Élina* ni aux matelots des ports, poussé par une fièvre qui le rendait imperméable à tout ce qui était étranger à cette nécessité de fuir, de se soûler d'espace, d'air et de lumière, pour oublier.

Le troisième jour, au matin, il s'éveilla au pied du tertre de Fronsac. La veille au soir, il avait renouvelé ses provisions à Libourne dans un quartier où on ne le connaissait pas. Il repartit dès l'aube sous un ciel lessivé par l'averse de la nuit. Il dépassa les petits ports de la rive droite, longea Saint-André-de-Cubzac et Bourg, puis il arriva au bec d'Ambès un peu avant midi. C'est là qu'il comprit où il allait et pourquoi il y allait.

Au lieu de traverser la Garonne pour remonter vers Bordeaux, il continua tout droit dans la Gironde, croisant l'île Margaux et l'île Verte qui émergeaient des bancs de vase où s'ébattaient des tadornes et des aigrettes. Ce domaine-là ne lui était pas tout à fait inconnu : il l'avait découvert lors de son emprisonnement à Blaye et de son départ pour l'Algérie. Mais, cette fois, il était seul sur son bateau, parmi les yoles, les cargos, les grands voiliers en partance pour l'autre monde, sur cette mer bordelaise dont le clapot semblait l'entraîner inexorablement vers l'océan. Oui, maintenant, il savait. Le jour était venu d'aller se perdre là où personne, jamais, ne l'empêcherait de naviguer.

En avait-il rêvé de ce voyage ! Il était ivre d'air marin, de cette lumière laiteuse et froide si propre à l'estuaire, où se fondaient le ciel et l'eau qui l'attiraient, qui l'appelaient. Devant lui, l'espace était ouvert, où il allait s'engloutir. Il dépassa l'île Paté, l'île Bouchot, et la grande île de Patiras au-delà de laquelle la Gironde était large de plus de cinq kilomètres. Sur bâbord, les collines du Blayais paraissaient des îles dans le ciel. Il continua de descendre tant que le jusant le porta. Il s'arrêta avant la marée basse dans un petit port de pêche cerné par des cabanes de pêcheurs montées sur pilotis, mangea du pain et du fromage, se coucha, s'endormit.

Il s'éveilla avant le jour, sentit que la renverse lui avait rendu le jusant, mais il dut attendre que le soleil se lève pour repartir, car il ne connaissait pas suffisamment l'estuaire pour naviguer dans l'obscurité et il lui était indispensable de repérer la ligne suivie par les bateaux entre les bancs de sable pour ne pas s'échouer. Il ne pensait plus à Souillac, à Marie, à ses enfants. Le ciel et l'eau l'avaient lavé. Il était neuf. Il était prêt pour le grand voyage.

Dès le milieu de la matinée, les collines de la Saintonge semblèrent s'éloigner sur tribord, séparées qu'elles étaient du grand fleuve par des palus que recouvraient et découvraient des marées de plus de six mètres. Les deux côtes s'écartaient davantage à mesure qu'il avançait dans le sillage des grands voiliers, naviguant et barrant debout, les cheveux battus par le vent, les lèvres lourdes de sel, les yeux aveuglés par l'eau autant que par le soleil. A partir de midi, il aperçut les coteaux de Charente qui s'abîmaient dans la mer en petites falaises blanches, tandis que sur sa gauche, la ligne étroite du Médoc s'enfonçait dans la mer, ne laissant plus apparaître qu'un mince ruban vert. Il eut l'impression qu'il dormait debout, et c'était vrai. A plusieurs reprises, surpris par la corne d'un cargo, il sursauta, s'ébroua, inspirant à pleins poumons l'air marin qui sentait la vase et le pin.

Plus loin, il aperçut Talmont sur tribord et, plus loin encore, Meschers d'où provenait le sel qu'il achetait à Bordeaux, il y avait une éternité. La lumière déclinait un peu. Elle devenait plus chaude, moins violente. Il n'avait plus qu'une idée en tête : sortir de l'estuaire avant la fin du jusant, entrer dans la mer avec la nuit. Bientôt, le bec d'aigle de la pointe du Médoc s'estompa, il aperçut le fort du Verdon et barra droit vers le phare de Cordouan. Ça y était ! Il était passé ! Il était dans la mer, chez lui. La nuit tombait, mais il flottait dans un état d'euphorie dans lequel il ne subsistait rien de son passé, de sa vie d'avant. Il resta debout jusqu'à ce que les rougeurs de l'horizon soient englouties par l'océan, puis, lorsqu'il se retrouva seul dans la nuit noire, il attacha la barre pour maintenir le cap droit devant lui, se coucha face aux étoiles et finit par sombrer dans le sommeil.

Une forte houle l'éveilla au milieu de la nuit. Il se redressa, chercha à deviner la hauteur des vagues dans l'obscurité, mais la brume et le vent s'étaient levés, et il tenait difficilement debout sur la plate-forme, privé qu'il était de repères et secoué par le roulis des vagues à l'approche de la tempête.

Il hissa la voile, revint vers son gouvernail et se mit à tirer des bords vers l'ouest dans le désir inconscient de ne pas être rejeté vers les côtes. Son obsession demeurait la même depuis quatre jours : aller se perdre dans l'océan et rejoindre définitivement ce qu'il aimait par-dessus tout : l'eau. L'eau des grands fonds de Souillac, l'eau de son enfance, l'eau qu'il avait toujours connue, depuis son plus jeune âge. L'eau qui porte les bateaux, qui chuchote le long des rives, l'eau qui vibre et qui vit, qui se fond dans le ciel au bout de l'horizon, l'eau dont la caresse ressemble à celle des bras de Marie. Mais il ne pense plus à Marie. Marie est loin, dans un autre monde. Il ne la voit plus. Il ne l'entend plus...

Quand le jour se leva, les creux de l'océan lui parurent gigantesques dans la tempête qui battait son plein. Le vent charriait maintenant d'énormes paquets de pluie qui s'écrasaient contre son visage, l'aveuglaient, l'assommaient. L'*Élina* piquait du nez dans l'océan ouvert et semblait ne pas pouvoir remonter. Les déferlantes la frappaient et la faisaient rouler d'un bord sur l'autre chaque fois qu'elle prenait le vent de travers. Benjamin, par un réflexe de marin habitué au grain, affala la voile, mit le bateau à la cape, le laissa dériver, s'allongea à l'abri du bordage sur bâbord.

A midi, loin de se calmer, la tempête parut redoubler de violence. Benjamin se redressa, hissa la voile, mais, aussitôt, l'*Élina* enfourna dangereusement des paquets de mer par la proue. Il l'affala de nouveau, s'abrita, demeura ainsi immobile tout l'après-midi, dans une passivité qui, il le savait, pouvait être mortelle si la tempête le précipitait sur les rochers de la côte. La nuit arriva, lourde de menaces, battue par le vent fou, les trombes d'eau et les vagues qui, maintenant, submergeaient l'*Élina* comme pour la précipiter dans les profondeurs. Benjamin, trempé, frigorifié, ne bougeait plus. Tout au long de la nuit, il consentit à ce qui allait inévitablement se produire. Il était au bout du renoncement, à l'extrémité d'un long tunnel qui ne débouchait sur aucune lumière, et il ne bougeait plus, ne respirait qu'à peine, tremblait de froid et de lassitude, acceptait d'aller au bout du projet qui s'était formé en lui à son insu, aux frontières extrêmes du désespoir : revenir à la mer et s'y fondre à jamais.

Ce fut pourtant là, dans cette nuit épaisse et brumeuse de fin du monde, que la vertu de son sang ralluma un foyer dans ses veines, d'abord minuscule, puis grandissant, au fur et à mesure que les minutes passaient, tandis que l'image de son père Victorien se dressait devant lui. Victorien, ce roc, cette force, qui était venu à sa rencontre à l'hôpital de Bordeaux, et qui lui avait dit :

— Pour que tu puisses vivre debout, petit, je te donnerais volontiers mes jambes et mes bras.

Victorien ! Ce père immense qui lui avait tout appris, et d'abord le courage. Victorien qui vivait en lui, blotti dans son sang, et qui possédait cette force immense des hommes qui ont triomphé de tout : des blessures, du froid, du gel, des glaces, des écueils, et qui demeurent debout dans le vent de la vie lorsque soufflent les tempêtes, rochers indestructibles sur lesquels se brisent les lames de tous les océans. Victorien qui aurait donné sa vie pour que vive son fils, qui aurait été le chercher de l'autre côté de la terre s'il l'avait su en danger. Victorien qui n'avait jamais fléchi, qui n'avait jamais renoncé, même durant les dernières années de sa vie. Victorien qui le dévisageait de l'autre côté de la table avec ces yeux si clairs, si beaux, que Benjamin, enfant, avait envie de se précipiter vers lui, de se blottir dans ses bras et de n'en bouger plus jamais, plus jamais, plus jamais... Victorien, enfin, qui tenait toujours ses promesses et qui disait, passant sa main dans les cheveux de son de son fils endormi :

— Lève-toi, petit, c'est l'heure...

Benjamin se leva, mangea le pain et le lard qui lui restaient, hissa la voile et prit le gouvernail. Le jour allait naître, mais la tempête ne se calmait pas, ou à peine. A force de tirer des bords dans le vent du nord-ouest, Benjamin faillit faire chavirer l'*Élina* par la proue à cinq ou six reprises. Les paquets de mer venaient le heurter de plein fouet, mais, accroché maintenant de toutes ses forces au gouvernail, il leur faisait face, ne faiblissait pas. Il était redevenu lui-même. Il avait trouvé un adversaire à sa mesure, et il criait maintenant dans le vent, les yeux clos, la peau piquée par les aiguilles du sel :

— Victorien ! Victorien !

Puis, plus tard, dans la matinée, alors que la tempête s'acharnait toujours contre l'*Élina* :

— Marie ! Marie !

Il lutta, se battit pendant toute la journée et toute la nuit qui suivit, s'accordant de temps en temps quelques minutes de repos, mettant le bateau à la cape quand ses bras étaient pris par les crampes ou qu'il ne pouvait plus ouvrir les yeux.

Le lendemain matin, la tempête s'en alla avec les dernières ombres de la nuit. La mer s'apaisa en moins d'une heure, devint presque blanche de toute l'écume accumulée, et le soleil monta dans le ciel d'un bleu délavé. Dès huit heures, la mer étincela. Benjamin, épuisé, s'effondra, vaguement conscient d'avoir gagné le combat le plus dur de sa vie.

Il avait retrouvé sans peine l'entrée de l'estuaire en suivant les trois-mâts qu'il apercevait de loin, dépassé de nouveau le fort du Verdon, Meschers, Blaye, les grandes îles, puis il s'était engagé dans la Dordogne et s'était lancé dans la remonte. Cela faisait presque deux semaines qu'il était parti quand il arriva en vue du port où Marie attendait. Elle l'avait cherché pendant dix jours en compagnie d'Aubin, était allée jusqu'à Bordeaux où personne ne l'avait vu. Depuis, Émilien, Vincent et Aubin cherchaient toujours Benjamin, mais Marie, elle, n'en avait plus la force. Elle attendait, dévastée par l'angoisse, mais certaine, au fond d'elle-même, qu'il n'était pas mort. Elle avait imaginé le pire mais n'avait pu l'accepter. Elle avait passé avec Dieu les marchés les plus fous, comme celui de partir de Souillac pourvu qu'elle retrouve son mari, elle avait pleuré, elle avait prié, elle avait écouté Élina qui lui disait de ne pas perdre espoir, et finalement elle s'était battue elle aussi pour ne pas sombrer.

Elle avait aperçu l'*Élina* dès qu'elle avait franchi le pas de Raysse, tirée par la dernière équipe de bouviers qui survivaient sur ces rives de plus en plus désertées. Elle avait couru jusqu'au bout du quai, attendu que le bateau accoste, et maintenant elle se trouvait face à lui qui la regardait, amaigri, le visage dévoré par la barbe, mais ne trouvait pas les mots pour exprimer tout ce qu'il aurait dû dire.

— Viens ! dit-elle simplement.

Il la suivit en chancelant sur ses jambes déshabituées de la terre ferme, et sans remarquer les gens du port qui se retournaient sur lui comme sur un fantôme. Une fois dans la maison, il demanda à manger. Marie s'assit en face de lui, le regarda dévorer le ragoût que lui avait servi sa mère, retenant les questions qu'elle se posait. Lui, il levait de temps en temps la tête, laissait ses yeux errer sur elle, souriait.

— Je voudrais dormir, dit-il quand il eut terminé. Ne t'inquiète pas. Après, je te dirai.

Il était cinq heures de l'après-midi. Elle l'accompagna jusqu'à la chambre, redescendit. Il dormit jusqu'au lendemain à midi. Aubin et Émilien étaient rentrés dans la matinée. Ils mangèrent ensemble, mais nul n'osa lui poser de questions.

— Suis-moi ! dit-il à Marie quand ce fut terminé.

Il l'entraîna sur le chemin qui longe la Dordogne en direction de la plage de galets. Les pluies des derniers jours avaient fait éclore la verdure sur les rives. Sur leur gauche, les prairies luisaient encore, comme si le soleil n'avait pas réussi à boire la rosée de la nuit. A droite, la Dordogne glissait en longues coulées où les eaux de pluie et celles de la fonte des neiges se mêlaient dans un miroitement de couleurs où le vert sombre dominait.

Ils se dirigèrent naturellement vers la plage de galets, s'assirent sur le tronc d'arbre couché qui les avait si souvent réunis dans les circonstances les plus graves de leur vie. Ils regardèrent un moment l'eau cascader sur les maigres de l'autre côté des galets, puis Benjamin murmura :

— On va partir, puisqu'il le faut.

Elle s'attendait à ces mots, mais elle n'avait pas pensé qu'ils lui feraient aussi mal. Et ce qu'elle avait espéré, surtout, c'était qu'il lui raconterait ce qu'il avait fait pendant ces quinze jours. Mais elle comprenait à présent qu'il ne lui dirait rien, que c'était du passé, qu'il avait décidé de parler d'avenir.

— On va recommencer ailleurs, dit-il.

Et, comme elle ne répondait pas :

— Regarde-moi !

Elle se tourna vers lui, vit briller dans ses yeux la lumière dorée qu'elle aimait tant.

— Ne sommes-nous pas jeunes ? dit-il encore.

Elle hocha la tête, réussit à sourire.

— Je vais aller voir Jean, poursuivit-il. On va tout vendre et on s'installera là-haut.

Il ajouta, comme pour lui-même :

— Pas de chemin de fer, là-haut, et pas de Napoléon. Le bois, la forêt, et toujours la Dordogne. On continuera à naviguer. Tu viendras avec moi... Il faut savoir recommencer sa vie, sinon on vieillit vite.

Il reprit, feignant la gaieté :

— C'est moi qui suis le plus jeune ou c'est toi ?

Ils avaient le même âge : quarante-quatre ans. Elle s'efforçait désespérément de partager son enthousiasme, même si elle le sentait feint. Mais à l'idée de quitter ces prairies, cette vallée, sa maison, quelque chose remuait dans son cœur et elle ne trouvait pas la force de lui dire qu'il avait raison.

— Chaque fois qu'on passera ici, on s'arrêtera, ajouta-t-il.

Il se rendit compte qu'il n'aurait jamais dû dire ça, reprit :

— Rappelle-toi, là-haut, comme Jean est heureux. On partira à la fin de l'été.

Il sentit qu'il avait saisi là une branche plus solide, demanda :

— C'est bien ce que tu veux ? Continuer de naviguer ?

Elle fit « oui » de la tête mais sentit ses yeux s'embuer et se détourna.

— Il faudra toujours des bateaux là-haut, reprit-il. Il n'y a pas de risque : pas de bouviers à payer puisqu'ils remontent à pied. Il n'y a que du bénéfice à aller sur l'eau. J'aurais dû y penser plus tôt.

Il se tut, comprenant que tout ce qu'il pourrait dire ne servait plus à rien. Il y eut un long silence que troubla seulement le cri d'une poule faisane dans les prairies.

— Partir, souffla Marie.

Puis, se redressant brusquement :

— Et les enfants ? Et mon père et Élina ?

— On les emmènera, bien sûr, dit Benjamin.

— Est-ce qu'ils s'habitueront là-haut ?

— Il le faudra bien.

Elle le trouva dur, inflexible comme il avait toujours été, sans se douter quel chemin douloureux l'avait conduit à cette décision. Elle lui en voulut, soudain, et faillit se révolter. Aussitôt, cependant, le souvenir de ce qui s'était passé chez Barcos lui revint à l'esprit et elle comprit qu'il avait raison, qu'il n'y avait pas d'autre solution. D'ailleurs n'y avait-elle pas pensé elle-même ?

Il lui prit le bras, ajouta :

— Le mieux est d'aller vite. Attendre ne servirait qu'à rendre ce départ plus difficile.

— Oui, dit-elle.

Et elle songea à leurs retrouvailles en ce lieu, à ce bonheur qui lui avait semblé devoir durer toujours, à leurs nuits dans l'herbe chaude des étés, leurs baignades dans les grands fonds, leurs journées de pêche au printemps, à la remontée des saumons, leurs promenades sur les rives, là-bas, de l'autre côté, où toute leur vie semblait être inscrite pour l'éternité. Partir ! Était-ce possible ? Perdre son enfance, le velours de la vie, ne plus jamais parcourir ces chemins où chaque minute, chaque instant demeurait scellé dans sa mémoire ! Non, elle allait mourir si elle partait.

— Attendons encore un an, dit-elle tout bas.

— Non, fit-il, glacé.

— Et si je restais, moi ?

Il la prit violemment par les épaules :

— Tu ne resteras pas !

— Et pourquoi ?

— Parce que si tu n'es pas près de moi, je n'aurai pas la force de recommencer.

Il ajouta, aussitôt, plantant son regard dans le sien :

— A nous deux, nous l'aurons.

— En es-tu bien certain ?

— J'en suis tout à fait sûr.

Elle se laissa aller contre lui, regarda la Dordogne pétiller dans la lumière de l'après-midi, soupira :

— Et elle ?

— On ne s'en éloignera pas, dit-il. D'ailleurs c'est là-haut qu'elle est la plus belle.

Un court silence s'installa, puis elle murmura :

— Je vais essayer, puisqu'il le faut.

Il la serra plus fort contre lui et dit :

— A la bonne heure !

Elle se souvint que c'était là une expression chère à Victorien. Alors il lui sembla que plus Benjamin vieillissait et plus il ressemblait à son père. Et elle se sentit plus forte, tout à coup, comme si les deux hommes l'avaient prise par le bras pour l'aider à marcher.

5

Benjamin avait fait un voyage dans le haut-pays au mois de mai. Il avait signé chez le notaire un contrat d'association avec Jean pour la coupe et le commerce du bois, qui entrerait en vigueur à compter du mois de septembre. En le voyant revenir souriant, Marie s'était demandé s'il était vraiment sincère ou s'il se forçait à se montrer aussi enthousiaste. Elle-même ne parvenait pas à croire qu'ils allaient partir. Elle avait beau lutter contre cette part d'elle-même qui l'attachait à Souillac, son être profond se refusait à la déchirure qui l'attendait.

On était à la fin de juillet. Elle profitait des longues journées de soleil pour parcourir les prairies, se baigner deux fois par jour, et même la nuit, souvent, comme elle en avait l'habitude. Mais chaque fois son plaisir était altéré par la perspective d'un départ dont l'approche la laissait anéantie, parfois, lorsqu'elle se trouvait seule et que les bouffées d'un bonheur ancien la submergeaient. Allait-elle trouver le courage de quitter tout cela ? Elle en était de moins en moins sûre au fur et à mesure que les jours passaient et que la vallée devenait plus lumineuse, plus chaude, plus caressante à l'approche du soir.

Un matin, Aubin voulut l'accompagner de toute force à la pêche, et elle ne put s'y opposer. Ils partirent de bonne heure en direction des bras morts de Lanzac, pêchèrent pendant une heure et prirent des saumons, quelques perches et un brochet. Comme ils allaient revenir vers le port, Aubin, qui, à l'arrière, tenait les rames, accosta devant les immenses prairies qui s'étendaient jusqu'aux collines de Cieurac.

— Marchons un peu, dit-il, il fait si bon.

Marie sauta sur la terre ferme, noua la corde à un peuplier nain et, suivie par Aubin, s'engagea sur un sentier à l'herbe déjà grillée par l'été. Elle aimait cette heure du milieu de la matinée où la grande chaleur n'avait pas encore empoigné la terre, où des vagues fraîches roulaient sous les frondaisons, saturées des parfums de la nuit. Dans ces étendues par endroits piquetées de frênes et de peupliers, où crissaient les sauterelles et les grillons, Marie oubliait parfois ce qui l'attendait. La blondeur de ce monde était douce et savait l'apaiser. Cet ensauvagement des herbes folles et des feuilles la rendait à la vie primitive qu'elle affectionnait, la délivrait des tourments et des peurs.

Tout occupée à reconnaître les sensations qui avaient nourri son enfance, elle ne se rendit pas compte qu'Aubin lui parlait. Il fallut qu'il passe devant elle, et l'arrête de la main, répétant :

— Mère, je vais vous quitter.

Elle était trop loin pour comprendre en un instant la portée des mots prononcés par son fils. Elle le regarda fixement, fronçant les sourcils, un sourire figé sur les lèvres.

— Mon père est au courant, ajouta Aubin. Je pars après-midi.

Elle retint un cri, prit Aubin par le bras, le serrant de toutes ses forces.

— Mais qu'est-ce que tu dis ? fit-elle d'une voix qui tremblait déjà, car elle venait de comprendre, tout à coup, pourquoi son fils l'avait amenée là.

— Il faut que je parte, répéta-t-il. Vous aurez assez de charge, là-haut, avec Vincent, Élina et Émilien.

Il ajouta, comme elle serrait toujours son bras :

— Et puis je ne veux pas vivre là-haut. Je n'aime pas la forêt.

Elle le dévisageait douloureusement, incapable d'admettre

cette décision qui ajoutait encore à la blessure ouverte en elle par la proximité du départ.

— Non! Aubin! Ne fais pas ça, dit-elle enfin.

Et, les traits durs, maintenant, devant ce qui lui apparaissait comme une trahison :

— Tu ne peux pas me quitter. Pas toi. Pas maintenant!

Il se dégagea doucement, murmura :

— Il le faut, mère.

— Mais pourquoi? Tu n'es pas une charge pour nous : tu nous aides, au contraire.

— Émilien me remplacera. Il est en âge.

Ils demeuraient face à face, et Marie ne pouvait détacher son regard des boucles brunes, des yeux si clairs qu'elle avait toujours cru lire en eux.

— Ne t'en va pas, Aubin, je t'en prie, pas maintenant, dit-elle encore.

Et, comme il écartait ses bras de son corps en signe d'impuissance, n'ayant pas imaginé qu'elle réagirait de la sorte :

— Tu ne sais même pas où aller.

— Si, fit-il : à Périgueux. Il y a du travail, là-bas.

Elle comprit qu'il avait pensé à tout, se vit perdue.

— Tu n'as jamais vécu dans une ville.

Et, aussitôt, pensant trouver une objection meilleure :

— Je croyais que tu aimais la Dordogne.

— Je ne l'aime plus.

Il était un bloc, maintenant, comme son père quand il avait pris une décision. Elle tenta un dernier assaut, mais elle savait déjà qu'il était inutile :

— Je t'en prie, Aubin, reste avec nous.

— Vous savez bien qu'il ne faut pas, mère. Un jour ou l'autre, ça finirait mal et je ne veux pas me fâcher avec lui.

C'était vrai que pendant les derniers mois la cohabitation était devenue très difficile entre Benjamin exaspéré par ses soucis et son fils qui devenait adulte. Depuis les événements du Buisson, pourtant, Marie avait longtemps cru qu'était née

95

entre eux une nouvelle complicité, mais les difficultés de la vie les avaient de nouveau dressés l'un contre l'autre. Et Aubin avait tout fait, elle l'avait bien compris, pour ne pas aggraver une situation déjà bien compliquée. N'aurait-elle pas dû plutôt le remercier que d'insister encore, en disant :

— Attends encore un an. Peut-être que tout s'arrangera là-haut.

— Je l'espère pour vous, mère, mais moi je dois partir.

Elle était sûre, maintenant, qu'il ne fléchirait pas ; pas plus que Benjamin, d'ailleurs, dans sa décision de quitter Souillac.

— Que feras-tu ? demanda-t-elle. As-tu quelque chose au moins ?

— Je trouverai. Avec deux bras et du courage, on trouve toujours.

Elle était à bout d'arguments et pourtant elle ne se décidait pas à lui donner cette approbation qu'il était venu chercher auprès d'elle dans ce si beau matin d'été.

— Aubin ! dit-elle.

— Oui, mère.

— Tu nous aimes si peu ?

— Non, mère, je vous aime plus que tout. Et c'est pour ça que je m'en vais.

Elle se sentit lâche, soudain, d'avoir recours à de tels arguments, et peu digne de ce fils qui souffrait sans doute autant qu'elle.

— C'est donc ce que tu veux : partir !

— Oui, fit-il.

— Tu aurais pu m'en parler plus tôt, soupira-t-elle.

— Cela n'aurait-il servi qu'à vous inquiéter avant l'heure.

— Tu as raison.

Elle hocha la tête pensivement, reprit :

— Tu nous donneras des nouvelles, au moins ?

— Bien sûr, dit-il, et si je peux je viendrai vous voir.

— Mais pourquoi Périgueux ? demanda-t-elle encore, ne pouvant se résoudre à le perdre si vite.

— Il y a de l'embauche là-bas ; on me l'a dit.

Elle ne trouva plus rien à dire, revint d'elle-même lentement vers la rivière, incapable d'apercevoir le monde lumineux qui l'entourait, l'esprit tout entier occupé par Aubin. Au moment de monter sur la barque, elle se retourna brusquement, et le regarda comme si elle ne devait plus jamais le revoir. Il sourit.

— Allons, dit-il. Et si j'étais parti pour sept ans ?

Elle hocha la tête, consentit enfin à s'asseoir, tandis qu'il s'installait à l'arrière et, sans bruit, manœuvrait pour traverser la Dordogne en direction du port.

Ils avaient terminé leur repas, mais personne n'osait se lever. Personne, au reste, n'avait trouvé la force de parler depuis qu'ils s'étaient assis à table un peu après midi. Et surtout pas Marie qui ne cessait de lever les yeux sur son fils impassible. « Est-il donc si fort, se demandait-elle, ou est-il vraiment content de nous quitter ? » De temps en temps, elle observait aussi Benjamin et se demandait ce qu'il pensait vraiment de ce départ. Elle espérait encore, secrètement, qu'il allait s'y opposer, mais elle s'en voulait de sa faiblesse. N'était-il pas naturel qu'un enfant quittât le nid à dix-neuf ans ? Si, bien sûr, et d'ailleurs il aurait pu partir plus tôt s'il avait tiré un mauvais numéro. Allons ! Elle devait se montrer forte, ne rien ajouter aux difficultés du moment.

Quand il eut bu son café, Aubin se leva brusquement, prit le sac qui l'attendait au bas de l'escalier, revint vers Élina, l'embrassa, serra la main de Vincent, puis celle d'Émilien, s'approcha enfin de Benjamin.

— Je m'en vais, père, dit-il.

Benjamin se leva lentement, dévisagea son fils, murmura :

— Donne-nous de tes nouvelles.

Il prit la main tendue d'Aubin, l'attira, le garda un instant contre lui sans bouger, puis, le repoussant doucement, posa ses deux mains sur ses épaules.

— Si ça ne va pas, reviens vers nous, dit-il. On trouvera toujours à s'arranger.

— Merci, père, dit Aubin. Prenez soin de vous.

— Toi aussi.

Aubin se tourna vers Marie, l'embrassa, et, comme elle tardait à se détacher de lui :

— Allons, dit-il, je reviendrai souvent.

Elle trouva la force de sourire un instant. Et, comme il s'apprêtait à sortir, elle le suivit jusqu'à la porte.

— Non ! dit-il en se retournant.

Mais, dès qu'il s'éloigna, elle fit quelques pas sur le chemin pour ne pas le perdre du regard. Elle songea que cet homme qui s'en allait avait été son enfant et il lui sembla qu'elle le tenait encore dans ses bras quelques mois auparavant. Cette idée la bouleversa, comme chaque fois qu'elle mesurait la fuite irréversible du temps. Et plus le temps passait et plus il passait vite. Elle mobilisa ses forces pour repousser les larmes qu'elle sentait prêtes à jaillir et, au lieu de rentrer, elle s'en alla vers le port, jetant de temps en temps un regard vers le chemin sur lequel Aubin avait disparu.

Là, elle monta sur l'*Élina* et s'assit sur le bordage, face à la rivière qui, comme le temps, s'en allait, s'en allait. La vie était donc ainsi faite que l'on devait tout perdre ? La maison où l'on naissait, son enfance, ses propres enfants, ses parents, les jours et les nuits que l'on avait aimés, ce passé qui, parfois, revenait à la mémoire en tièdes vagues bleues ? Que deviendrait-elle si la vie la privait aussi des souvenirs que la vallée savait si bien entretenir, et suscitait, souvent ?

Elle entendit seulement Benjamin quand il s'assit près d'elle.

— J'ai essayé de le retenir, dit-il, mais il voulait vraiment partir.

Elle ne répondit pas, se demanda pourquoi il éprouvait ainsi le besoin de se justifier, ne songea même pas que c'était seulement parce qu'il la voyait souffrir.

— C'est sans doute mieux ainsi, dit-elle. Il fera sa vie comme il voudra.

Il se sentit soulagé de la trouver plus forte qu'il ne le pensait.

Cela le décida à lui annoncer la nouvelle qu'il lui cachait depuis plusieurs jours déjà :

— J'ai vendu l'*Élina* un bon prix à Bergerac. Je l'emmenerai demain et je remonterai à pied. Tu viendras avec moi ?

Pourquoi le monde, aujourd'hui, lui paraissait-il se dissoudre autour d'elle ? Elle tendit les bras, fit mine de serrer l'air entre ses doigts.

— Qu'est-ce que tu fais ? demanda-t-il.

— Rien.

Et, comme si elle se souvenait brusquement de sa question :

— Non, je ne viendrai pas. Je préfère que tu y ailles seul.

Une barque, conduite par un pêcheur de Lanzac, remontait la Dordogne lentement, de l'autre côté, le long de la rive. « Remonter le temps, songea-t-elle, et l'arrêter pour toujours à dix ans. » C'était le souhait, aussi, d'Émeline. Marie s'aperçut qu'elle avait peu songé à elle, durant ces années, mais elle n'avait rien oublié de ce qu'elle lui avait dit, le dernier jour où elles s'étaient vues, dans les prairies : « Emporter avec soi un morceau d'enfance, où que l'on aille. » Oui, c'était bien cela qui lui faisait le plus mal : savoir qu'elle allait tout perdre, même le plus chaud, le plus précieux de sa vie. Mais quoi faire ? Cela faisait déjà plusieurs mois qu'elle se débattait pour échapper à cette blessure dont elle connaissait d'avance la gravité, et elle n'avait aujourd'hui plus assez de force pour repousser les mâchoires du piège qui se refermait sur elle. Oui, elle en était certaine : elle allait tout perdre.

— Ne te tourmente pas, dit Benjamin qui devinait ce qui se passait en elle. Tu verras, on s'habituera.

— Tu crois ? demanda-t-elle en se tournant vers lui.

— Mais oui, j'en suis sûr.

Depuis qu'il était revenu après sa longue absence, il était plus près d'elle et tentait de l'aider. Il savait en effet au terme de quel effort il avait réussi à sauter l'obstacle, et comment il avait failli sombrer totalement. Aussi craignait-il qu'elle ne réussît pas à rassembler suffisamment d'énergie pour le suivre.

— Tu ne crois pas que nous avons vécu pire ? demanda-t-il en se penchant vers elle.

Elle attendit quelques secondes, répondit d'une voix blanche :

— Non. Jamais.

— Mais si, insista-t-il : six ans dans la marine, presque autant en Algérie, et toi, tu étais seule.

— Chez moi, souffla-t-elle.

Et, en même temps, elle pensa à cette terrible solitude dont elle avait souffert chaque jour, chaque nuit. Elle sourit, se leva, dit encore, tandis qu'ils descendaient du bateau :

— Je pense à la mère de Pierre, à ce qu'elle nous a dit la première fois où nous l'avons vu.

— Quoi donc ? fit Benjamin.

— Tout ce qui ne parvient pas à nous détruire nous fortifie... ou quelque chose d'approchant.

— C'est pour cette raison que nous sommes plus forts aujourd'hui, dit Benjamin.

— Le crois-tu vraiment ?

Il la prit par les épaules, la força à lui faire face.

— Beaucoup plus forts que tu ne le penses, dit-il, sans quoi nous ne serions déjà plus là.

Benjamin avait très bien vendu l'*Élina* à Bergerac, était remonté à pied à Souillac, porteur des dernières nouvelles glanées dans les auberges. Pour la première fois le train était passé sur le pont du Buisson en août, à l'occasion de l'ouverture de la ligne Périgueux-Agen. On disait également que le tracé de la ligne Périgueux-Libourne par Bergerac et Sainte-Foy-la-Grande avait été définitivement arrêté. Bientôt, la voie ferrée allait longer la Dordogne.

— Tu vois ? dit Benjamin à Marie, heureusement que nous partons.

Elle hocha la tête mais ne dit rien. Plus il se rapprochait d'elle, plus elle s'en éloignait. Elle passait toutes ses journées dans les prairies, mais aussi une bonne partie de ses nuits, comme si la proximité du départ l'incitait à faire provision de tout ce qui allait lui manquer. Et, ce soir, voilà qu'ils n'avaient plus de bateaux. C'était fini. Ce soir, elle éprouvait davantage le besoin d'aller se réfugier dans son domaine, là où elle pouvait se sentir vivre et oublier.

La nuit d'août effaçait d'une main sombre les lueurs violettes des lointains. C'était une nuit épaisse, pleine de parfums lourds venus des chaumes de la vallée et des pierres des collines. L'une de ces nuits qui fait gonfler le sang dans les veines, qui rend plus vivant, qui se nourrit de la terre. Marie marchait vers le rocher du Raysse par le chemin de rive. Elle avait oublié que sa mère l'appelait le « rocher des neuf fuseaux », en racontant l'histoire de cette bergère qui était tombée dans le gouffre au neuvième fuseau, précisément, et qui s'était noyée. Pourquoi ce souvenir, qui avait déserté sa mémoire, lui revenait-il subitement, ce soir, porté par les ombres de la nuit? Elle se souvint du jour où elle s'était réfugiée là-haut et avait failli se jeter dans le vide. C'était le matin du départ de Benjamin dans la marine. Et Victorien la guettait de loin, là-bas sur le port, sans vouloir le montrer. Elle soupira, continua de monter au-dessus du gouffre et, une fois en haut, s'assit, prenant ses genoux entre ses bras, le menton posé sur eux. Un chien aboyait, en face, sous Cieurac. La nuit pesait de tout son poids sur la vallée qui respirait plus vite. Bientôt on ne vit plus rien, sinon les étoiles qui s'allumaient au-dessus des collines et clignotaient comme des falots derrière des branches agitées par le vent. Marie entendait l'eau, en bas, que le remous retenait prisonnière et qui se débattait en giflant la courte falaise. L'eau l'appelait. Elle en était sûre. N'était-ce pas sa seule alliée en ces journées qui auraient pu être si belles et qui ne l'étaient plus? L'eau de la Dordogne n'était capable que de caresses. Elle ne l'avait jamais déçue.

Elle se leva lentement, s'approcha du bord. Elle n'apercevait que les éclairs du remous. Même le silence lui paraissait palpable. Il y eut une sorte de déchirure dans la nuit, devant elle, comme si on lui ouvrait un passage. Les bras le long du corps, elle se laissa basculer en avant, avec l'impression de gagner une île au milieu d'un océan furieux.

Le choc, d'abord, l'assomma. Durant les interminables secondes de cette chute folle, elle avait à peine eu le temps, en un dernier réflexe, de lancer ses bras en avant pour se protéger. Le remous la prit et la fit tourner sur elle-même en l'entraînant vers le fond. Puis, très vite, la fraîcheur de l'eau fit son œuvre. Elle retrouva alors une partie de sa connaissance, juste ce qu'il fallait pour ne pas avaler d'eau. Ensuite, très vite, une seule idée occupa son esprit : vivre, s'en sortir, se battre comme elle s'était toujours battue. Elle retrouva d'instinct les gestes qui pouvaient la sauver. Mais le remous dont elle connaissait si bien l'étreinte ne lui permit pas de se dégager. Elle se laissa alors descendre plus bas, puis, d'un élan où elle plaça toute son énergie, se détendit. Comme les eaux n'étaient pas trop fortes, elle réussit à passer sous le remous et à sortir du piège et, nageant aussi vite qu'elle le pouvait, elle s'éloigna du gouffre, le cœur battant, avec l'impression qu'elle ne réussirait jamais à toucher le rivage.

Elle y parvint, pourtant, au prix d'un effort qui la laissa à bout de souffle, exténuée. Réfugiée dans les prairies, face au rocher du Raysse, elle se coucha dans l'herbe, encore effrayée par ce qu'elle avait fait. Son sang cognait très fort contre ses tempes. Elle s'allongea sur le ventre, le visage dans l'herbe, haletante de la peur rétrospective d'avoir failli mourir. C'était si bon de vivre, de respirer l'herbe et la nuit, si bon de sentir son corps s'apaiser, s'ouvrir au monde, si bon de savoir que la mort était loin, à des milliers d'années de cette nuit si belle. Quand elle se retourna vers les étoiles, il lui sembla que si elle avait trouvé la force de rester vivante, elle pourrait aussi trouver celle de quitter le village, sa maison, sa vallée.

Deux jours plus tard, un matin, alors qu'elle revenait de Souillac où elle était allée vendre du poisson, elle aperçut

Benjamin qui venait à sa rencontre. Elle pensa tout de suite qu'il était arrivé malheur à quelqu'un, songea à Aubin. Mais Benjamin lui dit tout de suite, la prenant par le bras :

— Ton père. On l'a trouvé mort dans son lit.

Elle avait suffisamment été ébranlée pendant les derniers mois pour pouvoir faire face à l'accablement qui, soudain, la gagnait. Immobile sur le chemin, elle se rendait compte qu'elle avait peu pensé à son père lors des épreuves récentes, et que, comme elle, malgré ses soixante-sept ans, Vincent devait se débattre avec l'idée de quitter le port où il était né, où il avait toujours vécu. Elle s'en voulait, soudain, de son indifférence, alors que, lui aussi, et peut-être plus qu'elle, avait besoin de réconfort. A son âge, en effet, il ne pouvait être question de rester seul, pas plus d'ailleurs qu'Élina.

— Mon père, murmura-t-elle.

Puis aussitôt, songeant que sa disparition lui épargnerait au moins la déchirure qu'elle-même redoutait tant :

— Au moins, il sera mort ici, dit-elle.

Benjamin la prit par le bras, la soutint jusqu'à la maison du port où Élina s'était déjà occupée de tout. Le crucifix, l'eau bénite étaient là, à portée de la main pour les premiers visiteurs qui ne tarderaient pas.

Benjamin étant sorti pour s'occuper des formalités, elle demeura seule avec Élina dans cette chambre où elle entrait peu, et où son père reposait, calme, détendu, comme si la mort lui avait été une délivrance. Élina souriait tristement, hochant la tête comme si elle ressassait des pensées aussi douces que l'était encore, malgré l'âge, son visage. Autant Vincent avait été difficile à vivre pendant ces derniers mois, autant elle avait gardé ardents sa bonté et son courage. Elle ne s'était jamais plainte à l'idée de partir, et pourtant elle aussi était née dans ce coin de vallée. Elle continuait de s'accommoder de tout, du meilleur comme du pire, d'encourager les uns et les autres, et de sourire, toujours, même dans cette chambre où la mort était présente.

— Je suis sûre qu'il vaut mieux pour lui, ma fille, répétait-elle chaque fois que son regard rencontrait celui de Marie.

Marie remerciait d'un signe de tête, tout entière absorbée par l'idée fixe qui l'obsédait : son père était mort de désespoir, et elle n'avait pensé qu'à elle. Elle finit par se confier à Élina, qui répondit, fidèle à son image :

— Tu as beaucoup fait, ma fille, ne te reproche rien. C'est déjà tellement difficile pour toi.

Marie pensa alors au temps où elle naviguait avec son père, quand Benjamin était en Algérie, au jour où il avait eu la jambe brisée, par temps de gel, et la peur atroce qu'elle avait ressentie en se penchant sur lui, une fois qu'il avait été dégagé. Elle songea à leur vie du temps où sa mère, Amélie, était vivante, à l'épisode des saumons pêchés la nuit avec Benjamin, ne cessa de parcourir cette vie qui venait de s'achever sans qu'elle en éprouvât encore toute la douleur.

Puis les voisins arrivèrent, précédant les matelots qui avaient travaillé avec Vincent et n'avaient pas encore quitté le port, les gens de Souillac, les connaissances plus ou moins éloignées avec qui l'on échangeait des commentaires sur le défunt. Ces visites durèrent jusqu'au soir. Puis il y eut la veillée en présence de deux voisines et d'Élina. Marie, épuisée, consentit à se coucher vers cinq heures du matin. Comme on était en août, et que la chaleur était torride, Vincent Paradou fut porté en terre à la fin de cet après-midi-là, dans le petit cimetière blotti au milieu des prairies, tout près de la Dordogne. C'est là que reposaient d'ailleurs tous les morts des familles Paradou et Donadieu, Victorien ayant été le dernier à disparaître. En regardant le cercueil descendre dans la fosse, Marie, un bref instant, envia son père. L'idée qu'il avait échappé à ce qui l'attendait, elle, lui fit du bien : il était chez lui pour toujours.

Sur le chemin du retour, tandis qu'ils marchaient dans les prairies grillées par le soleil, Benjamin la surprit à sourire. Il eut l'intuition de ce qu'elle pensait et lui aussi sentit la flèche d'un vague regret se planter dans son cœur.

Vint le jour du départ, au début de septembre. La veille, Marie avait parcouru son domaine une dernière fois et elle s'était baignée à plusieurs reprises, jusqu'au moment où Benjamin l'avait rejointe à la tombée de la nuit. Ils étaient rentrés pour dîner, puis ils étaient repartis ensemble sur les chemins où l'herbe, avec la rosée, commençait à briller sous la lune. D'un commun accord, ils avaient passé la nuit enroulés dans une couverture au milieu des prairies, sur la rive gauche, entre le château de Cieurac et Lanzac. Plaisir et larmes. Douceur et douleur. Une nuit dont on se souvient à jamais.

Ils étaient rentrés avec le jour, car les rouliers devaient arriver de bonne heure et l'on devait partir au début de l'après-midi, quand tout serait chargé. Mais de voir vider sa maison, et son mobilier s'accumuler sur les charrettes, foudroya Marie. Elle n'y tint plus, partit seule le long de la Dordogne qui pétillait sous le soleil déjà chaud. « Je ne pourrai pas, se disait-elle, je ne pourrai pas. » Elle suivit un moment le chemin qu'elle connaissait si bien et qui, sur la gauche, menait aux premières maisons de Souillac. Mais, au lieu de tourner dans cette direction, elle continua tout droit vers la plage de galets et s'assit sur le talus.

Devant ses yeux, le bleu du ciel prolongeait le vert des collines avec la même harmonie qu'auparavant. On eût dit qu'il n'allait rien se passer, aujourd'hui, que la vie, les arbres, l'eau, la lumière allaient demeurer les mêmes alors qu'elle les quittait. « Est-ce possible ? » murmura-t-elle. Comment pouvait-on ainsi rayer en quelques heures quarante-quatre années d'une vie ? « Non, se dit-elle, il n'y a pas de rouliers dans la maison du port, les bateaux sont prêts à partir, ce soir je retournerai dans les prairies. »

Puis elle s'avança sur les galets et songea à toutes ces lessives qu'elle avait faites, ici, penchée sur l'eau verte. Et combien de fois était-elle entrée dans la Dordogne, à cet endroit, jusqu'à ce que le courant l'entraîne ! Elle observa un long moment la rivière, l'immense étendue des prairies sur la rive opposée, fut tentée de traverser, mais y renonça. A quoi cela lui aurait-il servi, à cette heure, sinon à souffrir davantage ?

Elle revint vers le talus, s'assit dans l'herbe, ferma les yeux, inspira bien à fond. Tous les parfums qu'elle aimait passionnément affluèrent en elle. Elle rouvrit les yeux, embrassa en un instant l'univers lumineux qui avait ensoleillé sa vie et qui allait s'éteindre d'une minute à l'autre.

— Non, souffla-t-elle.

Elle s'allongea sur l'herbe et ne bougea plus.

Benjamin, qui la cherchait depuis une heure, la trouva un peu avant midi. Il s'accroupit devant elle, murmura :

— Tout est prêt, il va falloir y aller.

Elle ne répondit pas, ne bougea pas. Il laissa passer quelques secondes, reprit :

— Allez, viens !

— Aide-moi, fit-elle.

Devant ses yeux noyés, il eut un instant la tentation de renoncer lui aussi, puis le souvenir de ses derniers voyages à Bordeaux lui rendit sa détermination. Il lui tendit la main. Elle se leva lentement, profitant de ces ultimes minutes en espérant encore le miracle qui allait la sauver. Ils étaient debout à présent, regardant la Dordogne qui étincelait. Il chercha à l'entraîner, mais elle résista.

— Il le faut, dit-il, il le faut.

Elle le suivit sans un mot, trébuchant sur les pierres de ce chemin qu'elle avait parcouru des milliers et des milliers de fois, persuadée que sa vie venait de basculer sur le versant de ces sombres collines que le soleil ne réchauffe jamais.

Deuxieme partie

LES COLÈRES
DU HAUT-PAYS

6

Jean et Rose avaient veillé à ce que Benjamin, Marie et leur famille puissent s'installer à Spontour dans les meilleures conditions. Ils leur avaient trouvé une maison à côté de l'église, pas très loin de la leur, qui était suffisamment grande pour loger tout le monde. Revoir son frère avait été pour Marie une grande joie, d'autant qu'il n'avait pas changé, Jean, du moins dans son physique : toujours aussi svelte, blond, les yeux clairs, c'est à peine si le travail du bois lui avait forgé une musculature. Mais il parlait aujourd'hui avec beaucoup plus d'assurance qu'à Souillac, et l'on sentait qu'il était habitué à diriger les équipes de bûcherons : des hommes durs au mal qui couchaient en forêt, descendaient dans l'eau glacée lors du flottage du bois, travaillaient de l'aube jusqu'à la nuit.

Rose, elle, était toujours aussi timide et parlait avec une voix douce que l'on entendait à peine. Elle savait pourtant se faire écouter de son fils Louis (qui était brun comme elle) et de sa fille, Céleste, qui était aussi blonde que mon père. Elle venait chaque matin voir si Marie et Élina n'avaient besoin de rien, les guidait dans le village, leur faisait connaître les gens de ces montagnes peu enclins par nature à parler à des étrangers. Le premier choc passé, Marie s'efforçait de ne plus penser à Souillac et tentait de s'habituer à ce village vivant comme une ruche mais dépourvu d'horizon. La vallée était si étroite que, bien que l'on fût en septembre, le soleil disparaissait très vite au-dessus des collines. Heureusement, Élina se montrait attentionnée et toutes deux aménageaient du mieux possible la maison qui était plus petite que celle du port : une cheminée et une grande pièce en bas, un lit dans un recoin sombre et deux chambres à l'étage. Marie occupait son temps à pêcher, utilisant à cet effet la barque de Jean. Mais la Dordogne, ici, était bien différente de son cours à Souillac : beaucoup plus vive et moins profonde, elle rendait difficile d'accès les remous et les calmes où se trouvaient les truites et les anguilles. S'il était facile de descendre, en effet, il était beaucoup plus difficile de remonter le courant, sauf le long des berges, et à condition de connaître les passages entre les maigres.

Jean lui avait dit que les eaux ne seraient pas « marchandes » avant la fin du mois d'octobre. D'ailleurs, ici, on ne voyageait que quelques semaines par an, aux pluies d'automne et de printemps. Marie vivait dans une grande impatience et, en attendant d'embarquer, faisait connaissance avec la vallée, les collines, les villages des alentours.

Il n'était pas possible de descendre vers l'aval, car la vallée, jusqu'à l'abbaye de La Valette, se resserrait en gorges tapissées de forêts, mais il existait un chemin de rive vers l'amont qui menait à La Ferrière, Aynes, et jusqu'au village de Nauzenac où se trouvait le pont qui portait la route reliant l'Auvergne au Limousin. A Spontour même, si l'on traversait la Dordogne, on trouvait le chemin qui montait, à travers la forêt, vers le domaine d'Henri Debord, à Auriac. Cet univers étroit angoissait parfois Marie qui rêvait des grands espaces du fleuve après Libourne. Et pourtant elle tâchait de ne pas trop songer au passé. Car il fallait vivre, continuer à travailler, tenter de s'occuper le plus possible au village, puisque aussi bien il n'était pas question de suivre Jean, Benjamin et Émilien dans les forêts où poussaient les chênes, les hêtres et les châtaigniers, dont les coupes ouvraient de grandes saignées brunes dans les collines.

La lumière et les parfums, aussi, étaient différents. Jamais, même au milieu du jour, la clarté n'avait cet éclat métallique de la basse vallée. C'était comme si les forêts sombres des collines jetaient un voile sur la lumière, en altéraient l'éclat, la retenait prisonnière. Et nul parfum d'herbe chaude ne coulait sur les rives, ni de chèvrefeuille, d'avoine folle, de lilas ou de vigne, mais seulement celui du bois taillé sur les chantiers du village installés le long des rives. Ce n'était pas une odeur désagréable, au contraire, mais il semblait à Marie qu'il lui manquait quelque chose d'essentiel à sa vie.

Elle se gardait bien de se plaindre de quoi que ce soit auprès de Benjamin, car elle espérait s'habituer avec le temps.

— A quoi penses-tu? ma fille, lui demandait Élina quand le souvenir de Souillac assaillait Marie et qu'elle demeurait rêveuse devant son ouvrage.

Et, sans lui laisser le temps de répondre, car elle savait où erraient ses pensées :

— On peut être heureux n'importe où quand on a les siens près de soi.

— Et Aubin?

— Aubin est en âge de se débrouiller seul.

— Et Benjamin, qui s'en va avant l'aube et ne rentre qu'à la nuit?

— Bientôt tu navigueras avec lui.

Élina prenait Marie par le bras, l'entraînait sur le pas de la porte, lui désignait, au bas de la colline, la Dordogne qui scintillait sous le soleil.

— Regarde! Elle est là, disait-elle.

— Ce n'est pas la même, répondait Marie.

Et, comme Élina, soudain, perdait son sourire :

— Ne t'en fais pas. Dans quelques mois ça ira mieux.

— A la bonne heure!

Elles rentraient, préparaient le poisson pêché par Marie, tandis qu'Élina parlait, parlait, illuminant par la parole et le sourire la cuisine que Marie ne parvenait pas à considérer comme la sienne.

C'était une autre vie, aussi, pour Benjamin, mais il n'avait guère le temps de s'attarder sur le passé. Bien avant l'aube, il partait avec Jean et Émilien dans les coupes en amont du village. Jean était obligé de s'éloigner de plus en plus de Spontour, car toutes les collines boisées qui se trouvaient de l'autre côté de la Dordogne appartenaient à Henri Debord, et la concurrence était vive avec les autres marchands de bois, notamment avec les Chamfreuil et les Barbe qui régnaient sur ces hautes contrées depuis plus de cent ans. Qu'importe ! Les affaires marchaient bien, et pour tout le monde, puisque chaque année c'étaient plus de quatre cents bateaux qui passaient à Argentat pour descendre vers le bas-pays.

A Spontour, Jean possédait deux chantiers de taille et un chantier de construction de bateaux. A l'exemple des autres marchands, il construisait ses gabares en bois pauvre : hêtre, aulne ou bouleau, et les vendait comme bois de chauffage à l'arrivée, à Souillac. La présence de Benjamin et de Marie allait lui permettre de descendre le bois à Bergerac ou Libourne, puisque aussi bien il n'y avait plus personne pour prendre le relais de ses convois dans le bas-pays. Il avait été entendu que les gabariers de Jean enseigneraient à Marie et Benjamin le parcours de Spontour à Souillac, et que ces derniers tiendraient le gouvernail à partir de ce port. En outre, comme les gabariers employés par Jean étaient âgés, ils cesseraient de descendre une fois qu'ils auraient transmis leur connaissance de la Dordogne dans le haut-pays.

En plus des gabares, les ouvriers du chantier construisaient aussi des « naus » qui servaient de bac en Quercy ou en Périgord, et des barques de pêche que Jean vendait vers Argentat en aval ou vers Saint-Projet-le-Désert en amont. Sur l'autre chantier (une plate-forme en bois d'une vingtaine de mètres de long et de sept ou huit de large construite le long de la rive droite) les merrandiers et les carassonniers taillaient le bois de chêne et de châtaignier que l'on faisait flotter depuis les coupes jusqu'au village. Toute la vallée retentissait des coups des fendeurs, des maillets et des coutres qui découpaient les marels [1], tandis que le merrain, la carassonne, le bois de chauffage, les planches et les madriers s'entassaient à proximité de l'eau où ils seraient bientôt chargés sur les bateaux.

C'était un énorme travail, pour Jean, d'organiser la chaîne depuis l'achat des coupes, de surveiller ses équipes de bûcherons, le flottage, les ouvriers des chantiers, de négocier les contrats avec les gabariers, les commandes et la vente des produits du bois. Jusqu'alors il n'avait guère eu de problème pour la vente du merrain puisque Benjamin s'en était chargé à partir de Souillac. Il était convenu que désormais Benjamin s'occuperait des affaires à compter de l'arrivée du bois sur les chantiers jusqu'à la vente dans le bas-pays.

— Depuis la mort de mon beau-père, avait dit Jean, je n'y arrivais plus. Tu comprends pourquoi j'avais hâte de te voir ?

Benjamin le comprenait tout à fait. Il se demandait même comment son beau-frère était parvenu à faire marcher cette gigantesque entreprise tout seul.

— J'espérais toujours que vous viendriez, avait-il répondu à Benjamin qui lui en avait fait la remarque. Alors, j'ai fait face comme j'ai pu.

Mais cela avait été un travail harassant, sans jamais une heure de repos, même le dimanche. Un répit parfois, en janvier, quand il y avait trop de neige dans la forêt et que les eaux étaient trop basses pour faire partir les bateaux. Rarement en été, car, si l'on ne naviguait pas, l'activité était grande dans les coupes et sur les chantiers. Les périodes les plus difficiles étaient évidemment l'automne et le printemps, quand on pouvait couper, travailler le bois et en même temps naviguer.

Avant de prendre en charge cette responsabilité, Benjamin devait connaître tous les rouages de l'entreprise. C'est pour cette raison que Jean l'emmenait dans les coupes, et, chaque fois qu'il en avait l'occasion, lui enseignait les secrets que lui-

---

1. Troncs ébranchés.

même tenait de son beau-père. Par exemple, la nécessité de couper le bois pendant la lune vieille, ou l'utilisation de l'écorce de tilleul pour tresser les cordes d'amarrage. Il lui parlait surtout des arbres, puisqu'ils vivaient beaucoup dans la forêt. Des sapins, il disait qu'il y en avait trop peu, encore, à cette altitude, mais qu'on les trouvait en grande quantité beaucoup plus haut dans la montagne. Il avait le même amour pour les chênes qu'Ambroise Debord, celui qui goûtait leur sève et en montrait si fièrement le cœur. Et Benjamin se souvenait alors de son premier voyage dans le haut-pays avec son père Victorien, de cette complicité qui les avait unis, une fois qu'ils avaient quitté Ambroise Debord et qu'ils étaient remontés vers les sources de la Dordogne...

Jean portait un jugement sur chaque arbre et ne se privait pas de le faire partager à Benjamin. Du châtaignier, il prétendait qu'il faisait d'excellentes charpentes et que cela lui « coûtait » de le vendre en piquet de vigne. Du charme, il assurait qu'il tenait le feu presque aussi bien que le chêne et que son bois, très dur, servait surtout à la fabrication des outils. Il avait un mot pour chacun : le hêtre, dont les fûts pouvaient atteindre une dizaine de mètres et dont le bois rosé, lourd, dur, homogène, était excellent pour la menuiserie ; l'orme, toujours proche du tilleul à grandes feuilles, dont on vendait le bois aux charrons d'Argentat ou de Beaulieu ; le bouleau, avide de lumière et dont le bois léger servait à construire les caisses d'emballage ; le tilleul au bois tendre ; l'aulne au bois rouge orangé très facile à travailler ; et puis les saules et les peupliers que l'on rencontrait surtout sur les rives ; les pins et les mélèzes, plus haut, que l'on faisait flotter depuis Port-Dieu, bien au-delà de Saint-Projet-le-Désert, dans la montagne d'Auvergne.

Benjamin avait toujours aimé les arbres, du moins depuis son mémorable voyage avec son père. Il se souvenait de la fascination que la forêt, découverte à cette occasion, avait exercé sur lui, et de son plaisir, chaque été, à revenir vers le haut-pays. En quelques jours, il avait oublié Souillac. Il se levait chaque matin avec l'impression d'entrer dans une nouvelle vie, était heureux à l'idée de diriger bientôt une entreprise où il y avait tant à faire et tant à espérer.

Il marchait, ce matin-là, aux côtés de Jean et d'Émilien sur le chemin de rive en amont de Spontour. Septembre n'en finissait pas d'allumer des foyers d'or sur les versants abrupts que le vent caressait. Il n'avait pas plu depuis longtemps et les eaux de la Dordogne qu'ils apercevaient sur leur droite étaient très basses. Dès qu'ils sortaient de l'ombre des feuillages, ils sentaient déjà la chaleur ramper sur le sable du chemin.

Bientôt ils entendirent les coups des outils maniés par les bûcherons à gauche du chemin de rive, puis, soudain, un grand froissement droit devant eux, à moins de cinq cents mètres : les bûcherons faisaient descendre les marels vers la Dordogne. Jean avait prévenu les riverains du flottage prévu pour cette journée de lundi. Personne ne devait s'aventurer en barque entre la coupe et le port, car le danger eût été grand de heurter les troncs portés par le courant. Aussi était-il obligatoire de déclarer le flottage huit jours avant la mise à l'eau.

Parvenus à hauteur de la saignée, Jean et Benjamin s'arrêtèrent pour discuter avec les deux contremaîtres qui étaient des hommes peu bavards, noirs et farouches, originaires des plateaux. Comme il était d'usage, les troncs avaient été regroupés assez haut pour ne pas être emportés par une crue éventuelle. Il fallait donc les faire rouler jusqu'à la rivière où ils seraient maintenus par un câble dans un calme, en attendant de les lâcher tous en même temps. Émilien prit une gaffe et descendit vers la Dordogne, tandis que Benjamin et Jean demeuraient en bordure de la saignée pour surveiller les opérations. Les accidents n'étaient pas rares, en effet, car les hommes étaient habitués au danger et ne s'embarrassaient pas de précautions. Cela faillit d'ailleurs se produire ce matin-là, malgré les cris de Jean qui annonçaient aux hommes d'en bas l'arrivée des marels.

Benjamin, lui, observait l'adresse des bûcherons pour lâcher les troncs dans le bon axe, les faire rouler, puis remonter vers le haut pour recommencer. Parfois l'arbre était arrêté en chemin et il fallait le dégager avec des piques et des gaffes. Jean, alors, n'hésitait pas à se placer au milieu de la saignée pour arrêter le lancement. Benjamin vint tout naturellement l'y rejoindre au bout d'un moment, marquant ainsi sa volonté de partager les risques en même temps que les responsabilités.

Le soleil était déjà haut quand la totalité des troncs fut descendue dans la Dordogne. Les hommes montèrent alors dans les barques, tandis que l'un d'entre eux dénouait la « traque », ce fil d'acier qui barrait la rivière. Les troncs glissèrent très lentement jusqu'au premier rapide où ils prirent de la vitesse et se mirent à cascader sur l'eau, heurtant le fond rocheux dans un grondement sourd, ou les rochers, sur les rives, quand la Dordogne faisait un coude trop serré pour qu'ils pussent passer en même temps.

Benjamin était monté avec Jean dans une barque et retrouvait sur l'eau des sensations qui lui manquaient. Une sorte de joie, teintée d'euphorie, le gagna. Malgré la chaleur, l'air demeurait vif dans les gorges, et cette descente folle, sauvage, qui le mettait aux prises avec les rochers, le bois et l'eau, l'exaltait. Ils étaient cinq dans la barque. Un bûcheron la guidait avec une seule rame. Les deux autres, armés de gaffes, n'hésitaient pas à descendre dans l'eau pour relancer les troncs arrêtés par les calmes et les maigres. Benjamin, devançant Jean, les imita le long d'un cingle où la rivière s'attardait sur une berge basse. De l'eau jusqu'au ventre, sa gaffe à la main, il dégagea les troncs au milieu des bûcherons qui lui parurent familiers, alors qu'il ne les connaissait pas un mois auparavant.

Quand il remonta dans la barque, des gouttes de sueur suspendues au bord de ses cils coulèrent dans ses yeux. Levant la tête, il vit scintiller les collines, et songea vaguement qu'il allait être heureux, ici, dans ce monde où l'on vivait encore comme au commencement des temps, parmi les arbres, l'eau, et le ciel si bas qu'il semblait poser sur l'épaule de la montagne une main paternelle.

Il descendit dans la rivière à plusieurs reprises, se mesura avec les remous, les rapides, les gravières, les rochers, et il arriva exténué à Spontour vers midi, étonné par la surface occupée par les troncs retenus par la « traque » qui formait un angle aigu avec la rive. Les bûcherons se mirent à manger en compagnie des ouvriers des chantiers. Jean attira Benjamin un peu à l'écart pour partager le contenu d'un panier que venait de lui porter Rose. Le repas ne dura pas longtemps, car il fallait libérer le cours de la Dordogne avant le lendemain matin. Les hommes se mirent de nouveau au travail, hissant les troncs sur les chantiers où ils élevaient une sorte de muraille pour le cas où surviendrait une crue subite. Benjamin et Jean surveillèrent les opérations tout l'après-midi. Marie vint avec Rose porter à boire aux bûcherons et aux merrandiers. L'arrivée d'un flottage était la garantie de ne pas manquer d'ouvrage dans les semaines qui venaient et chacun la considérait comme une fête.

Il y eut un accident, au milieu de l'après-midi, quand un marel tomba sur le pied d'un bûcheron, mais ce ne fut pas trop grave. Jean avait vu pire depuis qu'il était arrivé dans ces collines, notamment de très graves fractures, et même la mort de quelques hommes pris sous la chute d'un arbre. La journée se termina très tard, à la tombée de la nuit, après que le dernier tronc eut été hissé sur les plates-formes des chantiers. Jean invita alors tous ses ouvriers à l'auberge, comme il en avait pris l'habitude. Là, Benjamin constata que ces hommes peu bavards, habitués à la forêt, savaient aussi profiter des bons moments. Et quand certains d'entre eux repartirent vers leur hutte de branchage, au milieu de la nuit, il se souvint de celle où il avait dormi, avec son père, et de cette fille brune qui était venue le rejoindre dans l'obscurité. Il lui sembla qu'il y avait de cela très peu de temps. Il lui sembla aussi, en rentrant chez lui, qu'il allait y retrouver Victorien et qu'il pourrait parler avec lui de cette forêt que son père avait si bien su lui faire aimer lors de son premier voyage dans le haut-pays.

L'eau était enfin de voyage. Le soleil s'en étant allé fin septembre, les trois premières semaines d'octobre avaient été très pluvieuses. Les gabares, ce matin-là, étaient donc prêtes à appareiller, et Marie avait une telle hâte d'embarquer qu'elle ne pensait même pas aux dangers qui la guettaient dans le haut-pays, surtout jusqu'à Argentat. Les gabares étaient différentes de celles de la basse vallée : elles ne mesuraient que douze mètres, ne possédaient pas de mât (puisqu'on n'y fixait pas de cordelle de remonte et qu'on n'utilisait pas de voile) ; leur barre avait environ huit mètres de long, les avirons cinq mètres, et elles étaient équipées d'une aste (une perche) pour repousser les écueils.

La veille, les deux vieux gabariers qui allaient conduire les bateaux jusqu'à Souillac avaient longuement parlé avec Benjamin et Marie. L'un s'appelait Émile Coste. La soixantaine, coiffé d'un vieux chapeau, il portait de longues moustaches blanches et souriait constamment d'un air malicieux. L'autre, Louis Aubert, était un peu plus jeune, plus trapu, massif, avec de grands yeux clairs et un front haut creusé de rides. Ils avaient énuméré à Marie et Benjamin les passages les plus difficiles, notamment le « trou du loup » et les cinq rapides de la « Despouille », leur avaient expliqué que deux rameurs suffisaient pour passer les calmes et que leur prouvier serait chargé de repousser les obstacles avec l'aste. Avec Marie et Benjamin, ils seraient donc cinq sur chaque bateau, mais, d'ordinaire, quatre hommes suffisaient.

Dans l'aube blême que filtrait un léger brouillard, Marie embarqua donc avec Louis Aubert et trois matelots. Benjamin monta à bord du deuxième bateau, sur lequel Émilien tenait l'aviron de tribord. Jean était présent pour ce départ, ainsi que Rose et Élina. Il ne pleuvait pas, mais l'air doux et humide annonçait des averses pour les jours à venir. Marie prit place près de Louis Aubert qui tenait fermement la barre du gouvernail, tandis que l'un des matelots éloignait la gabare du ponton de bois. « Enfin ! » se disait-elle, mais elle se demandait en même temps comment elle allait réagir lors des passages les plus périlleux.

Dès que la gabare entra dans le premier courant, le vieux la redressa adroitement et la laissa filer jusqu'au rapide que l'on apercevait là-bas, entre les collines, et qu'ils atteignirent en moins de trente secondes. Le vieux lança à l'instant où ils y entraient :

— C'est la Roche de Ras. On peut y aller franchement.

La gabare fut chahutée par des vagues mais se comporta remarquablement. Elle sortit du rapide en plein milieu du lit, et Marie s'efforça de noter mentalement les caractéristiques de chaque repère.

Un peu plus loin, ils dépassèrent l'abbaye de La Valette, puis quelques vignes à flanc de coteau et des bois très épais et très noirs :

— La forêt de Frétigne, dit le vieux.

Un autre rapide apparut, qui fit prendre une vitesse inquiétante au bateau.

— Roche Mâle, annonça le vieux d'une voix toujours impassible.

Puis, après quelques centaines de mètres :

— Le maigre de l'île basse. Il faut le prendre par tribord.

Marie répétait les mots prononcés par le vieux gabarier : « Le confluent de la Luzège, le village de Roffy, le pont du Chambon de l'Aygue, le roc Charlat », d'autres encore, dont la rencontre l'exaltait comme à la découverte d'un monde merveilleux.

— On a fait dix kilomètres, dit le vieux. Bientôt le « trou du loup ».

Marie, qui commençait à ressentir les mêmes sensations qu'elle éprouvait dans la basse vallée, oubliait les longs jours qui avaient précédé ce départ. C'était bien de cela qu'elle avait besoin : le voyage était devenu aussi nécessaire à sa vie que la nourriture de chaque jour. Sur l'eau, au moins, elle se sentait vivre, et c'était une nouvelle naissance que de naviguer ainsi, dans les rapides, les gravières et les remous, en sentant battre son cœur à l'approche du danger, comme au seuil de ce « trou du loup », où les collines se resserraient tellement que la Dordogne cascadait à vitesse folle avec une hauteur d'eau inférieure à un mètre. La gabare, d'ailleurs, toucha le fond rocheux, mais le vieux ne sourcilla même pas.

— On racle toujours ici, dit-il, mais ce n'est jamais grave.

Le soleil semblait maintenant vouloir percer la brume du matin. Marie pensa au vieil Émilien d'Argentat, à cette « âme » qu'il prétendait voir monter quand le soleil caressait l'eau de ses premiers rayons. Elle se demanda s'il était encore vivant et se promit d'essayer de l'apercevoir sur le banc où il avait l'habitude de s'asseoir, à l'extrémité du port d'Argentat. Il lui sembla que la vallée s'élargissait un peu, mais les collines eurent tôt fait de resserrer leur étau sur la rivière.

— On arrive à Despouille, dit le vieux, attention à vous !

Il s'agissait de cinq rapides de deux cents mètres de long, au terme desquels un énorme rocher surplombait la rivière qui avait creusé sous lui des remous. Le premier lança la gabare à vive allure, le second l'accéléra et le troisième davantage encore, jusqu'à l'énorme rocher noir qui, là-bas, semblait obscurcir la vallée. Marie s'appuya au bordage, se rendit compte que le gabarier n'était pas rassuré. Effectivement, à la vitesse où la gabare était lancée, il lui semblait impossible d'éviter le rocher et les récifs qui, sous lui, émergeaient du remous. Pendant les secondes qui suivirent, elle eut même la tentation de sauter par-dessus bord, tant elle était sûre que la gabare allait se fracasser sur l'écueil. Pourtant, l'approche du remous où l'eau était plus profonde ralentit un peu le bateau que le gabarier fit tourner légèrement sur bâbord, présentant la proue au rocher. Il passa à moins d'un mètre, alors que la poupe, si le gabarier avait amorcé la manœuvre inverse, eût certainement touché. Marie nota mentalement cette manière de procéder et, en regardant le gabarier, il lui sembla qu'il était soulagé d'avoir réussi à passer sans encombre.

— Il s'est fracassé des dizaines de gabares, ici ! dit-il en hochant la tête. Il faudra vous méfier, vous savez !

Marie se demanda si elle aurait le courage d'affronter de tels obstacles lorsqu'elle serait seule, puis elle se rappela ses hésitations, lorsqu'elle était montée sur l'*Élina*, et sa réussite, enfin, à manœuvrer les bateaux dans le bas-pays. D'ailleurs, elle n'avait pas à s'inquiéter, puisqu'elle aurait le temps de descendre trois ou quatre fois avec Louis Aubert.

La matinée s'avançait. Plus ils descendaient et plus la vallée s'ouvrait à la lumière. Le soleil sortit pendant quelques minutes avant de disparaître de nouveau derrière les nuages. Le gabarier continua calmement d'annoncer les villages, les maigres et les rapides : Saint-Jean, les rochers de Mirandel, le hameau des Combettes, l'étroit passage du ruisseau du Diable, Eylac, le rocher de la Loutre, Glény, le confluent avec le Doustre, puis Argentat apparut au détour d'un cingle, ses toits gris luisant sous le soleil.

Là, le convoi fit une halte, et les hommes déjeunèrent tranquillement. Il était un peu moins de dix heures. Marie rejoignit Benjamin sur le quai encombré de merrain et de charrettes, mangea en sa compagnie en commentant la descente. Benjamin, comme elle, était très excité par le voyage. Ils récapitulèrent les passages dangereux, s'apprêtèrent à repartir sans avoir parlé du vieil Émilien, mais ils y pensaient l'un et l'autre. En remontant sur le bateau, Marie demanda à Louis Aubert s'il connaissait un gabarier qui se prénommait Émilien et habitait là-bas, à l'extrémité du port.

— Je l'ai bien connu, répondit le vieux, et nous sommes même descendus ensemble. Mais il est mort depuis longtemps, le pauvre.

« Longtemps ? » s'interrogea Marie. Sans doute, car cela faisait bien plus de dix ans qu'ils étaient montés voir Jean, avec Benjamin, pour la première fois. Et il prétendait qu'il allait mourir, Émilien, parce qu'elle lui avait parlé, cette âme

121

de feu qui montait derrière la brume aux premiers rayons du soleil. Il avait donc eu raison ! Ces pensées isolèrent un peu Marie de l'agitation des matelots au moment du départ, et elle ne se rendit pas compte à quel point les quais étaient animés et colorés.

Les deux bateaux passèrent sous le pont suspendu du grand port du haut-pays et ne tardèrent pas à affronter le malpas du Chambon : un gros rocher et une île séparant deux rapides.

— Toujours prendre celui de gauche ! dit Aubert.

Puis la Dordogne s'assagit quelque peu, et la navigation devint plus agréable, d'autant que le paysage, lui aussi, changeait : il y avait maintenant quelques prairies entre la rivière et les collines dont la hauteur diminuait. On avait l'impression que l'horizon s'ouvrait là-bas, loin devant, et que le ciel devenait plus vaste. On sortait enfin des gorges pour entrer dans les plaines, et c'était comme si une ère nouvelle s'installait dans une contrée pacifiée depuis peu.

La Dordogne aussi était plus calme. Peu de dangers attendaient les bateaux, à part quelques maigres qu'il fallut négocier avec adresse. Plus loin, passé les ponts de Montceau et Brivezac, la gabare d'Aubert arriva en vue du moulin d'Abadiol. La digue ne laissait qu'un étroit passage (l'ancien pas du Roi) entre l'île et la rive gauche, et présentait une chute d'un mètre qu'il était impossible d'éviter. Quand la gabare piqua du nez dans la rivière, Marie se souvint de la crue de la Dordogne au confluent de la Vézère, à Limeuil, et de la peur qu'elle avait éprouvée lors de l'un de ses premiers voyages, quand son bateau avait basculé. Rien de tel, ici, mais la même impression d'être suspendu un instant entre ciel et eau, et la nécessité de s'éloigner très vite des remous.

Enfin, peu après midi, apparut la chapelle des Pénitents, en amont du port de Beaulieu où l'on devait faire halte à l'auberge. On ne s'y attarda pas, car il fallait arriver à Carennac avant la nuit. Marie fut heureuse de constater que le ciel était dégagé et que le soleil accompagnait les gabariers au seuil de ce si bel après-midi au terme duquel elle se trouverait seulement à quelques kilomètres de Souillac. Elle ne connaissait pas les deux ports de Beaulieu qu'elle trouva très beaux, avec leur chapelle dédiée à la Vierge. Il fallut passer encore une digue, celle du moulin de Bourrier, dont le pas était aussi étroit et aussi dangereux que celui du moulin d'Abadiol, puis la vallée s'élargit encore et les champs remplacèrent les prairies. L'après-midi passa très vite, presque sans que Marie s'en rende compte, tant elle était attentive à la navigation et aux paroles de Louis Aubert.

Les gabares franchirent le pas du moulin d'Estresse, arrivèrent sous le village de Tézel, après lequel il fallut manœuvrer les rames dans les calmes. Et puis ce fut le pont de Puybrun, l'embouchure de la Cère, plus loin les murailles roses du château de Castelnau. La Dordogne se divisa alors en plusieurs bras qui cascadaient sur des rapides.

— Toujours le bras de droite, dit Louis Aubert. C'est le plus profond.

Des îles couvertes de frênes et de peupliers s'étiraient entre les champs et les prés encore verts. C'était merveilleux de voir à quel point la campagne, ici, ressemblait à celle de Souillac. Marie eut envie de prolonger cette descente jusque là-bas, mais la nuit tombait et les gabariers avaient l'habitude de s'arrêter à Carennac, entre la grande île et le château de Fénelon. L'auberge se trouvait en haut du chemin qui contournait le rempart. Ivre d'air et de lumière, Marie ne prit aucune part à la conversation. Elle n'avait plus qu'une seule pensée en tête : demain, peu après le départ, elle reverrait Souillac, les prairies, le port, sa maison, et c'étaient là des instants auxquels elle n'avait pas cessé de songer depuis plusieurs mois.

Elle n'avait pas vraiment mesuré ce qui l'attendait ce matin-là, moins d'une heure après le départ. Comme Benjamin, elle avait pris le gouvernail que lui avait abandonné Louis Aubert, puisqu'il n'y avait pas de véritable danger avant Souillac.

Effectivement, à part le passage du moulin Rouquet, des rochers de Mézel, des remous de Copeyre, elle avait eu le temps d'admirer le village de Gluges et de Meyronne, les châteaux de La Roque et de Belcastel, avant d'amorcer le grand méandre qui menait à Lanzac. Et au moment précis où elle avait aperçu le pré où elle s'était reposée en compagnie de Benjamin après s'être évanouie dans les grands fonds, puis, là-bas, le port assoupi dans la brume, Marie s'était mise à trembler follement. Ça avait été comme si une digue s'était ouverte, et l'émotion avait déferlé en elle sans qu'elle pût y résister. Le vieux gabarier, qui avait compris ce qui se passait, s'était écarté, la laissant seule avec elle-même.

Alors très vite avaient défilé les prairies, la plage de galets, le chemin du bourg, les calmes de Cieurac, le toit de la maison où elle avait vécu pendant plus de quarante ans, le port déserté, et Marie avait senti une pointe glacée lui entrer dans le cœur. Elle aurait voulu arrêter le bateau, descendre, ne plus jamais quitter ces rives, tandis qu'elle gardait le bras crispé sur le gouvernail, aveuglée par les larmes. Cela avait été si douloureux qu'au passage de la plage de galets où elle s'était si souvent échouée, face au rocher du Raysse, ses jambes s'étaient effacées sous elle et qu'elle était tombée. Le vieux avait eu bien du mal à négocier le pas du Raysse, tandis qu'à ses pieds Marie demeurait inerte, écrasée par les souvenirs d'un bonheur à jamais perdu.

Comment avait-elle trouvé le courage de se relever, elle ne le savait pas. Sans doute avait-elle été frappée par l'idée qu'en lâchant son gouvernail elle avait mis en péril la vie de son équipage. Elle avait alors repris sa place sous le regard décontenancé du vieux, qui ne lui avait fait aucun reproche. Mais la pointe qui était entrée dans son cœur y était demeurée fichée pendant les trois jours qu'avait duré la descente jusqu'à Libourne. Et si personne, pas même Benjamin, n'avait osé évoquer ce qui s'était passé, elle en avait gardé l'empreinte sur son visage qui était demeuré d'une extrême pâleur.

Heureusement, à Libourne, elle retrouva ses habitudes en

s'occupant du déchargement du bois. Sa mélancolie en fut un peu atténuée, du moins pendant quelques heures. Après une courte nuit à l'auberge, il fallut repartir à pied après avoir vendu les gabares comme bois de chauffage.

— Comptez que, pour la première fois, vous mettrez sept ou huit jours pour remonter, avaient dit les vieux. Nous, on en mettra dix.

Tout le monde avait pris la route de bon matin en direction de Périgueux, les plus jeunes devant, les deux vieux derrière, avec qui il avait été convenu de ne pas s'attendre. Il pleuvait un peu, ce matin-là, mais c'était l'une de ces pluies qui a la douceur de l'automne finissant. Marie marchait près de Benjamin et se sentait un peu mieux. La soirée et la nuit à Libourne lui avaient rendu un peu de ce passé précieux dont la mémoire ne pouvait pas s'éteindre. Il lui semblait maintenant que les lieux qu'elle aimait ne lui étaient pas totalement interdits. La douleur éprouvée à Souillac refluait au fur et à mesure qu'elle marchait, traversant des vignes et des prés qui luisaient comme une eau prise par la glace. Benjamin ne parlait pas. Il avançait d'un pas régulier, perdu dans ses pensées. Marie songea qu'il revivait peut-être leurs dernières remontes le long des rives vertes où ils n'avaient plus aperçu que quelques bouviers. Elle sentit que, comme elle la veille, il était en proie aux démons du souvenir, voulut l'aider et dit :

— Comme nous mettrons un peu moins de temps pour remonter que nous en mettions en bateau, nous pourrons en profiter pour descendre plus souvent.

Il la regarda, sourit. Elle oubliait que là-haut l'eau n'était marchande que trois ou quatre mois. Il ne lui dit rien, cependant, et continua de marcher près d'elle en rêvant aux grands voiliers de Libourne, aux coups de vent du bec d'Ambès, à l'immensité de la Garonne à proximité de Bordeaux.

Ils croisaient ou étaient dépassés par des rouliers, des charrettes, des breaks, des berlines, des paysans portant une faux sur l'épaule, des troupeaux, des colporteurs, qui, comme

eux, remontaient vers le haut-pays ou en descendaient. Ainsi
la route ne leur paraissait pas monotone, au contraire : ils
découvraient un monde différent, mais joyeux, animé, où
chacun paraissait avoir ses habitudes.

Le premier soir à l'auberge, l'un des jeunes matelots dit à
Émilien qui se trouvait à la gauche de Benjamin :

— Si on remontait par le chemin de fer jusqu'à Brive, on
pourrait être à Spontour en moins de deux journées.

Benjamin blêmit, lança d'une voix qui parut écraser le
matelot :

— Pourquoi ne pas manger tout le bénéfice à Libourne ? Ça
ne serait même plus la peine de descendre.

L'incident n'eut pas de suite, mais rendit Benjamin nerveux
pendant toute la soirée. Le lendemain, cependant, il l'oublia,
tandis que l'infortuné matelot marchait loin devant, près de
ses compagnons.

Contrairement à ce qu'avaient prévu les deux vieux gabariers, ils ne mirent pas sept jours, mais six, pour arriver à
Spontour. Le premier soir, ils avaient fait halte à Montpon,
puis à Manzac, à Fossemagne, à Larche, le dernier soir à
Beynat après s'être arrêtés à Brive pour faire des provisions. Il
n'était pas tout à fait nuit quand ils arrivèrent à Spontour dont
les rues bruissaient encore du travail des merrandiers. Lors du
repas, Jean leur dit que tout serait prêt pour repartir dans trois
jours. Il fallait pourtant attendre les deux vieux et les laisser se
reposer. On décida que ce serait le dernier voyage avec eux,
puisque Benjamin et Marie se sentaient capables de descendre
seuls après un deuxième voyage en leur compagnie.

Avant de s'endormir, ce soir-là, Marie s'imagina dans les
rapides, les dormants, les remous, seule à la barre de son
bateau. Il lui sembla que tant qu'elle pourrait aller ainsi sur
l'eau et sur les routes, elle finirait par vivre en paix avec cette
part d'elle-même qui était demeurée dans ses prairies loin-
taines.

7

La neige s'était mise à tomber au début du mois de décembre, recouvrant le haut-pays d'une pelisse blanche qu'ouvrait en son milieu le fil d'acier de la Dordogne. Comme les pluies avaient été abondantes, Benjamin et Marie avaient pu descendre jusqu'à l'approche de Noël. Les remontes avaient été très difficiles car les routes étaient dévastées par le mauvais temps ; la dernière avait duré sept jours. Benjamin et Marie étaient arrivés épuisés à Spontour et, d'accord avec Jean, avaient décidé d'attendre des conditions plus clémentes pour repartir, même si les eaux demeuraient marchandes.

Marie songeait avant tout aux fêtes de Noël. Les trois voyages qu'elle avait effectués, dans la pluie d'abord, dans la neige et le froid ensuite, lui avaient redonné le goût de l'âtre et des journées paisibles. Et puis elle en avait vu, du pays ! Des champs, des prairies, des villages, des ports, des moulins, des églises, des châteaux, et tous ces gens que les gabariers rencontraient sur la route et dans les auberges. Elle en demeurait éblouie mais n'avait plus de forces. Pas plus que Benjamin elle n'avait imaginé la dureté du climat dans ces collines, et les difficultés à vaincre pour mener à bien les voyages.

Chaque fois qu'elle rentrait à Spontour, elle se disait qu'elle avait échappé aux pièges de la rivière, mais se demandait pour combien de temps. Aussi cette trêve de Noël lui apparaissait-

elle comme une île au milieu des flots déchaînés, et elle se
promettait d'en profiter le plus possible.

Le soir de Noël, après un repas de fête, elle était allée à la
messe de minuit avec Élina, Rose et ses enfants, et elle s'était
félicitée de n'avoir pas un long chemin à parcourir pour rentrer
chez elle. Au retour, tout le monde avait réveillonné d'une
délicieuse soupe aux oignons qu'avait préparé Élina avant de
partir. Le lendemain, alors qu'ils étaient à table, on frappa à la
porte. Quand Benjamin ouvrit, Marie ne reconnut pas
l'homme encapuchonné qui s'ébrouait sur le seuil. Ce n'est
que lorsqu'il enleva sa capuche qu'elle reconnut Aubin et se
précipita vers lui.

— Aubin! Mon Dieu! dit-elle.

Il riait, embrassait les femmes et, tandis qu'elle redécouvrait
les boucles brunes collées sur le front, les yeux clairs, si clairs
qu'elle en avait oublié la lumière, Marie le revoyait ce jour où
il l'avait quittée, dans les prairies, se rappelait la détermination qui était la sienne, alors, et cette force qu'elle retrouvait
intacte aujourd'hui la bouleversait.

— Viens te chauffer! disait-elle; là, approche-toi du feu, tu
dois être gelé.

Aubin riait, ne se pressait pas pour répondre, frottait les
mains l'une contre l'autre, s'exclamait :

— Je meurs de faim!

On lui fit une place entre Jean et Benjamin, et il s'attabla,
aussi heureux que tous l'étaient de sa présence.

— Tu es si gentil d'être venu, dit Marie; avec ce temps, je
ne l'espérais plus.

— Vous croyez que je vous aurais laissé manger tout ça
sans moi?

Il s'était mis à dévorer un quartier d'oie avec un tel plaisir
que Marie s'en inquiéta : n'avait-il pas maigri? Ses traits, lui
semblait-il, s'étaient creusés. Le dévisageant lorsqu'il levait la
tête, elle découvrit même un pli amer au coin des lèvres. Il ne
consentit à parler que lorsqu'il eut comblé son estomac,

expliqua qu'il travaillait à la périphérie de Périgueux dans une forge, et avoua que ce n'était pas toujours facile.

— Il faudra nous dire où tu loges, dit Benjamin, nous nous arrêterons à la remonte.

— Oh! Oui! dit Marie, il n'y a pas loin de Mussidan à Périgueux. Il nous suffira de partir plus tôt de Libourne et nous pourrons nous voir.

— Bien sûr! répondit Aubin, mais je crois que je vais changer de travail. Je vous le ferai savoir dès que ce sera fait.

— C'est donc si dur, fils? demanda Benjamin.

— Les fours, oui, c'est dur et les journées sont longues, mais tout finira bientôt; il n'y en a pas pour longtemps.

Un silence tomba, troublé seulement par les crépitements du bois de châtaignier. Surpris, Aubin redressa la tête et demanda :

— Quoi? Qu'y a-t-il?

— Qu'est-ce qui va finir? demanda Marie.

— Les conditions de travail épouvantables. Tout ça! Cette misère! Cette tyrannie! Ça finira avec la République. Et croyez-moi! Elle est proche!

Malgré la chaleur de la pièce, Marie venait de sentir un grand froid l'envahir. Benjamin, lui, avait pâli. Ils venaient de comprendre que leur fils avait pris le relais du combat qu'ils avaient été contraints d'abandonner. Or ils en connaissaient les risques, et pas Aubin. Espérant s'être trompée, pourtant, Marie constata :

— Tu ne dois pas avoir beaucoup de temps libre avec un travail si difficile.

— On ne travaille pas le dimanche, quand même! répondit Aubin. Ni la nuit. Il manquerait plus que ça!

Il ajouta, tandis qu'Élina apportait un plat de lentilles :

— On se réunit tous les soirs.

Marie, sentant son cœur s'affoler, murmura :

— C'est donc pour ça que tu as l'air si fatigué...

— Je ne suis pas fatigué, dit Aubin. Et même si cela était,

j'aurai tout le temps de me reposer quand nous aurons la République.

Il y avait dans sa voix une telle ferveur, une telle violence contenue, que Marie, effrayée, ne trouva rien à ajouter. Ce fut Benjamin qui demanda d'une voix blanche, brusquement revenu au temps où il rencontrait Pierre en se cachant à Bordeaux :

— Et tu crois qu'il va vous la donner comme ça, la République ?

Aubin s'arrêta de manger, se redressa :

— Il ne va pas nous la donner, dit-il, on va la lui prendre.

Élina tenta de faire dévier la conversation, mais personne ne l'écouta.

— Avec quoi vous allez la lui prendre ? demanda Benjamin d'une voix de plus en plus glacée.

— Avec des armes, s'il le faut.

— Aubin ! cria Marie.

— Quoi ? fit-il, n'est-ce pas ce que tu as fait, toi ?

Comment le savait-il ? Elle songea vaguement que Vincent, sans doute, avait parlé, ou peut-être l'un des matelots qu'Aubin avait côtoyés sur les bateaux, et elle se sentit impuissante, tout à coup, et déjà résignée.

— Nous l'avons payé assez cher ! dit Benjamin.

— Justement ! fit Aubin. Aujourd'hui, il est temps que ce soit lui qui paye. Vous n'allez pas me le reprocher, non ?

Un long silence s'installa. Émilien, Céleste et Louis n'avaient pas perdu une miette de la conversation. Ils demeuraient bouche bée devant Aubin qui venait de faire entrer dans cette maison d'ordinaire si paisible un air que l'on n'avait pas l'habitude d'y respirer. Marie ne pouvait pas détacher son regard de ce fils qu'elle ne reconnaissait plus, qui était devenu un autre, et qui lui faisait peur.

— Il ne s'agit pas de reproche, dit-elle, il s'agit de danger.

— Vous avez bien vécu avec, vous !

— Justement, dit Marie, nous avons...

— Rien du tout ! coupa Aubin. Vous ignorez tout de ce qui

se passe dans les villes. Les temps ont changé : il est obligé de lâcher du lest. Ses jours sont comptés et c'est nous qui les comptons !

« Était-il possible qu'il en soit autrement puisque c'est notre fils », songea Marie devant cette violence. Elle voulut encore argumenter, mais Benjamin fit un signe de la main et dit :

— Laisse ! Puisque c'est ce qu'il veut.

Après un nouveau silence, Élina et Jean réussirent à faire dévier la conversation sur le temps puis sur les coupes que l'on avait dû abandonner. Marie n'écoutait pas. Ce Noël qu'elle avait tant attendu était gâché. Aubin, cependant, discutait avec Jean comme si de rien n'était, tandis que Benjamin feignait de s'intéresser à ce qu'ils disaient. Mais elle voyait bien que son esprit était ailleurs, et que, comme elle, il sentait se rouvrir d'anciennes blessures. Elle fit un effort pour sourire et, pendant l'après-midi qu'ils passèrent au coin du feu en buvant du vin chaud, elle essaya de ne penser qu'à l'instant présent qui les voyait réunis, à cette parenthèse dans leur vie si agitée depuis plusieurs mois.

En fin d'après-midi, tandis que Benjamin raccompagnait Rose, Jean et leurs enfants chez eux, qu'Émilien était sorti et qu'Élina préparait le repas du soir, Marie resta seule avec Aubin et lui demanda de parler de sa vie, là-bas. Ne regrettait-il pas la Dordogne ? Était-il passé par Souillac ? Mangeait-il toujours à sa faim ? Il la rassura : il se trouvait bien en ville ; sa vie était à Périgueux, désormais. Et quand elle lui demanda quelle était cette nouvelle place qu'il allait prendre, il répondit :

— Je te le dirai demain matin.

Quel mystère ! elle y pensa toute la soirée, n'en dormit pas de la nuit. Pourquoi attendait-il le moment du départ pour parler ? Elle s'arrangea pour se trouver seule avec lui au moment où, dès qu'il fit jour, il fut sur le point de se mettre en route. Comme Benjamin arrivait, elle exigea d'accompagner un peu Aubin sur le chemin. Celui-ci n'eut pas la courage de s'y opposer. Ils s'éloignèrent en direction du pont, dans un univers d'une blancheur glacée où le givre avait remplacé la neige à la cime des arbres.

— Alors ? dit-elle au moment de le laisser, au bas de la route d'Auriac, me diras-tu enfin où tu vas travailler ?

Il hésita, demanda :

— Tu es sûre que tu veux le savoir ?

— Pourquoi ? C'est un travail honteux ?

— Non. Pas pour moi. Le travail, c'est le travail. Et le passé ne m'intéresse pas.

Mon Dieu ! Pourquoi disait-il ça ? Elle n'était plus très sûre, tout à coup, de vouloir l'entendre, mais elle était allée trop loin.

— Je vais travailler au chantier du chemin de fer, dit-il très vite et sans la regarder.

Elle ferma les yeux, chancela. Il lui sembla que toute la neige des collines était entrée dans son corps.

Le froid et le gel ne desserrèrent pas leur étreinte de tout le mois de janvier. Par moins vingt degrés, la Dordogne charriait des blocs de glace qui reverbéraient le moindre rayon de soleil avec un éclat insoutenable. La plupart du temps, cependant, le brouillard ne se levait pas. Les moignons noirs des arbres sur les collines émergeaient d'une neige que le gel avait durci comme de la pierre. C'est à peine si l'on avait assez de lumière dans les maisons au milieu du jour. Dans cette brume épaisse et sur des eaux très basses, il n'était pas question, évidemment, de naviguer. On eût dit que le soleil avait décidé une fois pour toutes de ne plus reparaître et Marie, parfois, se disait qu'il n'avait peut-être jamais existé.

Un matin où Benjamin, Émilien et Jean étaient allés repérer de nouvelles coupes, un homme vint frapper à la porte. Marie ne le connaissait pas. Il était jeune, avait le visage dévoré par la barbe, des yeux très noirs et portait sur la tête un vieux chapeau aux bords effrangés qui lui tombaient presque sur les épaules.

— Le patron ! Le patron ! répétait-il avec un air épouvanté.

— Il n'est pas là, répondit Marie. Il ne rentrera pas avant ce soir. Qu'est-ce que vous lui voulez ?

L'homme hésita, puis il dit, enlevant brusquement son chapeau couvert de givre :

— C'est mon frère ; il a la jambe ouverte.

Marie savait qu'une équipe de quatre hommes continuait à travailler, là-haut, sous le plateau, et qu'ils couchaient dans une hutte prêtée par les charbonniers qui vivaient à proximité. Elle s'en était inquiétée plusieurs fois auprès de Benjamin, lui demandant comment on pouvait survivre dans des conditions aussi précaires et avec ce froid.

— Qu'est-ce que tu veux ? avait répondu Benjamin. On ne les oblige pas. Ils sont volontaires.

Il avait précisé que c'étaient des jeunes originaires du plateau qui, au retour de leur service militaire, cherchaient à gagner le plus possible pour pouvoir se marier. Marie se demanda quel âge pouvait avoir celui-là, pensa qu'effectivement ce devait être entre vingt et vingt-cinq ans. Et elle songea en même temps que le médecin n'accepterait pas de monter là-haut, si loin du village. A presque soixante-dix ans, en effet, il se déplaçait très difficilement.

— Il faut qu'ils le transportent ici, dit Élina, c'est la seule solution.

Marie réfléchit rapidement, demanda :

— Vous avez ce qu'il faut pour lui faire une attelle ?

L'homme écarta les bras, répondit :

— On a rien. Mais on peut construire un brancard avec des branches.

— Bon ! dit Marie, je viens avec vous. Entrez vous réchauffer une minute.

L'homme entra, s'approcha du feu, frotta ses mains l'une contre l'autre. Tandis qu'Élina lui versait un fond d'eau-de-vie, Marie préparait des pansements et découpait en longueur une pièce de vieux tissu. Elle glissa le tout dans un sac, revêtit par-dessus son tricot de laine le manteau de pluie qu'elle utilisait lors des voyages. Après quoi elle suivit l'homme qui emprunta le chemin de rive en direction de La Ferrière.

Il marchait d'un pas régulier, pas trop rapide pour ne pas la distancer, se retournait de temps en temps, puis repartait sans un mot. Ils parcoururent ainsi deux kilomètres avant d'entrer dans la forêt. Là, sous les hêtres et les châtaigniers, il n'y avait plus de chemin. Il fallait monter la pente abrupte en s'accrochant aux branches basses et aux fûts minces de quelques bouleaux blancs. Marie glissait sur la neige gelée qui recouvrait la mousse. A plusieurs reprises, elle dut se faire aider par l'homme qui lui tendit la main pour la hisser. « Jamais on ne pourra descendre le blessé », soupira-t-elle. Mais l'homme paraissait tellement habitué à escalader les pentes, à apprivoiser la forêt, qu'elle ne s'appesantit pas sur cette idée.

Elle dut s'arrêter plusieurs fois pour reprendre son souffle. L'homme fit de même un peu plus haut, et, tourné vers elle, attendit sans manifester d'impatience mais sans parler. Au sortir d'un bosquet de charmes, ils débouchèrent sur un sentier bordé de fougères qu'ils suivirent sur cinq ou six cents mètres puis, de nouveau, il fallut grimper la pente toujours aussi abrupte. Enfin ils arrivèrent dans une sorte de clairière au sol à peu près horizontal et Marie sentit la fumée. Tout de suite après, elle aperçut les quatre huttes des charbonniers. Elle entendit également les coups des haches sur les troncs, un peu plus haut. « Ils ont repris le travail, songea-t-elle. Ils ne s'arrêtent donc jamais ? » L'homme la conduisit à l'entrée d'une hutte, s'effaça puis s'en alla retrouver ses compagnons, sans s'attarder davantage. Une femme brune accueillit Marie, lui désigna du doigt la paillasse où gisait le bûcheron. Marie fut surprise de la bonne chaleur qui régnait dans la hutte. Deux enfants étaient assis de l'autre côté du foyer et la dévisageaient avec leurs grands yeux noirs.

Précédée par la femme du charbonnier, Marie s'approcha du blessé, faillit crier. Sous le pantalon qui avait été découpé au niveau du genou, une atroce blessure bâillait. Un os sanguinolent sortait des chairs à vif qui avaient éclaté sous l'impact de la hache. L'homme ne gémissait même pas

— J'ai nettoyé comme j'ai pu, dit la femme brune dont les cheveux tombaient en mèches folles devant les yeux.

Marie ne répondit pas, se força à s'agenouiller et à examiner la blessure. Qu'allait-elle pouvoir faire? Comment poser une attelle sur une fracture ouverte? Elle ouvrit son sac, en sortit les pansements et les bandes de tissu, ce qui lui donna un répit de quelques secondes. Elle jugea qu'il fallait essayer de redresser la jambe. Son regard rencontra celui du bûcheron, et elle crut y lire un acquiescement. Il savait ce qui l'attendait.

— Aidez-moi, dit Marie à la femme brune.

Elle plaça une main sous le talon, l'autre sous le genou, essaya de redresser la jambe. Le bûcheron avait pris un morceau de bois entre les dents et le serrait si fort que sa tête tremblait. Quand Marie exerça une timide traction sur la jambe, il émit un grognement sourd mais ne cria pas. Elle dut s'y reprendre à deux fois pour redresser tant bien que mal la jambe blessée. Marie suait et tremblait en même temps. Elle posa plusieurs pansements sur la blessure, puis, quand elle jugea qu'ils étaient suffisamment épais, elle disposa les attelles sur le côté du mollet, essaya de les attacher sans trop soulever la jambe. Elle ne pouvait pas faire mieux. Elle regarda de bûcheron qui semblait respirer un peu mieux.

Quand elle se releva, la femme lui donna un petit verre d'eau-de-vie. Elle essuya la sueur de son front et but en deux gorgées, tout en examinant les enfants qui lui souriaient. Ils n'avaient pas l'air malheureux, pas plus qu'ils n'avaient l'air de souffrir du froid. Mais leurs cheveux longs, leur visage noirci par la fumée, les faisaient ressembler à des petits animaux élevés en liberté. La femme était plutôt belle. Petite, noire et rondelette, elle paraissait vive et décidée.

Les bûcherons ne tardèrent pas à arriver. Ils n'avaient pas perdu de temps : ils avaient déjà fabriqué un brancard et revenaient avec le charbonnier, un gros homme moustachu qui avait des mains comme des battoirs et des sourcils si épais qu'ils dissimulaient presque entièrement ses yeux. Il travaillait aussi pour Jean et Benjamin. Il allait donc accompagner les bûcherons et les aider à transporter le blessé. Deux devant, deux derrière, ce serait peut-être suffisant. Ils réussirent à charger le blessé qui tenait toujours le bâton entre ses dents et roulait des yeux fous, puis ils partirent, Marie suivant de son mieux, trop occupée à ne pas glisser elle-même pour surveiller ce qui se passait devant elle.

Tout alla bien jusqu'au sentier bordé de fougères, puis les hommes s'engagèrent sur la pente la plus raide qui menait au chemin de rive. Ils decendirent sur quelques mètres entre des hêtres, puis il y eut un juron suivi d'un grand cri : un porteur avait glissé, lâché les poignées, et le blessé avait basculé et dévalé la pente. Il s'était arrêté dix mètres plus bas et, allongé sur le dos, ne bougeait plus. En arrivant près de lui, Marie comprit qu'il était évanoui. Le charbonnier se pencha sur lui, fit pénétrer entre ses lèvres un peu d'eau-de-vie, lui secoua la tête de droite à gauche et de gauche à droite, violemment. L'homme gémit, rouvrit les yeux. Marie s'aperçut que le pansement était rouge de sang. Le bûcheron qui avait glissé remontait la pente en soufflant Quand il arriva auprès des autres, le charbonnier remit entre les dents du blessé le bâton qu'il avait laissé tomber, puis ils s'employèrent à le réinstaller sur le brancard. Comme il gémissait et étouffait tant bien que mal des grognements de douleur, Marie voulut intervenir, mais elle se rendit compte que sa présence leur était complètement indifférente. Ces hommes étaient insensibles à la souffrance.

Aussi, tandis qu'ils s'éloignaient, elle demeura quelques minutes immobile, se demandant ce qu'elle faisait là dans cette forêt glaciale, perdue dans ce monde qui lui ressemblait si peu. Puis elle se remit en route, ayant peur de se perdre si elle restait seule dans ces collines où il était si difficile, en cette saison, de trouver âme qui vive.

Il leur fallut une heure encore avant d'arriver à la maison des Donadieu. Élina était allée prévenir le vieux médecin, M. Cheix, qui arriva en même temps que les bûcherons. C'est à peine si ceux-ci prirent le temps de se réchauffer et d'accepter le verre de vin chaud proposé par Élina. Sans un mot pour leur compagnon de travail, ils repartirent au bout de trois minutes d'un pas pressé, silhouettes massives et têtues sur lesquelles le froid semblait n'avoir aucune prise.

Malgré la vigueur du traitement que lui infligea le vieux médecin, le bûcheron, pas plus que là-haut, n'émit le moindre cri.

— Il s'en remettra, dit M. Cheix avant de partir. Ces gars-là sont solides.

Marie songea qu'ils étaient aussi durs et aussi noirs que les roches de granit que l'on trouvait dans ces collines.

— Mais enfin, qui sont-ils, ces gens? s'inquiéta-t-elle auprès de Benjamin, quand il rentra, à la nuit tombée.

Il haussa les épaules, répondit :

— Que veux-tu? Ils sont habitués.

« Moi, songea-t-elle, je ne m'habituerai jamais. » Et il lui sembla que la vérité du haut-pays, ce n'était pas ces arbres qui savaient être si beaux au printemps et en automne, mais plutôt ces grands pans de roche grise qui creusaient d'immenses blessures vives dans la chair des collines.

Après le froid et les glaces, la pluie avait fait son apparition à la mi-février. Une pluie lourde, têtue, inexorable, que la brume semblait nourrir de sa substance. Tout était gris depuis que la neige fondait : les pentes, le village, le ciel, la rivière, et Marie n'avait plus qu'une idée en tête : repartir, fuir, échapper à cette grisaille qui semblait avoir fait corps avec la terre pour toujours.

De trop basses, les eaux devinrent trop fortes, et il fallut patienter jusqu'au début du mois de mars. Le bûcheron blessé avait été ramené chez lui, près de Soursac, dix jours après l'accident. Durant son séjour chez les Donadieu, son frère n'était même pas revenu le voir. Marie, un moment, avait eu envie de suivre Benjamin sur le plateau que l'on apercevait si rarement au-dessus des forêts, puis elle y avait renoncé. A quoi bon ? Elle n'avait rien à apprendre de cette vie âpre, routinière, violente et silencieuse. Elle n'aspirait plus qu'à la lumière du soleil et au voyage.

Benjamin était d'avis d'embarquer, mais Jean était plus réticent : ces eaux fortes rendaient très dangereux les passages délicats. C'était aussi le sentiment des deux vieux gabariers que l'on était allé consulter. On attendit quelques jours de plus, au cours desquels la pluie s'arrêta à plusieurs reprises et la brume sembla vouloir se lever. Enfin le soleil parut, d'abord timidement, puis avec plus de force en milieu de journée. On était le 10 mars. Cela faisait presque trois mois que l'on ne naviguait plus et Marie rêvait aux aubes claires de Souillac, au pétillement de lumière du printemps, quand les éclosions réveillent la rivière du long sommeil de l'hiver. Rien de tel n'arriva, le matin où il embarquèrent. En cette saison, le haut pays demeurait clos sur lui-même jusqu'à la fin de la matinée.

Il avait été convenu que Benjamin ouvrirait la route. Marie le laissa prendre une centaine de mètres d'avance, puis son matelot de tribord poussa sur « l'aste », éloignant la gabare du ponton. Aussitôt Marie fit prendre du travers au bateau et s'apprêta à affronter le premier rapide, guidée par Émilien qui lui servait de prouvier. Elle ne sentit pas dès l'abord une différence de comportement de la gabare sur ces eaux anormalement fortes, mais un écart subit l'alerta dans les vagues de la roche de Ras : au lieu de passer en plein milieu du lit de la Dordogne, la gabare fut déviée vers la droite et frôla inexplicablement la berge rocheuse.

Elle redoubla d'attention, s'évertuant à bien observer la ligne suivie par Benjamin, là-bas, devant elle, à analyser les indications que lui donnait Émilien en se retournant. Elle aperçut à peine le monastère de La Valette dont elle n'aimait pas l'architecture noble mais sévère. Un peu plus loin, le rapide de la Roche Mâle lui donna la même désagréable impression que le premier : la gabare se déporta sur tribord sans qu'elle ait le temps de la contrôler. Passé le confluent de la Luzège, elle se sentit un peu plus rassurée. Du moins jusqu'au roc Charlat dont elle apercevait l'énorme pyramide là-bas, émergeant de la brume. Ensuite, dans la gorge du trou du loup, du fait de la hauteur des eaux, la gabare sauta un peu moins sur les vagues et se comporta à peu près normalement. Marie reprit confiance, laissa son regard errer sur les rives où des écharpes de brume restaient accrochées aux plus hautes branches.

Elle redevint plus vigilante dès le premier rapide de la Despouille, mais elle se rendit compte à ce moment-là que sa gabare se situait davantage sur tribord que celle de Benjamin. Elle voulut redresser sa course en la rapprochant du milieu de la rivière dès le deuxième rapide, mais elle n'y parvint pas. Les battements de son cœur s'accélérèrent brusquement. A l'entrée du troisième rapide qui couvrait plus de deux cents mètres, Émilien sentit que quelque chose n'allait pas. Il se retourna et cria :

— La barre à bâbord !

Marie força sur le gouvernail, gagna un mètre, peut-être deux, puis les flots trop lourds la renvoyèrent de nouveau sur tribord, trop près de la berge. Elle vérifia une nouvelle fois sa position par rapport à Benjamin, constata qu'elle ne suivait toujours pas la même ligne que lui, et son cœur, de nouveau, s'affola. Déjà s'annonçait le quatrième rapide, le moins violent : sa seule chance de gagner du terrain vers bâbord. Elle y réussit en partie seulement et, tandis que son regard croisait celui d'Émilien, elle persévéra dans sa manœuvre jusqu'à l'entrée du dernier rapide. Là-bas, deux cents mètres en aval, l'énorme rocher noir de la Despouille barrait la moitié de la rivière.

Elle sentit tout de suite à l'amorce du dernier rapide que le courant commençait à lui reprendre ce qu'elle avait réussi à gagner sur bâbord. Il y avait trop d'eau. Elle n'avait jamais connu cela. Malgré ses efforts pour peser sur le gouvernail, la gabare, prise par les tourbillons et les remous, dérivait sur tribord. A cent mètres du rocher, elle comprit qu'elle ne passerait pas. Son regard croisa celui d'Émilien, qui, debout à la proue, semblait attendre un geste de sa part.

— Tout à bâbord! cria-t-il encore une fois.

Marie avait tendu ses muscles et luttait contre le courant en pesant de tout son poids sur le gouvernail.

— On ne passera pas! cria-t-elle.

A cinquante mètres du rocher, la gabare n'était jamais allée aussi vite. Marie tenta une dernière manœuvre que lui souffla son instinct : placer son bateau dans la perpendiculaire du courant pour le ralentir. Son coup de barre déséquilibra Émilien qui se rattrapa de justesse. Les deux matelots avaient lâché les rames dont ils avaient essayé de se servir comme frein et s'étaient levés, se tenant au bordage. La manœuvre désespérée de Marie ralentit un peu le bateau, mais pas assez pour diminuer la violence du choc qui allait suivre, c'était maintenant inévitable. Dans l'espoir de protéger au maximum Émilien et les matelots, Marie fit passer la poupe en avant.

— Sautez! cria-t-elle à son équipage quand cinq ou six mètres les séparèrent du rocher.

Dès que les trois hommes eurent disparu dans les eaux glacées, elle replaça la gabare dans la perpendiculaire du courant, essayant encore de la ralentir. Puis, lorsqu'elle fut sur le point d'arriver sur le rocher, refusant d'abandonner son bateau, elle fit repasser la poupe la première pour tenter une dernière fois d'éviter l'écueil en faisant tourner la gabare sur elle-même. Ce fut totalement inutile : le bateau s'ouvrit sous le choc dans un fracas que l'écho porta interminablement jusqu'au bout de la vallée.

Malgré ses bras crispés sur le gouvernail, Marie fut projetée en arrière et sentit aussitôt un froid glacial l'envahir. Elle ne fut pourtant pas assommée par l'impact, sa chute n'ayant guère été supérieure à deux mètres. Elle sombra pas très loin de la berge, du fait que le rocher précédait une anse qui s'ouvrait sur bâbord. Elle savait qu'avec la température de l'eau, elle ne disposait que de quelques secondes pour en sortir, et encore à condition que son corps résiste au choc thermique. Sa dernière pensée fut pour Émilien qui avait disparu sous ses yeux.

Elle avait amorcé d'instinct les gestes qui pouvaient la sauver en commençant à nager sans avoir refait surface. Elle gagna ainsi quelques précieuses secondes qui furent déterminantes pour sa survie. Quand elle parvint à sortir la tête de l'eau, grâce à sa grande habitude de la nage dans les profondeurs, elle se trouvait à trois mètres de la rive. Deux secondes plus tard, elle se hissait sur la berge, le souffle coupé, claquant des dents, et ce fut seulement à ce moment-là qu'elle s'évanouit.

Quand elle revint à elle, il lui sembla qu'il y avait des heures qu'elle avait quitté la lumière du jour. Émilien était penché sur elle. Dès qu'elle l'aperçut, elle trouva la force de sourire. Puis elle vit qu'il saignait et voulut se redresser.

— Non, dit-il, ce n'est rien. Des coupures.

— Et les autres ?

— Tous sauvés.

Comme elle, il claquait des dents.

— Il faudrait vous lever, dit-il. Le pouvez-vous ?

Elle hocha la tête mais ne bougea pas. Elle aperçut les deux matelots au-dessus d'Émilien. Eux aussi avaient le visage et les mains en sang. Elle songea qu'en amont la rive était rocheuse, fut étonnée que personne n'eût été tué. Cela, elle ne se le serait jamais pardonné. Émilien lui prit les mains, essaya avec précaution de la faire lever.

— Ça va ? demanda-t-il. Vous n'avez mal nulle part ?

Non, elle ne sentait rien. En fait, son corps lui paraissait étranger : elle avait trop froid. Émilien la prit dans ses bras, la serra contre lui.

— Essayez de marcher, dit-il.

Elle y parvint sans peine. Elle n'avait apparemment rien de cassé. Elle se retourna vers le rocher, cherchant des signes encore visibles de l'accident, mais il ne restait rien de la gabare ni de son chargement : les flots tumultueux de la rivière les avait dispersés comme de simples brindilles.

Benjamin avait pu s'arrêter cinq cents mètres en aval dans un dormant. Lui-même et ses hommes couraient le long de la rive plantée de hêtres et de chênes. Ce n'était pas facile, car il n'y avait pas de chemin. Quand ils atteignirent le lieu de l'accident, Benjamin se précipita vers Marie, constata :

— Tout le monde est là ; c'est l'essentiel.

— Pas le bateau, dit Marie.

— Je me fous du bateau ! dit-il brutalement, aussi brutalement que sa peur avait été grande.

Puis il enleva son manteau de pluie, son tricot de laine et obligea Marie à les revêtir.

— Vite, dit-il, en l'attirant contre lui, il faut partir. On accostera à Saint-Jean.

Les hommes échangèrent également leur manteau, puis tout le monde se mit en chemin vers la gabare qui était amarrée en aval. Marie se laissa entraîner, murmura :

— C'est de ma faute.

— Mais non ! dit Benjamin. Qu'est-ce que tu racontes ?

Elle n'arrêtait pas de songer à ces quelques secondes durant lesquelles son esprit s'était évadé vers les collines. Quand elle avait reporté son attention sur la Dordogne, elle était déjà mal engagée dans le premier rapide. Tout le temps qu'il lui fallut pour rejoindre la gabare, elle ne cessa de répéter :

— C'est de ma faute... C'est de ma faute.

Benjamin ne répondit pas. Son seul souci était d'arriver le plus vite possible à Saint-Jean, ce qui ne leur prit qu'un petit quart d'heure.

Saint-Jean était un petit port de quatre maisons planté sur la rive droite, sous le village de Soumailles. Un quai bien aménagé permettait aux gabariers d'y faire halte lorsque c'était nécessaire. On y chargeait également du merrain et du charbon de bois. Dès que le bateau eut accosté, Benjamin et ses hommes conduisirent Marie et ses matelots dans la plus proche des maisons qui appartenait à un gabarier dont ils avaient fait connaissance dans les auberges de la basse vallée. L'homme n'était pas là, mais sa femme fit de la place près du feu dont Marie, tremblante, s'approcha. Aussitôt ses vêtements se mirent à fumer. Au bout de quelques minutes, elle cessa de trembler et but avidement le vin chaud que venait de préparer leur hôtesse. Après quoi, celle-ci proposa à Marie de lui prêter des vêtements secs pendant que les siens sécheraient. Elle accepta, remercia, monta se changer, revint près du feu, demeura immobile devant le foyer, les coudes appuyés sur ses genoux.

Émilien et les matelots furent soignés par Benjamin. Aucun n'était blessé gravement, et c'était une sorte de miracle. C'est ce que se disait Marie en se souvenant du moment où ils avaient plongé dans l'eau glacée. Quand tout le monde eut retrouvé des forces, Benjamin prit Marie à l'écart et demanda :

— Comment te sens-tu ? Tu es bien sûre que tu n'as rien de cassé ?

Il redoutait les hémorragies internes dont on s'apercevait trop tard, parfois, après un tel choc.

— Non ! Tout va bien, dit-elle.

— Bon ! Je vais descendre seul et vous allez remonter tous les quatre à Spontour Il n'y a que douze kilomètres par la route du plateau.

Elle n'eut même pas la force de se rebeller, tellement elle était obsédée par l'idée d'avoir commis une faute d'une extrême gravité. Deux larmes de lassitude glissèrent sur ses joues.

— Ce n'est rien ! dit Benjamin. J'ai failli faire pareil.

— Oui, mais tu es passé.

— La prochaine fois, ce sera le contraire.

Elle ne répondit pas, se retourna vers le feu. Benjamin s'attarda encore une demi-heure, ne voulant pas partir sans

143

être sûr que tout allait bien. Il eut encore quelques mots de réconfort, fit promettre à Marie de ne pas se mettre en route avant d'être totalement remise, puis il sortit avec son équipage.

Demeurée seule avec Émilien, Marie ne parvenait pas à se réchauffer, malgré les soins apportés par la femme du gabarier. Celle-ci offrit à ses hôtes une soupe bien chaude. Ils la mangèrent sans un mot, revivant en pensée l'accident du matin, encore étonnés d'en avoir réchappé. Émilien surveillait sa mère des yeux, s'inquiétait de la voir trembler dès qu'elle s'éloignait du feu. Il fallait pourtant repartir, car la matinée s'achevait et il ne leur serait pas facile de parcourir douze kilomètres avant la nuit, surtout sur les mauvais chemins du plateau.

Ce retour fut pour Marie un véritable chemin de croix. Si elle avait fait preuve de sang-froid au moment de l'accident, elle en éprouvait maintenant le contrecoup et ses jambes la portaient à peine. Il ne pleuvait pas, mais le vent avait tourné au nord et il balayait le plateau par le travers. Émilien prit le bras de sa mère et l'aida à marcher. Ils arrivèrent à Spontour juste avant la nuit. Une fois chez elle, elle se coucha, et, malgré la chaleur, se mit à tousser au fond de son lit. Elle ne parvenait pas à se réchauffer, recommençait à claquer des dents tandis qu'elle essayait de raconter à Jean et à Élina ce qui s'était passé. Ce fut seulement au milieu de la nuit, grâce aux bouillottes et aux briques qu'Élina faisait chauffer en se levant toutes les heures, que Marie trouva enfin le sommeil. Jusqu'au lever du jour, pourtant, elle vit s'avancer vers elle un énorme rocher vers sur lequel, interminablement, venaient se fracasser son bateau et ses hommes.

Persuadée que si elle ne remontait pas sur sa gabare le plus vite possible, elle n'y remonterait jamais, elle embarqua vingt jours plus tard, lors du voyage suivant. Si elle avait senti ses forces revenir, elle toussait toujours d'une toux sèche, âpre, qui la faisait se plier sur elle-même et grimacer de douleur. Mais elle était repartie et c'était l'essentiel. Trouver la force de repasser le malpas de la Despouille, affronter les rapides, les digues, les remous, c'était ce qui la guérirait. Du moins l'espérait-elle. Benjamin et Jean avaient un moment essayé de la retenir, mais ils avaient fini par admettre qu'elle avait raison.

C'est ainsi qu'elle avait mené à bien une nouvelle descente sans le moindre incident, malgré la pluie lourde qui était tombée pendant les quatre jours du voyage. A Libourne, soulagée d'avoir vaincu sa peur, elle retrouva un peu de ce sourire qu'elle avait perdu depuis le début de l'hiver. Quand ils furent seuls, le soir, dans leur chambre, Benjamin, qui avait senti combien Marie avait besoin de réconfort, lui dit :

— J'ai une bonne nouvelle pour toi.

Et, comme elle le dévisageait, intriguée :

— Je me suis renseigné et je sais où Aubin habite à Périgueux. C'est dans le quartier du Toulon. Après-demain, on lui fera la surprise.

Ce fut comme si la foudre s'abattait sur elle.

— Quoi ? fit-il, tu n'es pas contente ?

— Si, dit-elle, sans pouvoir dissimuler le trouble dans lequel elle se trouvait.

— On ne le dirait pas.

Elle hésita un peu, songea qu'elle ne retrouverait jamais une telle occasion pour lui parler, demanda :

— Tu sais donc où il travaille ?

— Non. Je sais seulement où il habite.

— Dans le quartier du Toulon ?

— Oui. Mais qu'est-ce que ça signifie ? Si tu sais où il travaille, pourquoi ne le dis-tu pas ?

Elle faillit répondre qu'elle l'ignorait aussi, mais elle s'imagina de nouveau seule avec son secret si lourd à porter et dit brusquement, comme pour s'en délivrer :

— Il travaille aux ateliers du chemin de fer.

Benjamin la dévisagea un long moment en silence, plissant

les paupières, comme s'il devait faire un effort pour comprendre vraiment les mots qu'elle avait prononcés. Ses traits
s'étaient fermés lorsqu'il demanda :

— Qu'est-ce que tu me dis là ?

— C'est la vérité, fit Marie, sentant à quel point il allait
souffrir et regrettant déjà d'avoir parlé.

— Mon fils ? Au chemin de fer ? fit Benjamin, incrédule.

— Oui, fit-elle. Il me l'a dit à Noël avant de repartir.

— Non, ce n'est pas possible, dit Benjamin, un air si dur,
soudain, sur le visage, qu'elle en eut peur.

— Mon fils, reprit-il, au chemin de fer !

Et, comme si elle en portait l'once d'une responsabilité :

— Il est devenu fou ou il me veut du mal ?

— Ni l'un ni l'autre, murmura-t-elle en soupirant.

— Comment ça ? Tu es contente de lui ?

— Non, dit-elle très vite, non.

— Mais tu es de son côté ?

— Non. Mais s'il avait eu le choix, je suis sûre qu'il n'y
serait pas entré.

— On a toujours le choix !

— Non, pas toujours, tu le sais bien.

— Alors tu l'approuves ?

— Mais non. Je t'ai déjà dit non. Tu le verras demain, je
suis sûre que tu comprendras...

— Rien du tout ! la coupa-t-il. Ni demain ni jamais.

Et Benjamin ajouta, d'une voix terrible qui la fit tressaillir :

— Il est mort.

— Mais qu'est-ce que tu dis là ? gémit-elle.

— Pour moi, il est mort, il n'existe plus.

— Mais c'est ton fils !

— Je n'ai plus de fils, et je t'interdis bien d'aller le voir ou
de le laisser entrer chez nous.

Elle ne le reconnaissait plus, tellement la colère et la douleur
le défiguraient.

— Jamais je n'aurais cru ça de lui ! cria-t-il. Mon propre

fils! Au chemin de fer! Après tout ce qu'ils nous ont fait. Mais qu'est-ce qui lui a pris?

Elle ne répondit pas, sachant qu'elle ne ferait qu'aviver le feu de sa fureur.

— Jamais je n'aurais cru que mon propre enfant me trahirait de la sorte!

Et il continua sur le même ton à crier son dépit, sa douleur, tandis qu'elle n'osait même plus le regarder et qu'elle attendait qu'il se calme en pensant au long combat qu'elle allait devoir mener. Quand il s'arrêta enfin, et qu'elle tourna la tête vers lui, elle crut voir deux larmes au coin de ses yeux, en fut encore plus bouleversée.

— Dis quelque chose! fit-il, s'approchant d'elle, avec une menace dans le regard.

Elle secoua la tête, ne répondit pas. Il fit brusquement demi-tour, traversa la pièce à grands pas, sortit en claquant la porte derrière lui. Elle écouta s'éteindre les pas dans l'escalier, se coucha, se recroquevilla pour arrêter de trembler. Depuis l'accident, en effet, elle se mettait à trembler sans raison, et elle tremblait autant qu'elle toussait. Elle se demanda si cet hiver maudit s'achèverait un jour et pria pour que le soleil du printemps lui redonne la force de se battre.

8

Il était là, le printemps, tout bruissant de la fonte des neiges et pétillant d'une lumière qui prenait la couleur de l'eau — non pas celle, dorée, de l'été, mais celle, argentée, des saisons de rosée blanche. Debout au gouvernail de son bateau, Benjamin se sentait revivre. L'hiver qui s'achevait, en effet, lui avait paru interminable, comme à Marie. Car il n'avait jamais connu le haut-pays qu'en été et les longs mois d'hiver avaient altéré son enthousiasme des premiers jours.

Il sentait aujourd'hui, dans cet après-midi finissant qui le rapprochait de Libourne, combien ce monde-là était différent de celui qu'il avait quitté trois jours plus tôt. Et il sentait aussi combien lui manquait cette lumière, cet espace infini ouvert devant lui jusqu'à la mer, la tiédeur de ce vent qui ne mordait pas la peau mais la caressait comme une main agile. Une somme de souvenirs délicieux affluaient en lui, le renvoyant vers ce passé pas si lointain où il était roi sur le fleuve. Et voilà que désormais, quittant les bricks, les goélettes, les trois-mâts de Libourne, il repartait chez lui à pied comme un colporteur ignorant des embruns du grand large.

La mer! Ah! La mer! Comme elle lui manquait aujourd'hui! Chaque fois qu'il repartait sur la route, songeant au bec d'Ambès, à la Garonne, aux quais de Bordeaux encombrés de bateaux, il lui semblait qu'il trahissait ce qu'il avait de meilleur en lui, de plus fort, de plus beau. Il pensait qu'il

148

abdiquait, qu'il rendait les armes, et cela suffisait à le rendre violent, agressif de nouveau, comme à l'époque où le chemin de fer menaçait ses bateaux.

Son regard se posa sur le dolmen de Pierrefitte dressé au bord de la Dordogne. Il savait qu'il allait devoir se montrer vigilant dès qu'il aurait passé le village de Moulon, sur la rive gauche, car il approcherait alors du port de Génissac qui était toujours envahi par les gabares et les couraux. Machinalement, il se retourna pour voir où se trouvait le bateau de Marie. Depuis l'accident, il y avait deux mois de cela, il ne cessait de se retourner, ne pouvant oublier le fracas de la gabare sur le rocher de la Despouille. Il l'avait crue morte. Il les avait tous crus morts, même Émilien, tandis qu'il courait dans les bois, le long de la rive, incapable de regarder l'eau, sur sa droite, où passaient les restes du bateau disloqué.

Depuis, il s'inquiétait pour Marie qui n'était plus la même Elle toussait toujours, n'en finissait pas de guérir de cette blessure qu'avait ouverte en elle l'accident. Il aurait voulu l'aider, la soutenir, mais Aubin se dressait toujours entre eux, et il lui était impossible de céder.

Il savait que cet affrontement muet qui les dressait l'un contre l'autre la minait insidieusement, mais pardonner à Aubin était au-dessus de ses forces. N'avait-il pas vécu à leurs côtés la ruine de leur commerce ? N'avait-il pas compris que ce qu'ils avaient subi était comme une petite mort ? Alors ? Qui était vraiment ce fils que lui-même était allé chercher en prison et qui, parfois, lui avait semblé si proche ? Depuis que Marie lui avait appris ce que faisait Aubin, là-bas, à Périgueux, sa colère ne cessait d'augmenter au lieu de s'atténuer avec le temps.

Il s'aperçut qu'il avait passé Génissac sans s'en rendre compte quand sa gabare entra dans le grand cingle qui menait aux collines de Saint-Émilion. Il soupira, leva la tête vers le ciel que le mois d'avril avait enfin débarrassé de ses nuages. Cela signifiait aussi que les eaux ne resteraient pas marchandes longtemps, et Benjamin le savait. Aussi éprouvait-il le besoin de profiter des couleurs et des senteurs de cette vallée qui vivaient en lui depuis toujours. Après le cingle de Génissac, ce fut celui de Condat, puis apparurent les toits de Libourne dans la buée bleue que le soir diluait au-dessus des collines.

Il n'était pas facile de se frayer un passage devant les bateaux qui manœuvraient devant les chais et ceux qui, vers l'aval, déchargeaient le bois et les autres denrées. Pour ce faire, Benjamin attendait toujours que Marie se rapprochât et le suivît, de manière à accoster l'un derrière l'autre. Ensuite, il allait voir le marchand avec qui il avait l'habitude de traiter, et dont il s'était senti proche dès leur première rencontre. Ludovic Clarétie, en effet, était originaire d'Auvergne, du Mont-Dore exactement, autrement dit des sources de la Dordogne. A dix-huit ans, il était descendu dans le bas-pays pour les vendanges et il n'était jamais remonté. Il s'était lié d'amitié avec Benjamin et lui payait le merrain un bon prix, sans discuter, si ce n'était de la Dordogne et de la haute vallée qu'il n'avait pas oubliées.

Ce soir-là, justement, le marchand avait envie de parler.

— Tu n'as pas idée, dit-il à Benjamin, du nombre de ceux qui sont venus de là-haut et qui vivent ici, à Libourne ! Du Périgord, du Quercy, de l'Auvergne, ils sont des centaines à être descendus et tu peux retrouver leur nom dans les villages où ils ont encore de la famille, là-haut.

Il ajouta, tandis que Benjamin cherchait à récapituler ses connaissances libournaises :

— Tu connais le proverbe de la vallée : « Les hommes ont beau faire, le cœur va toujours où vont les rivières. »

Benjamin, aussitôt, pensa à son père qui, le premier, avait prononcé ces mots le jour où ils étaient montés jusqu'aux sources de la Dordogne. Et les mêmes sensations que ce jour-là le touchèrent si fort qu'il crut deviner la présence de Victorien près de lui. Il n'entendait pas le marchand qui continuait de parler avec passion de la rivière, du long chemin qui l'avait amené, jeune homme famélique, à devenir l'un des hommes les

150

plus riches de la basse vallée. Il était de petite taille, carré, trapu, avec de bons yeux rieurs qui mettaient en confiance dès l'abord.

— Toi aussi, un jour, tu y viendras, disait-il.

Benjamin sortit de ses rêves, tressaillit.

— Non, dit-il ; il est trop tard maintenant. Ma vie est là-haut.

— Il n'est jamais trop tard, Donadieu ! fit le marchand. Rappelle-toi bien ce que je te dis aujourd'hui.

Benjamin ne répondit pas, se fit payer, remercia et sortit de l'entrepôt de Ludovic Clarétie en ayant l'impression de respirer un air neuf. Le soir qui tombait sur Libourne sentait déjà l'été alors qu'avril n'était pas encore terminé. Il lui sembla que les quais, le fleuve et la ville n'avaient jamais été aussi beaux.

Le lendemain, quand il fallut repartir à pied vers les montagnes, ce fut encore plus difficile que les fois précédentes. Le temps était clair, et les vignes, de chaque côté de la route, luisaient sous les premiers rayons de soleil. Benjamin n'avait jamais éprouvé une telle sensation de se tromper de chemin. Les mots du marchand le hantaient : « Il n'est jamais trop tard, Donadieu ! » Aussi marchait-il lentement, comme à regret, à côté de Marie, qui semblait épuisée. Il ne l'avait jamais vue si pâle, si défaite, et sa toux l'inquiétait de plus en plus.

Mais le plus grave pour lui, le plus douloureux, c'était cette impression de déchéance qui s'abattait sur lui dès qu'il s'éloignait de la Dordogne et des bateaux. Il avait pris en horreur cette route interminable qui figurait un monde qui n'était pas le sien. Il la connaissait trop, désormais, pour en espérer des surprises. Une seule pensée le poussait en avant : plus vite il arriverait à Spontour, plus vite il pourrait embarquer vers le bas-pays. Certes ! Mais il effectuait là l'un de ses derniers voyages, car le niveau des eaux baissait très vite malgré la fonte des neiges. Ensuite, c'étaient de longs mois sans voyages qui l'attendaient. Heureusement, les beaux jours lui permettraient de ne pas rester enfermé et de s'occuper dans la forêt.

Il s'efforça d'oublier les pensées qui, sans cesse, le ramenaient vers la Dordogne, se tourna vers Marie qui semblait préoccupée.

— Ça va ? demanda-t-il.

Elle hocha la tête, esquissa un sourire, mais demeura hésitante comme elle l'était depuis leur dispute au sujet d'Aubin. Il aurait voulu l'aider, mais il ne le pouvait pas. Un mur s'était dressé entre eux, dont la hauteur augmentait chaque jour.

Il en mesura les conséquences lorsqu'ils arrivèrent à Neuvic, un village situé entre Mussidan et Périgueux. Ils avaient l'habitude de quitter là la grand-route pour prendre à droite un chemin qui, à travers les bois, par Manzac et Chalagnac, les amenait sur la route de Brive, à hauteur de Sainte-Marie-de-Chignac, et leur permettait d'éviter Périgueux où ils perdaient toujours du temps.

Marie, près de lui, s'arrêta tout à coup et dit :

— Je continue tout droit.

Il se retourna vivement, demanda :

— Où veux-tu aller ?

— Voir Aubin.

Elle était en sueur, tremblait de fatigue, et de peur, peut-être, en le défiant si ouvertement.

— Alors, toi aussi ! dit-il.

— Non, pas moi ! fit-elle ; je veux voir mon fils, c'est tout.

— Tu as bien de la chance d'avoir un fils, dit-il, moi je n'en ai plus.

— Et moi ? fit une voix derrière lui.

C'était Émilien qui s'était approché et qui, Benjamin le comprit tout de suite, prenait le parti de sa mère. Benjamin demeura silencieux un long moment, ferma les yeux, soupira, puis les rouvrit, la dévisageant avec hostilité. Il sentit qu'il allait prononcer des paroles irréparables, mais son regard se heurta à celui de Marie, et la lueur de détresse infinie qu'il y décela l'arrêta. Il fit brusquement demi-tour et s'engagea sur le chemin des bois, seul, les traits durs, étranger à tout ce qui n'était pas sa colère, persuadé d'être trahi par ceux qu'il aimait le plus au monde.

Émilien et Marie arrivèrent à Périgueux bien avant midi. Ils se renseignèrent aux abords de la gare où un employé de la compagnie leur indiqua le quartier du Toulon, qui était proche. C'était, voisin des ateliers, un ensemble de maisons basses aux façades grises, parmi lesquelles de nombreux garnements jouaient dans les rues défoncées par les charrois. Des femmes vêtues de robes noires et de fichus attendaient près d'un puits, un seau à la main. Marie demanda à l'une d'elles si elle savait où habitait Aubin Donadieu.

— Là-bas, dit la jeune femme en montrant le bout de la rue ; vous tournez à droite et c'est la dernière maison sur la gauche.

Marie remercia, s'éloigna en compagnie d'Émilien. Tout en marchant, elle s'étonnait de voir que ces maisons ne ressemblaient à aucune autre, mais n'en disait rien à Émilien, muet lui aussi. Une fois devant celle où était censé habiter Aubin, elle frappa à la porte. A sa grande surprise, une femme ouvrit. Elle était grande, mince, brune, vêtue de noir comme celles qui attendaient devant le puits, et chaussée de sabots.

— Nous cherchons Aubin Donadieu, dit Marie.

— C'est ici, répondit la femme, qui devait avoir la trentaine et s'essuyait les mains à son tablier.

Elle ajouta, ne sachant pas à qui elle avait affaire :

— Il ne rentre pas à midi. Seulement ce soir.

— Ah ! fit Marie.

Puis, après avoir décelé une ombre d'inquiétude dans le regard noir :

— Je suis sa mère ; et voici son frère, Émilien.

Un sourire éclaira tout de suite le visage de la femme qui parut aussitôt plus jeune à Marie :

— Entrez, je vous en prie, dit-elle.

Et elle s'effaça pour leur laisser le passage. A l'intérieur, deux chaises de paille se faisaient face, de chaque côté d'une petite table en bois brut. A gauche de l'entrée, il y avait une cuisinière et, à l'opposé, un lit en fer où Marie découvrit un enfant en bas âge.

— Il est malade, dit la femme qui avait surpris le regard de Marie. Mais ce n'est pas grave.

Puis, désignant les deux chaises :

— Asseyez-vous donc !

Marie hésita, car elle se demandait si Aubin vivait bien dans cette pièce sombre avec cette femme inconnue. Celle-ci s'assit sur le lit et dit, devinant les questions que se posait Marie :

— Je suis veuve et j'ai deux enfants. Mon mari est mort au chantier il y a deux ans, écrasé par un wagon.

Elle ajouta, comprenant qu'elle n'expliquait pas tout à fait la présence d'Aubin dans sa maison :

— Nous devons nous marier bientôt. C'est lui qui le veut.

A cet instant, un enfant de cinq ou six ans poussa la porte, entra, s'arrêta net en apercevant Marie et Émilien.

— Dis bonjour, Étienne ! ordonna sa mère.

— Bonjour ! dit l'enfant après une hésitation.

Puis il fit volte-face et disparut.

— C'est mon aîné, dit la femme.

Et, désignant l'enfant qui était couché et semblait dormir :

— Lui, c'est Pierre.

Elle ajouta, d'une voix qui parut très douce à Marie :

— Moi, je m'appelle Mathilde.

Puis :

— Mais peut-être voulez-vous un peu de vin chaud ?

— Ne vous dérangez pas, dit Marie, dites-nous seulement quand nous pourrons voir Aubin.

Mathilde expliqua qu'il emportait une gamelle pour manger sur le chantier à midi, et qu'il rentrait le soir vers huit heures.

— Vous pouvez l'attendre, dit-elle, et manger avec moi.

— Non, merci, dit Marie qui avait compris que dans cette maison le pain était rare. C'est très aimable à vous, mais on nous attend à Périgueux. Nous reviendrons ce soir.

Elle avait hâte, tout à coup, de sortir, pour réfléchir à ce qu'elle venait de découvrir. En même temps, cependant, elle ne voulait pas heurter cette femme si grave, si belle, qui partageait la vie de son fils.

— Nous reviendrons en fin d'après-midi, dit-elle en souriant. Nous pourrons parler un peu en l'attendant.

— Si vous voulez, dit Mathilde.

Ils sortirent, et au moment où ils allaient s'éloigner, elle ajouta :

— Il sera content, vous savez.

Marie et Émilien s'éloignèrent vers le centre ville, mangèrent à l'auberge qu'ils avaient fréquentée une fois, sur la route d'Angoulême, et retinrent deux chambres pour la nuit. Tous les deux avaient compris qu'il n'était pas question de dormir chez Aubin, même si le logement, à en croire une porte qui était restée close, devait comporter une chambre. L'après-midi, Marie se promena un peu, acheta du pain, un morceau de bœuf et des oublies pour les enfants. Puis, tandis qu'Émilien allait attendre son frère devant les grilles des ateliers du chemin de fer, elle se rendit dans la maison de Mathilde et d'Aubin, impatiente de le voir, enfin, et espérant secrètement que ce mariage à venir allait tempérer son ardeur dans le combat qu'il menait pour la République.

Elle devina tout de suite que Mathilde avait nettoyé le logement de son mieux. L'enfant n'était plus couché sur le lit qui se trouvait dans la cuisine, mais sans doute dans la pièce d'à côté dont la porte était entrouverte.

— Il ne fallait pas, dit Mathilde, quand Marie déposa les victuailles sur la table.

— Ce n'est rien, répondit-elle, ça me fait tellement plaisir.

155

Puis elle aida Mathilde à préparer le dîner tout en l'invitant à lui raconter comment ils vivaient. Elle ne se plaignait de rien, Mathilde, au contraire. Si la vie avait été difficile pour elle, après la mort de son mari, grâce à Aubin elle avait aujourd'hui un toit et pouvait élever ses deux enfants. Certes, le logement était petit, mais tout le monde vivait de la même manière au Toulon et l'essentiel était de pouvoir manger à sa faim. Si l'on n'avait pas l'eau à demeure, on pouvait se chauffer avec du charbon de bois. Marie n'osa pas lui dire combien la vie lui paraissait difficile ici. Elle l'interrogea plutôt sur les activités politiques d'Aubin et comprit que c'était également un souci pour Mathilde lorsqu'elle répondit :

— Que voulez-vous ? C'est sa passion. C'est lui qui est en charge de toutes les responsabilités au chantier.

— Est-ce qu'il sait au moins ce qu'il risque ? demanda Marie.

Son regard rencontra celui, grave et profond, de Mathilde.

— Nous le savons tous les deux. Nous l'acceptons.

— Mais peut-être pouvez-vous le retenir un peu.

— J'essaye, dit Mathilde, mais ce n'est pas facile.

Puis elle parla de sa famille originaire de la forêt Barade où son père était bordier ; de son départ, à treize ans, pour Périgueux où elle avait été servante, de son mari qu'elle avait connu dans l'auberge où elle travaillait, de ses enfants, enfin, dont le dernier était fragile et lui donnait bien des soucis.

A huit heures et quart, des voix d'hommes se firent entendre dans la rue.

— Ils arrivent, dit Mathilde.

Quelques secondes plus tard, la porte s'ouvrit sur Émilien et Aubin qui embrassa Marie en répétant :

— Ça me fait plaisir, mère, ça me fait plaisir.

— Moi aussi, dit-elle.

Mathilde était allée emprunter une chaise aux voisins qui vivaient de l'autre côté du couloir. Elle-même dînerait debout ou s'assoirait sur le lit. Elle avait fait manger les enfants et les avait couchés dans la chambre. Marie s'assit face à Aubin, qui lui sembla plus amaigri encore que lors de son voyage à Spontour. Mathilde servit une épaisse soupe de pain où trempaient des morceaux de lard. Marie en mangea une cuillerée, demanda, s'adressant à Aubin :

— Alors ? C'est tout ce que tu me dis ?

— Je suppose que vous avez parlé, en nous attendant.

— Oui, bien sûr. Mais dis-moi donc si ton travail te plaît ?

Aubin sourit avec une sorte d'amertume.

— Ne doit-on pas déjà être content de travailler ?

— Si, tu as raison, mais je me demandais seulement si la Dordogne ne te manquait pas trop.

— Elle m'a manqué. Aujourd'hui c'est fini. Et vous, comment ça va ?

Marie n'insista pas, expliqua ce qui s'était passé depuis la visite d'Aubin dans le haut-pays, parla du naufrage mais feignit de n'accorder aucune importance à cette toux qui ne cessait de la harceler. Aubin expliqua son travail à la construction des wagons, parla de la solidarité qui régnait parmi les ouvriers, du mouvement républicain qui prenait de plus en plus d'ampleur à Périgueux. Émilien, lui, avoua qu'il s'était bien habitué, là-haut, à Spontour, mais qu'il n'y passerait pas sa vie. D'ailleurs il devait tirer au sort dans deux ans. Puis ils en arrivèrent à parler de Benjamin et Aubin remarqua :

— Toujours le même ! J'aurais dû me douter qu'il ne voudrait plus me voir.

— Laisse-lui donc le temps, plaida Marie.

— Il faut pourtant qu'il se dépêche s'il veut venir à mon mariage le mois prochain, plaisanta Aubin.

Puis, redevenant sérieux tout à coup :

— Oui, c'est pour le 15 mai. On ne peut plus attendre. Mathilde a terminé son deuil, et les gens commencent à parler.

— Vous avez raison, dit Marie : si c'est ce que vous voulez vraiment, il ne faut pas attendre.

— Alors ? Vous viendrez ? demanda Mathilde qui semblait avoir redouté un refus.

— Bien sûr, dit Marie, si les eaux ne sont pas marchandes, nous descendrons à pied.

— Quant à lui, ironisa Aubin en pensant à son père, il n'y faudra pas compter, bien entendu.

— Je lui parlerai, dit Marie. Ne sois donc pas si dur avec lui. Il faut lui laisser le temps de s'habituer.

— Tu t'y es bien habituée, toi! répliqua Aubin avec une pointe d'irritation dans la voix. Et d'ailleurs est-ce criminel de travailler pour le chemin de fer?

— Non, dit Marie, mais le temps arrange tout. Sois patient.

Un long silence s'installa dans la cuisine, seulement troublé par le murmure du plat qui réchauffait sur la cuisinière.

— Tu ferais mieux de penser un peu à toi, reprit Aubin en s'adressant à Marie. Et te reposer au lieu de continuer à aller sur l'eau. Un jour ou l'autre...

Marie sourit, feignit d'ignorer la menace :

— C'est bientôt la dernière descente, répondit-elle. Les beaux jours arrivent. J'aurai tout le temps de me reposer.

Et elle ajouta, s'adressant à Mathilde :

— Parlons plutôt de ce mariage. Est-ce que nous serons nombreux?

— Une vingtaine, répondit Mathilde.

Et elle expliqua qu'ils avaient prévu un repas dans cette même pièce car on devait leur prêter des tables et des chaises. Ensuite, on danserait dans la rue grâce à l'accordéon d'un ami d'Aubin.

— J'espère que cela te fera oublier un peu la République, dit Marie en souriant.

— Certainement pas! répondit Aubin sèchement.

Marie fit semblant de ne pas y accorder d'attention. Ils parlèrent de nouveau de la Dordogne, des voyages, et Marie se demanda avec amertume quel était cet homme qui était si différent du fils qu'elle avait connu. Elle fit mine d'être gaie pour ne pas assombrir ces moments qu'elle avait tant attendus, mais personne ne fut dupe.

Quand ils repartirent, Aubin les raccompagna jusqu'à

l'auberge. La nuit était fraîche et constellée d'étoiles à l'éclat de fer-blanc. Marie marchait entre ses deux fils, les tenant par le bras. « Ils sont là, tous les deux », songea-t-elle, et, en même temps, elle ne sut pourquoi, elle eut l'impression qu'elle allait les perdre définitivement.

Il y eut encore deux descentes, ce printemps-là, mais la dernière, au début de mai, débuta très mal. Sous un soleil déjà chaud à dix heures, Benjamin menait le convoi à l'approche du Buisson quand un train s'engagea sur le pont. La gabare arrivait au beau milieu de l'eau dans un silence de crypte quand un vacarme prodigieux ébranla la vallée, faisant s'envoler les oiseaux sur les rives. C'était la première fois que Benjamin se trouvait face à l'ennemi qui continuait à hanter ses nuits. Certes, il avait plusieurs fois aperçu au loin la fumée d'une locomotive qui s'éloignait, mais jamais, comme aujourd'hui, il ne s'était senti défié de la sorte. Debout à l'arrière du bateau, il sentit pour la première fois ses bras trembler sur la barre du gouvernail et il eut envie de crier, tandis que le vacarme augmentait au lieu de décroître, porté par un écho qui le multipliait à l'infini. Ainsi, bien après que le train eut disparu à l'horizon, tandis que la gabare arrivait à proximité du pont, la rivière et la vallée résonnèrent-elles de ce grondement dont elles demeurèrent vibrantes, et blessées, eût-on dit, tellement l'eau, l'air, le ciel même, paraissaient maintenant différents.

L'attention de Benjamin avait tellement été perturbée par le train qu'il présenta très mal son bateau au passage du pont. S'il rectifia au plus vite, il ne put empêcher la gabare de toucher violemment sur tribord et parvint difficilement à la replacer dans le fil du courant. Il jura contre lui-même et barra nerveusement tout au long de la matinée.

Plus loin, il « toucha » également dans les maigres, car l'eau, en amont de Limeuil, était à peine marchande. A Bergerac, le lendemain, le vieille servante de Mme Bourdelle vint lui annoncer que sa maîtresse avait été enterrée deux jours auparavant. Benjamin se rendit avec Marie sur sa tombe, s'y recueillit un long moment, puis il repartit avec le sentiment de n'avoir pas respecté son engagement vis-à-vis de la mère de Pierre.

Dès qu'ils furent de retour sur la rivière, la pluie revint et ne cessa pas jusqu'à Libourne. C'était une pluie tiède mais pénétrante, qui les accompagna également tout au long de la remonte, sur la route interminable du haut-pays. Ils arrivèrent épuisés à Spontour et Marie dut se coucher : ses jambes ne parvenaient plus à la porter.

— Il faudrait voir le médecin ! dit Benjamin, en la rejoignant dans leur chambre, un peu avant le repas du soir.

— Je le verrai, répondit-elle, je te le promets, mais après le mariage.

D'abord il crut n'avoir pas bien compris, et il pensa qu'elle était fiévreuse. Mais elle répéta, de cette voix lasse, si lasse qu'il en eut peur, soudain :

— Le mariage d'Aubin. C'est dans quelques jours. Je lui ai promis d'y aller.

Comme chaque fois qu'ils parlaient d'Aubin, Benjamin devint hostile. Elle le retint en lui prenant la main tandis qu'il essayait de se lever, lui dit :

— Je lui ai promis que tu irais aussi.

— Tu n'aurais pas dû, fit-il froidement.

Elle comprit qu'elle allait se battre inutilement, reprit néanmoins en rassemblant ses forces :

— Tu ne veux pas savoir avec qui il se marie ?

— Non !

Et son regard était si dur, si froid, si violent aussi qu'elle en fut comme désespérée.

— Tu n'as jamais aimé cet enfant, dit-elle.

Il eut un brusque retrait du buste, comme si elle le frappait. Il voulut dégager sa main, mais elle la serra si fort qu'il y renonça. Quand elle ouvrit enfin les doigts, il s'aperçut qu'elle pleurait Il soupira, se leva, puis s'assit de nouveau au bord du lit tandis qu'une quinte de toux ébranlait Marie.

— Je ne peux pas, dit-il quand elle se calma.

Et il répéta, lui serrant les poignets à son tour, au point de lui faire mal :

— Je ne peux pas, tu comprends ? Je ne peux pas.

— C'est donc si difficile de pardonner à son enfant ? murmura-t-elle.

— Je lui aurais tout donné, dit-il.

Et il pensa à son propre père, Victorien, quand il était venu le voir à l'hôpital de Bordeaux, à ces mots terribles qu'il avait prononcés.

— Je lui aurais donné mes jambes et mes bras, reprit-il. Mais ce qu'il a fait, mon propre fils, c'est comme s'il m'avait planté un couteau, là !

Et il montra sa poitrine en la cognant fortement de sa main libre. Marie demeura silencieuse un instant, puis :

— Il a aussi repris le combat que nous avons abandonné, dit-elle.

— Il ne payera jamais aussi cher que moi.

— C'est ce que tu voudrais ? Qu'il paye ce que tu as payé ? C'est donc ce que tu souhaites pour ton fils ?

— Non. Je lui souhaite de réussir.

Ils se turent. Le regard de Benjamin croisa de nouveau celui de Marie.

— Essaie de comprendre, reprit-elle au bout d'un moment, avec une voix qui ne portait plus aucune hostilité. Il ne pense pas au passé. Il ne pense qu'à l'avenir.

— L'avenir, pour moi comme pour toi, ce sont nos bateaux.

Elle soupira, demanda encore faiblement :

— Alors tu ne viendras pas ?

— Non !

Il se leva et sortit de la chambre, tandis qu'elle fermait les yeux.

161

Il avait été gai, malgré tout, ce mariage auquel elle s'était rendue avec Émilien et Élina. On avait dansé dans la rue une bonne partie de la nuit et tout le quartier du Toulon avait participé à la fête. A Périgueux, Marie s'était efforcée de ne pas penser à Benjamin, mais une fois de retour dans le haut-pays, ça avait été comme si une chape glacée lui était tombée sur les épaules. On n'était guère habitué à appeler le médecin, chez les Donadieu, mais Marie avait dû s'y résoudre car les tisanes et les remèdes d'Élina ne faisaient plus aucun effet sur elle, et la toux sèche, âpre, lui rendait la vie impossible.

M. Cheix, le vieux médecin, vint un matin, l'ausculta un long moment, la fit parler, assista à une quinte de toux encore plus forte que les autres, puis il réfléchit un moment et dit :

— Je crains bien que ce ne soit la phtisie.

Marie, sous le choc, se sentit défaillir, mais elle se reprit immédiatement, car elle y avait déjà songé seule.

— On ne peut pas faire grand-chose, poursuivit le vieux médecin dont les yeux, très clairs, pleuraient un peu, comme dans le froid d'un matin d'hiver. Heureusement nous arrivons aux beaux jours et vous allez pouvoir vous mettre au soleil. Mais l'hiver prochain vous ne pourrez pas rester ici, avec cette humidité, ces brumes qui ne se lèvent pas...

— L'hiver prochain..., soupira Marie.

— Allons ! Petite ! dit-il, allons ! Vous savez bien que c'est vous-même qui vous sauverez ! Moi je ne peux pas grand-chose, à part vous donner une potion pour la toux.

Et il ajouta, avec un sourire :

— Le bon Dieu, lui, vous donne le soleil. Profitez-en bien. Lui peut vous guérir... si vous le voulez.

— Bien sûr que je le veux, dit-elle en se redressant.

— Soyez forte ! dit le médecin en sortant de la chambre, et tout pourra s'arranger.

Marie l'entendit parler à Élina dans la cuisine, et celle-ci ne tarda pas à apparaître. Elle s'assit sur le bord du lit, prit les mains de Marie

— A nous deux, dit-elle, nous en viendrons à bout.

Marie hocha la tête, étouffa un sanglot.

— Oh! Élina! fit-elle.

— Oui, ma fille. Je suis là. Et tant que je serai là, il ne t'arrivera rien.

— Tu crois? dit Marie.

— Je te le promets. Et en attendant que le soleil sorte, tu vas essayer de dormir un peu.

— Dormir! fit Marie, dormir... Je voudrais tellement dormir!

— Eh bien, tu vas le faire. Allez! Allonge-toi et ferme les yeux.

Marie obéit, puis elle entendit se refermer la porte de la chambre. Dès qu'elle se retrouva seule dans l'obscurité, l'image d'Émeline naquit devant ses yeux clos. « Comme elle, songea-t-elle, je vais mourir comme elle. Mais n'était-ce pas écrit quelque part, puisque nous avons aimé Benjamin toutes les deux? » Puis, une sorte de révolte la poussa à refuser ce qui lui semblait inéluctable. « Jamais! se dit-elle. Si je dois vraiment mourir, ce ne sera pas dans un lit. Dès que j'aurai repris des forces, je me lèverai et je me battrai. Parce que je ne suis pas seule et que mes fils ont encore besoin de moi. »

Un peu réconfortée par cette décision qui lui sembla repousser loin d'elle le fantôme hideux de la maladie, elle ne dormit pas, mais sommeilla. Elle rêva au mariage d'Aubin, à la Garonne, aux grands voiliers de Bordeaux, s'apaisa. De temps en temps, quand la silhouette du vieux médecin passait devant ses yeux, elle se souvenait brusquement de ses paroles, et son estomac lui semblait se soulever, comme lors de ces chutes vertigineuses qui hantent parfois les cauchemars. Et puis elle reprenait le fil de ses résolutions et retrouvait un peu de calme.

Elle voulut se lever en fin de matinée pour faire sa toilette, avant que Benjamin ne rentre. Mais elle eut froid, toussa, et se dépêcha de se recoucher. Benjamin arriva avec Émilien un peu après midi, vint tout de suite dans la chambre, approcha une chaise du lit, s'assit, demanda :

— Alors ? il est venu ?

— Oui, dit Marie.

— Et qu'est-ce qu'il a dit ?

— Phtisie.

Elle avait planté son regard dans le sien, ne baissait pas les yeux, souriait malgré tout.

— Ah ! fit-il.

Et elle comprit combien pour lui aussi le choc était terrible.

— Ce n'est peut-être pas sûr, murmura-t-il.

— Si ! fit Marie.

Il hocha la tête, sourit à son tour.

— Bon, dit-il. Qu'est-ce qu'il faut faire ?

Elle le reconnut bien là, à son attitude déterminée et volontaire, se sentit tout à coup moins seule.

— Vivre au soleil. Se reposer. Boire une potion. Ne pas se laisser aller.

Il lui prit une main, se pencha vers elle :

— Ça n'a jamais été dans nos habitudes, dit-il.

Et il demeura songeur un instant, écrasé par la nouvelle comme s'il s'en sentait responsable. Elle devina qu'il pensait à Aubin, à son refus d'aller à Périgueux, et qu'il s'en voulait.

— Je ne pourrai pas passer l'hiver prochain ici, fit-elle. Enfin... Il vaudrait mieux.

Il hocha la tête :

— On trouvera une solution. Je viendrai avec toi.

— Non, fit-elle, il faut aider Jean. Qu'est-ce qu'il deviendrait sans nous ?

— Pour le moment, on arrive aux beaux jours. On verra plus tard. L'important, c'est que tu prennes soin de toi.

Elle sourit, murmura :

— Émeline, elle est morte de ça.

Benjamin se redressa, pâlit, répondit :

— Toi, tu ne mourras pas.

Et il ajouta, tout bas, avec dans le regard une douceur qu'elle avait crue éteinte à jamais :

— Au moins tant que je serai là près de toi.

9

L'été avait un peu soulagé Marie dont la toux était devenue moins violente Cependant, comme elle demeurait fiévreuse et que le moindre effort l'épuisait, elle était partie au début de l'hiver chez son frère Vivien, à Carsac, qui habitait au sommet d'une butte où l'air, la plupart du temps, était froid mais sec et revigorant. Benjamin, pour la voir, empruntait lors de chaque remonte le chemin de rive de la Dordogne au lieu de la grand-route. La dispute avec Vivien était oubliée. Vivien aimait trop Marie pour ne pas accepter de l'accueillir chez lui durant la mauvaise saison, ainsi que Benjamin et Émilien, chaque fois qu'ils le souhaitaient. Car Émilien, désormais, malgré ses dix-sept ans, conduisait la deuxième gabare.

Ces remontes étaient pour Benjamin l'occasion de constater combien les chemins de rive étaient désertés, surtout en amont de Limeuil. Il lui arrivait fréquemment de rencontrer d'anciens bouviers qui traînaient leur peine sur les lieux où ils avaient vécu, et il n'aimait pas ces retrouvailles qui avivaient une plaie dont il ne guérissait pas.

Au début du mois de février, lors de la précédente remonte, il avait trouvé Marie plus souffrante qu'elle ne l'avait jamais été. Il s'en était inquiété, là-haut, auprès de Jean et d'Élina et, pour la première fois, il avait évoqué l'éventualité de quitter un jour le haut-pays si c'était nécessaire à la guérison de Marie. Jean n'avait pas protesté. Comment eût-il pu s'indigner, d'ailleurs, puisque Benjamin lui avait assuré qu'il formerait des gabariers avant de partir... si toutefois ils partaient... car il fallait trouver du travail. Et pas n'importe où.

Cette éventualité ne déplaisait pas à Benjamin qui ne supportait plus ces remontes par la route après avoir, chaque fois, la veille au soir, admiré les bricks, les goélettes, les dundees, les cargos amarrés au port de Libourne. Et chaque fois aussi c'était comme si le fleuve, le bec d'Ambès, la Garonne, la mer l'appelaient, et le vent qui se levait autour de lui portait déjà des embruns de grand large.

Ce mois de février avait été très pluvieux. Arrivant à Libourne dans la fin d'un après-midi sombre et froid, Benjamin barrait avec précaution sur des eaux très fortes qui secouaient les bateaux en les faisant rouler d'un bord sur l'autre. Il lui tardait d'aller se mettre à l'abri dans le magasin de Ludovic Clarétie qui ne manquerait pas de lui offrir un vieux marc en réglant leurs affaires. Aussi ne perdit-il pas de temps dans ses manœuvres pour accoster un peu en avant du confluent de l'Isle, quai du Pont. Dès qu'il eut mis pied à terre, il se hâta vers la maison du marchand qui habitait quai du Priourat.

Ce dernier était de très bonne humeur. Son visage rond et malicieux était épanoui.

— Trinquons ensemble, Donadieu! fit-il en apercevant Benjamin. Aujourd'hui est un grand jour.

Et, devant l'air étonné de Benjamin :

— Le bois ne me suffisait plus! Je me lance dans le commerce du vin! C'est pas ce qui manque ici! Et il va me falloir des bateliers, mon gars! Pour Bergerac, Sainte-Foy, le Médoc et Bordeaux. Si tu en connais, tu peux me les envoyer.

— Je n'y manquerai pas! dit Benjamin.

Ils burent en silence, savourant le marc doré qui avait plus de dix ans d'âge. Puis le marchand détailla ses projets qui parurent grandioses à Benjamin. Il pensa à Hippolyte Barcos, son ami bordelais qui avait été vaincu par plus fort que lui, l'expliqua à Clarétie.

— Celui qui me mangera n'est pas encore né! proclama le

166

marchand libournais. Je viens de la terre, moi, mon gars, et je sais ce que représente un sou. Et puis je vais te dire : ça fait plus de trente ans que je me bats. Je connais la musique.

Il ajouta, comme Benjamin souriait :

— C'est des gars comme toi qu'il me faudrait. Mais puisque tu as décidé de te geler les pieds jusqu'à la fin de tes jours, c'est tant pis pour toi.

— Je vous l'ai dit, fit Benjamin, là-haut il y a mon beau-frère. L'entreprise est à nous ; je ne peux pas le laisser seul.

— Personne n'est irremplaçable, Donadieu !

Et le marchand ajouta, secoué par un rire gigantesque et communicatif :

— Sauf moi.

Il rit encore un instant, puis s'arrêta aussi brusquement qu'il avait commencé.

— Cessons de blaguer, Donadieu. Tu achètes un courau, et tu travailles pour moi. De Bergerac à Bordeaux, tu es le roi.

Absorbé par ses pensées, Benjamin ne répondit pas. Une grande vague de bonheur venait de l'envahir mais il refusait de se laisser griser, tellement les obstacles étaient nombreux sur la route qu'il devinait devant lui. Comment convaincre Jean de le laisser partir si vite ? Comment engager une nouvelle vie sur la seule parole d'un marchand qu'il connaissait finalement assez peu ?

— Je vous l'ai déjà dit, reprit-il, ma vie est là-haut maintenant.

Mais il regretta aussitôt d'avoir prononcé cette phrase. Le marchand le comprit, lança :

— D'accord, Donadieu, mais je suis sûr qu'on en reparlera.

En quittant Clarétie, Benjamin ne se rendit même pas compte combien la nuit était noire et froide. Il voguait sur une eau bleue, dans la lumière aveuglante du soleil, et de grands oiseaux blancs accompagnaient son bateau dont les voiles déployées claquaient dans le vent de la mer.

Les jours suivants, en rentrant à Spontour, il constata une nouvelle fois l'abandon progressif des chemins de rive au fur et à mesure qu'il s'éloignait des grands ports du bas-pays. Ceux-ci, en effet, n'avaient pas encore pâti de la concurrence du chemin de fer car la diversité de leurs échanges et la multiplicité de leurs débouchés les en avaient préservés. Mais, passé Bergerac, ceux qui travaillaient sur les rives de la Dordogne devenaient de plus en plus rares. Après Limeuil, c'était la désolation, car la remonte était devenue pratiquement nulle. Quelques gabariers tentaient encore de s'accrocher à leur gagne-pain à La Roche-Gageac, mais ils ne transportaient des matériaux que sur une courte distance : vingt ou trente kilomètres, et c'étaient des gens âgés qui n'avaient pas de successeurs. Heureusement, les gabariers du haut-pays continuaient de descendre, animant la rivière qui résonnait de leurs cris ou de leurs chants. Mais pour combien de temps ? Est-ce qu'un jour le chemin de fer n'allait pas aussi atteindre les montagnes ?

Cette idée préoccupa Benjamin qui se demanda si ce ne serait pas faire preuve de sagesse (et non plus de folie) que d'accepter la proposition du marchand libournais. Il ne cessa d'y penser tout le long du trajet qui le conduisait à Carsac où il trouva Marie très fatiguée.

Les yeux cernés par la fièvre, le visage défait, elle lui sembla encore plus abattue que lors de son dernier passage. Avant qu'il ne pénètre dans la chambre, Élise lui avait dit que le médecin était très inquiet. L'embellie de l'été dernier n'avait pas duré. Il fallait espérer que les beaux jours reviendraient vite, sans quoi on pouvait redouter le pire. En prononçant ces mots, Élise avait des larmes dans les yeux. Et Benjamin, en voyant Marie, avait compris à quel point elle était à bout de forces. Il tenta néanmoins de sourire en s'asseyant près du lit, et lui dit :

— Alors ? Comment ça va ? Mieux, il me semble.

Elle lui rendit son sourire, répondit :

— Oui ; ça va mieux, ne t'inquiète pas.

— Je ne m'inquiète pas. Le printemps sera bientôt là et tu guériras.

Elle hocha la tête, demanda :

— Comment ça s'est passé, cette descente?

— Très bien. Émilien est de plus en plus sûr. Il est remonté par la route mais il viendra te voir au prochain voyage.

Elle demanda des nouvelles d'Élina, de Jean, avec une lassitude qui le bouleversa. Elle semblait épuisée, et son regard avait perdu tout éclat. Il eut si peur, soudain, qu'il se mit à parler de son projet avec Ludovic Clarétie : naviguer sur le fleuve pour aller chercher du vin, l'apporter à Bordeaux, aux Chartrons, où étaient chargés les navires qui partaient pour la Hollande et l'Angleterre, retrouver la lumière du fleuve, le soleil du bas-pays, les bancs du bec d'Ambès, naviguer, naviguer, naviguer, ne jamais plus remonter à pied, mais retrouver le grand large, les longs mois des belles saisons, l'air marin, la vie qu'ils aimaient vraiment, le bonheur.

Au fur et à mesure qu'il parlait, le visage de Marie s'éclairait. Elle semblait poursuivre avec lui ce rêve qui illuminait la chambre sombre et la délivrait de l'hiver. Aussi continua-t-il de parler, assurant que le projet était bien avancé, qu'il lèverait les obstacles un à un, qu'ils auraient déménagé avant l'été. Le visage de Marie, un moment apaisé, s'obscurcit de nouveau :

— Et Jean? fit-elle tout à coup.

— Émilien restera avec lui. Antoine, mon prouvier, sait déjà tenir un gouvernail.

Il se rendit compte qu'il avait pensé à tout en chemin, et de la voir ainsi réconfortée, il s'engagea davantage encore, prenant presque à son insu une décision sur laquelle il ne pourrait pas revenir. Marie, en l'écoutant, se souvenait de leurs voyages à Bordeaux, de cette sensation, qu'elle n'avait jamais retrouvée depuis leur départ de Souillac, de liberté totale à s'engager dans l'immensité du fleuve. Ils en parlèrent encore un moment, emportés qu'ils étaient tous les deux par des flots aussi tièdes que ceux de la Dordogne pendant les nuits d'été. Quand il la quitta, les traits de Marie s'étaient détendus et son regard avait retrouvé un peu de son éclat.

Ce fut seulement lorsqu'il se remit en route qu'il sentit combien il avait été imprudent de s'engager si loin sans avoir parlé de son projet à Jean. En même temps, cependant, une idée un peu folle se formait dans son esprit : Marie ne guérirait que si elle quittait le haut-pays. Oui, c'était ridicule, il le savait, mais plus il y pensait et plus cette idée devenait une certitude. Aussi ne prit-il pas le temps de réfléchir davantage, une fois à Spontour, et entretint-il Jean de son projet dès son arrivée. Jean se montra tout de suite très contrarié : il avait investi l'argent disponible dans l'achat de coupes pour toute l'année et il ne pouvait pas rendre ses parts à Benjamin. Et puis Émilien et Antoine étaient bien jeunes pour prendre la responsabilité des bateaux. Et lui, Jean, comment allait-il pouvoir mener seul une entreprise qu'ils avaient développée à deux ?

La conversation faillit mal tourner. Heureusement, Élina intervint en leur demandant de penser avant tout à Marie. Si d'aventure elle apprenait qu'ils étaient fâchés, cela risquait de nuire encore à sa santé. Jean et Benjamin décidèrent alors de ne pas précipiter les choses et d'en reparler calmement un peu plus tard. Mais ce soir-là, en se couchant, Benjamin revit le sourire de Marie dans son lit de souffrance et il se jura bien de parvenir à ses fins le plus tôt possible.

Quelques jours avant la fin du mois de février, des trombes d'eau s'abattirent sur le haut-pays, principalement en Auvergne. Une nuit, vers deux heures, Benjamin fut réveillé brutalement par un bruit inhabituel. Il descendit, ouvrit la fenêtre, entendit alors une plainte épouvantable qui lui donna la chair de poule. Il la connaissait. Il avait compris. A peine avait-il refermé la fenêtre que Jean frappait à la porte, porteur d'une lampe, vêtu de son manteau de pluie.

— Je m'habille et je te rejoins, dit Benjamin.

Les hommes d'équipe, aussi, avaient entendu. Tous se retrouvèrent avec leur lampe sur les chantiers menacés par la Dordogne qui était devenue folle. Dans la lueur des lampes, Benjamin aperçut des vagues de plus de deux mètres, des troncs, des arbres entiers qui venaient heurter violemment les chantiers sur le point d'être submergés par les flots. Jamais, à Souillac, lors des inondations qu'il avait pu vivre, la plainte aiguë de la Dordogne ne l'avait saisi à ce point. A Souillac, en effet, la vallée était large et n'enserrait pas la rivière comme ici, à Spontour, où elle se débattait comme une louve enragée entre les collines qui la retenaient prisonnière. De temps en temps, on entendait un craquement sinistre : celui des arbres que la Dordogne déracinait, ou celui des pontons qui cédaient. Et l'eau ne cessait pas de monter, de plus en plus folle, de plus en plus violente, déchirant la nuit de ce mugissement furieux qui donnait à croire que les collines elles-mêmes allaient être emportées.

Les merrandiers luttaient sur le chantier pour remonter le mur des marels et tenter de les sauver. Prévoyant le danger, on avait évacué la veille au soir le merrain et la carasonne prêts à partir pour le bas-pays. Et maintenant les hommes, ayant formé une chaîne, luttaient contre la rivière qui donnait l'impression de vouloir engloutir la vallée. Mais comment déplacer une muraille de bois dans l'obscurité et en si peu de temps ?

Une heure de ce combat désespéré ne s'était pas écoulée que des craquements sinistres se firent entendre : les pontons des chantiers cédaient sous la pression des flots. En moins de cinq minutes, tous furent arrachés, balayés, emportés comme des fétus de paille, et les hommes eurent tout juste le temps de monter sur la berge. Et plus les minutes passaient, plus la plainte de la Dordogne devenait insoutenable. Il n'y avait plus rien à faire, et pourtant les hommes demeuraient là, fascinés par les flots terreux sur lesquels les lampes jetaient des reflets de feu. Au fur et à mesure que les flots montaient, ils reculaient en direction des premières maisons qui avaient été prudemment construites à une distance de cinquante mètres environ. Il sembla à Benjamin que toute la vallée criait sa peur et se tapissait sur elle-même pour résister.

Le jour se leva sur un univers d'apocalypse : d'énormes vagues jaunâtres se précipitaient sur les collines et menaçaient les premières maisons. Benjamin ne parvenait pas à s'habituer au bruit : ce mugissement de taureaux dont le fleuve aurait envahi une vallée trop étroite et qui, pressés par ceux de l'arrière, se seraient piétinés, montant les uns sur les autres en poussant des plaintes d'animaux à l'agonie. Maintenant, les maisons les plus basses étaient atteintes. L'eau venait d'arracher les portes et les fenêtres du rez-de-chaussée. Sur les flots effrayants passaient des arbres entiers, avec leurs racines et leurs ramures, les troncs des coupes qui avaient été rassemblés trop bas, des poutres, des bateaux, des morceaux de ponts, des meubles, des merrains venus des petits ports d'amont, des bois de toutes sortes. Benjamin aperçut même un lit qui se balançait au fil du courant, disparaissait, remontait, disparaissait encore, et qu'on cherchait du regard comme si l'on s'attendait à voir surgir des corps en robe et bonnet de nuit.

Le niveau des eaux monta jusqu'à midi. Elles atteignirent les greniers des maisons les plus basses, se stabilisèrent enfin. La plainte de la Dordogne était à son summum. Même fenêtres fermées, elle emplissait les pièces où l'on s'était réfugié, et elle glaçait le sang. Les peurs ancestrales remontaient soudain des profondeurs, et l'on se demandait si l'on allait pas être ensevelis comme lors du déluge. Des hommes avaient été placés en sentinelles pour surveiller. Mais il ne pleuvait plus. Benjamin discutait avec Jean qui, lui, avait déjà assisté deux fois à une telle colère de la rivière. Il était clair qu'ils allaient tout perdre : le merrain, les marels, les chantiers, les bateaux. C'était la loi. Jean la connaissait mieux que Benjamin, qui n'avait jamais assisté à ce genre de crue si rapide et si violente. A Souillac, il avait toujours eu le temps de s'organiser et de sauver l'essentiel. Ce tribut, qu'il fallait encore payer après avoir tellement souffert, lui parut tout à coup inacceptable. Une colère froide le saisit, lui fit prononcer des mots qui dépassèrent sa pensée :

— En bas, au moins, même si c'est dur au bec d'Ambès, on peut se défendre. Ici, dans ce pays, on ne peut que subir. Et moi je ne veux pas. J'en ai assez. Elle n'a pas de cœur, ici, ce n'est pas la mienne.

Jean demeurait silencieux, le regard fixé sur les flammes de la cheminée. Il n'avait rien à répondre, et le savait. Ici, il fallait tout accepter ou partir.

— Et j'en ai vu, tu sais, des coups de vent, des accidents, reprenait Benjamin. Je me suis battu avec ça (et il montra ses mains ouvertes) mais là, qu'est-ce que tu veux faire ?

Il se tourna vers Jean, qu'il avait cru si fragile, du temps où ils travaillaient ensemble, et qui lui semblait aujourd'hui plus fort que lui.

— Comment peux-tu supporter ça ? demanda brusquement Benjamin.

Jean le dévisagea un instant. Son regard était hostile.

— Je m'en fous de ta rivière ! cria-t-il. Moi, ce que j'aime, c'est la forêt.

Tout était dit. Benjamin soupira, hocha la tête et sortit sans un mot.

Autant la crue avait été subite, autant la décrue fut rapide. La Dordogne ne mit que quarante-huit heures pour retrouver son cours normal. Mais ce qu'elle laissa voir en se retirant fut un spectacle terrible : le bas des collines avait été raviné, raclé jusqu'à l'os, les berges s'étaient effondrées, le fond de la vallée était couvert d'une boue jaune qui la faisait ressembler à une longue couleuvre endormie. De plus, les maisons basses portaient la trace limoneuse de la crue comme une lèpre. On se disait que quelque chose d'épouvantable s'était produit, qui n'avait rien à voir avec la vie ordinaire. C'était comme si la terre et l'eau avaient brusquement secoué leur échine, lassées de porter les hommes, de souffrir de leurs blessures. Après leur colère, elles s'étaient rendormies, mais pour combien de temps ? Tous savaient, ici, qu'un jour, de nouveau, la rivière se réveillerait pour châtier ceux qui abusaient d'elle.

C'était la loi. Pourtant, il fallait vivre. On recommença donc à dresser les pontons des chantiers, à abattre les arbres, à tailler le merrain, à construire des bateaux. Un mois suffit pour être prêt à entreprendre un nouveau voyage. Comme le temps demeurait pluvieux, les eaux restaient hautes en cette fin du mois de mars. Benjamin voulait descendre le plus vite possible. Il lui fallait voir Marie, car il ne supportait pas cette séparation alors qu'elle devait avoir besoin de lui. Sans doute même s'inquiétait-elle de ne pas le voir arriver.

— Fais bien attention ! lui dit un vieux gabarier la veille du départ. Ce genre de crue change les passes. Tu ne reconnaîtras plus rien : les maigres auront changé de place, les dormants aussi, et les remous également. Méfie-toi aussi des retenues des moulins et des digues. Moi, si j'étais toi, j'attendrai qu'elle baisse un peu plus : tu pourrais mieux la deviner.

Benjamin ne pensait qu'à Marie. Au reste, ne convenait-il pas de faire le plus de voyages possible avant l'été pour compenser les pertes ? Jean l'approuva. Il partit donc un matin de la fin mars à l'aube d'une journée durant laquelle le soleil n'apparaîtrait pas. Il suffisait, pour le deviner, de mesurer du regard l'épaisseur des brumes qui dormaient sur la vallée. On embarqua tout de même, après que Benjamin eut donné ses dernières recommandations à Émilien : le suivre de près et ne pas dévier de son sillage.

Tout se passa bien jusqu'à la Despouille qu'ils prirent soin d'aborder le plus possible sur bâbord, mais, un peu plus loin, au saut du Diable, ils touchèrent sur tribord, quoique sans trop de dommages. Plus bas, ils se rendirent compte que le petit port d'Eylac avait été emporté. Au val d'Enfer, de nouveau, les deux gabares furent projetées vers la berge par les remous. Benjamin comprit alors qu'il avait été bien imprudent de s'engager dans une telle descente sans avoir pris la précaution de se renseigner auprès des riverains. Mais comment s'arrêter ? Et pourquoi faire ? Où passerait-on la nuit ? Il n'y avait pas d'autre solution que d'essayer d'atteindre Argentat.

Il continua donc, les bras crispés sur la barre du gouvernail, essayant de « lire » la rivière malgré la brume, se retournant de temps en temps pour crier des indications au prouvier d'Émilien.

Tous les petits ports d'embarquement du merrain avaient été arrachés par la crue : Roumégoux, Grélip, Longeval, et d'autres encore, sommairement aménagés, qui n'avaient pu résister aux flots en furie. En outre, comme le bas des pentes avait été laminé, Benjamin avait du mal à reconnaître ses repères familiers. Le premier incident se produisit à la peissière du Gibanel. Ces pêcheries concédées par l'État étaient constituées de grands pieux enfoncés dans le lit de la Dordogne en période d'étiage, sur lesquels les pêcheurs attachaient leurs filets. Ils devaient évidemment laisser un passage au milieu, mais souvent ce passage ne coïncidait pas avec le lit naturel et il fallait utiliser les rames et le gouvernail pour se glisser entre eux.

Ce matin-là, Benjamin s'aperçut que pas mal de pieux avaient été emportés, mais comme les eaux étaient très hautes, il ne parvint pas à discerner assez tôt ceux qui émergeaient encore de la rivière. Au reste, les eût-il devinés, que le courant ne lui eût même pas laissé la possibilité de les éviter. Son bateau heurta les premiers dans un craquement sec, puis il se mit à tourner sur lui-même, demeura même un instant bloqué dans la perpendiculaire de l'eau jusqu'à ce que les pieux cèdent, repartit juste avant que la gabare d'Émilien ne vienne se fracasser sur lui. Enfin il put sortir du piège, mais avec une voie d'eau dans la coque que les matelots s'efforcèrent de colmater avec de l'étoupe.

Passé le château du Gibanel et le confluent du Doustre, s'annonçait le dangereux malpas qui, au terme d'un long et fort courant, débouchait sur une haute falaise de roches granitiques. Sous elle, de puissants remous et de vastes tourbillons avaient creusé un gouffre semblable à celui du pas de Raysse, après Souillac. Benjamin connaissait bien ce genre de difficultés, car il avait passé le Raysse des centaines de fois, mais ce qu'il ignorait, c'est que les crues, ici, du fait de l'étroitesse de la vallée, pouvaient élargir les remous en quelques heures. C'est à peine s'il eut le temps de réagir quand, à l'extrémité du courant, un tourbillon s'empara du bateau. D'ordinaire, il se situait davantage sur tribord, à cinq ou six mètres. Depuis la crue, il occupait presque tout le lit de la rivière. Benjamin força sur le gouvernail, mais il comprit tout de suite que son bateau ne répondait plus. Il se retourna, cria :

— Tout à bâbord !

C'était trop tard, également, pour Émilien, dont la gabare trop proche de celle de Benjamin venait d'être happée elle aussi. De remous en tourbillons, les deux bateaux, tournant sur eux-mêmes, furent projetés avec violence sur la falaise. Ils se disloquèrent presque en même temps dans un craquement épouvantable, et le choc projeta les planches et le merrain à plus de vingt mètres de hauteur. La dernière pensée qu'emporta Benjamin avant de sombrer fut « heureusement qu'elle n'est pas large ». Puis il sentit une douleur à l'épaule et il comprit qu'il avait touché l'eau quand le froid l'envahit.

Il se mit à nager dès qu'il le put, mais il ne sut pas dans quelle direction il allait. Peut-être revenait-il dans le remous, peut-être se dirigeait-il sur bâbord où le courant était vif mais peu profond. Il comprit qu'il était sauvé quand il sentit la gifle glacée du courant. Il se laissa porter un peu, émergea à proximité de la berge sur bâbord, face à la falaise, et put sortir de l'eau facilement. Il n'y était pas resté plus de vingt secondes. Restaient les hommes. En face, deux d'entre eux gesticulaient au bord de l'eau. Deux autres émergeaient du courant derrière lui : Antoine et Émilien. Manquait Noël, le prouvier d'Émilien, un homme de quarante-cinq ans, robuste et bon nageur.

Là-bas, les deux matelots s'étaient approchés de l'eau et guettaient, des branchages à la main. Benjamin savait que plus les secondes passaient plus son prouvier risquait d'y rester, bien que la fonte des neiges n'eût pas encore commencé et que la température de l'eau ne fût pas vraiment glaciale.

— J'y vais! dit-il, brusquement, et il rentra dans le courant sous le regard incrédule d'Antoine et d'Émilien.

— Arrêtez! cria ce dernier. Vous êtes fou! Restez là!

Benjamin ne pensait qu'à une seule chose : son prouvier, sans doute assommé par le choc, était dans le gouffre, et il avait une femme et deux enfants. Émilien se précipita et, suivi par Antoine, tenta de le retenir. Benjamin se dégagea violemment, les repoussant l'un et l'autre. Il essaya de remonter le courant en marchant pour arriver à la perpendiculaire du gouffre. Antoine et Émilien, de nouveau, se précipitèrent sur lui et durent se battre pour l'empêcher d'entrer dans le remous. Si les deux jeunes ne frappaient pas, Benjamin, lui, frappait vraiment pour se dégager. Il glissait, tombait, se relevait, recommençait à se battre. Ils ne furent pas trop de deux pour l'empêcher de plonger. Ils faillirent même être emportés tous les trois, ce qui finit par ébranler Benjamin. Alors, ·claquant des dents, tremblant de froid, il revint lentement vers la rive, escorté par Antoine et Émilien. Là-bas, en face, rien ne subsistait du naufrage. La Dordogne coulait comme s'il ne s'était rien passé et les deux matelots guettaient toujours le moindre signe de vie en bordure de l'eau.

Le temps passait et Benjamin refusait de s'éloigner. Les trois hommes tremblaient, pourtant, et risquaient gros de s'attarder ainsi, leurs vêtements trempés, dans le froid du matin.

— Venez! dit Émilien. Il faut partir. On va attraper la mort.

Benjamin ne bougeait pas. Il regardait, là-bas, le gouffre où avait disparu le prouvier. « Je l'ai tué, se disait-il. Si j'avais écouté le vieux, je ne serais pas parti et Noël serait encore en vie. »

— Venez ! répéta Émilien en le prenant par le bras.

Et Benjamin se laissa entraîner sur la berge, se retournant de temps en temps vers le rocher. Sur l'autre rive, les deux survivants couraient pour se réchauffer. Ils savaient qu'ils devaient aller jusqu'à Argentat, alors que sur la rive gauche, du côté où se trouvaient Benjamin et ses deux matelots, le village de Croizy n'était pas loin.

Ceux-ci ne mirent guère plus d'un quart d'heure pour y arriver, constatèrent que là aussi le port avait été emporté par la crue, et se réfugièrent dans la première maison qu'ils trouvèrent sur leur chemin. Là, une fois secourus et réconfortés, ils demandèrent à ce que l'on aille sur les lieux du naufrage ou un peu en aval pour repérer le corps du malheureux prouvier. Car il était évident qu'il ne pouvait être vivant après être resté plus d'une minute dans l'eau.

Réfugié au coin du feu, Benjamin ne parlait pas. Une seule idée l'obsédait : il avait tué son matelot. Et c'était la première fois qu'il perdait un homme dans de telles conditions. Certes il avait eu des blessés, mais jamais, comme aujourd'hui, il n'avait senti ce poids sur les épaules, et jamais il n'avait autant détesté cette vallée si hostile, si rebelle aux hommes qui l'habitaient.

L'après-midi, quand les villageois furent rentrés sans avoir rien trouvé, il décida de descendre à Argentat par le chemin de rive. De là, ils regagneraient Spontour par la route le lendemain matin. Ainsi fut fait. En arrivant, Émilien dut se coucher, victime d'une fluxion de poitrine. Benjamin, Élina et Jean se rendirent au domicile de la femme de Noël pour lui annoncer la mort de son mari. C'était une petite femme noire peignée en chignon, qui avait l'air vif et énergique. Ses enfants étaient à l'école. Ce fut Jean qui parla, car Benjamin en était incapable. Quand ce fut fait, la femme se laissa tomber sur une chaise et prit sa tête dans ses mains. Aucun sanglot, aucune plainte ne sortit de sa bouche. Elle n'était que refus, tendue dans on ne savait quelle corde de son être, dont Benjamin se disait qu'elle allait casser d'un moment à l'autre. A la fin, au bout d'interminables secondes, le regard qu'elle jeta à Benjamin le transperça :

— Et maintenant ? dit-elle. Qu'est-ce qu'on va devenir, nous autres ?

— On ne vous laissera pas seule, dit Jean. Vous ne manquerez de rien. Élina va rester avec vous le temps qu'il faudra.

Jamais la présence de sa mère n'avait paru si indispensable à Benjamin. Au moins, tant qu'elle resterait là, il n'aurait pas l'impression d'abandonner la femme de son prouvier. Il chercha à fuir ce regard qui le glaçait, le fouillait, lui donnait envie de disparaître. Il avait tué un homme. Il ne pourrait jamais oublier les yeux gris de cette femme qui ne criait pas, ne se plaignait pas, mais semblait vouloir lui dire que sa vie venait d'être brisée à cause de lui, et qu'il n'aurait jamais assez de la sienne pour expier sa faute.

Marie avait senti sur sa peau la caresse froide de la mort. Des jours durant, elle s'était efforcée de l'accepter avec sagesse. Elle avait même fini par y consentir, une nuit, alors qu'elle crachait du sang, que la fièvre lui faisait apercevoir dans l'ombre les fantômes de ceux qui n'étaient plus de ce monde. Puis le matin était venu et elle avait compris que les portes obscures devant lesquelles elle se trouvait depuis de longs jours ne s'ouvriraient pas.

C'était à la fin de cette matinée-là que Benjamin lui avait parlé de son projet d'aller s'installer à Libourne. Depuis, elle se sentait mieux. Inexplicablement. Peut-être grâce au soleil qui avait fini par sortir. Peut-être parce que son corps avait réussi à prendre le dessus dans le combat qui l'opposait à la maladie. Peut-être aussi parce que la vie lui avait semblé changer de couleur, dès que Benjamin lui avait parlé de la possibilité de retrouver le fleuve. La dureté et la grisaille du haut-pays n'étaient pas pour elle. Elle l'avait compris dès le premier hiver. Et si sa vie n'était plus à Souillac, désormais, elle l'envisageait avec plaisir dans le bas-pays.

Depuis le départ de Benjamin, elle ne pensait plus qu'à cela, en parlait sans cesse avec Vivien et Élise, s'exaltait, oubliait Jean et sa famille pour ne penser qu'à elle, au fleuve, à Libourne qui était une ville qu'elle avait toujours aimée, à Aubin qui ne serait plus séparé d'elle que par quelques kilomètres. Là-bas elle guérirait. Elle en était sûre.

Elle finit par s'inquiéter du retard de Benjamin qui n'était jamais resté si longtemps sans venir la voir. Vivien leur avait dit que les eaux de la Dordogne avaient été très hautes, et cette explication lui avait fait prendre patience. Une semaine passa encore, sans qu'elle ne reçoive la moindre visite. Sa santé, de nouveau, s'altéra. Elle commençait à désespérer quand Benjamin et Émilien arrivèrent enfin, un matin, et la trouvèrent non pas couchée, mais assise au coin du feu. Elle parut à Benjamin beaucoup mieux que lors de sa précédente visite, mais il lui cacha le naufrage des deux gabares et la mort du prouvier pour ne pas l'inquiéter. Elle sentit qu'il s'était passé quelque chose, mais elle mit le trouble de Benjamin sur le compte de son exaltation quand il lui apprit la grande nouvelle : dès le mois de juin, ils habiteraient Libourne. Ludovic Clarétie avait accepté de lui avancer l'argent pour faire construire un courau dans le chantier installé sur la rive droite de l'Isle. Il le rembourserait dès que Jean lui rendrait ses parts, sans doute au début de l'année prochaine. Il avait trouvé un logement dans la rue Fontneuve, tout près des quais, une petite rue qui menait à l'hôtel de ville. Benjamin ne lui avoua pas que Jean n'avait pas eu le cœur de le retenir après ce qui s'était passé. Il ne lui dit pas non plus dans quelles affres il avait vécu depuis le naufrage, et justifia son retard par les hautes eaux qui empêchaient la navigation dans le haut-pays.

— Es-tu contente ? demanda-t-il.

Contente ? C'était un mot bien pauvre pour exprimer tout ce qu'elle ressentait. Mais comment avouer qu'elle n'avait jamais pu s'habituer à la vie du haut-pays, si dure, si froide, si sombre durant ces interminables journées d'hiver? Et comment dire aussi à quel point l'absence d'horizon, la hauteur des collines, l'imperméabilité des hommes et des femmes murés dans leur courage et leur solitude l'avaient anéantie? Et la rivière elle-même, si violente, si traîtresse parfois, qui semblait ne songer qu'à précipiter les bateaux sur l'arête des granits noirs comme la nuit. Et la forêt, épaisse, crépue, qui semblait boire la lumière pour ne laisser aux hommes que des morceaux de ciel pâles comme les aubes d'hiver. Jamais, là-haut, elle n'avait, au lever du soleil, aperçu la moindre lueur fauve derrière la brume du matin. Là-haut c'était encore la vie du commencement du monde, la vie primitive, têtue, où l'âme de la vallée n'avait pas encore réussi à réchauffer le cœur des hommes.

— Non! Pas contente! dit-elle. Heureuse! Tellement heureuse!

Puis elle demanda, prenant les mains d'Émilien dans les siennes :

— Et toi? Tu viendras avec nous?

— Non, dit-il. Il est entendu avec Jean que je resterai là-haut jusqu'à ce que je tire au sort. On lui doit bien ça.

— C'est vrai, dit-elle, mais après?

— Si je tire un bon numéro, on verra.

— J'espère que tu viendras, dit-elle.

— Sans doute, dit Benjamin qui ne voulait pas laisser ternir la joie de Marie.

Il ajouta, souriant :

— Je vois que ça va mieux enfin.

Elle approuva, dit que ses forces revenaient jour après jour.

— Prête à embarquer alors?

— Presque! répondit-elle.

Vivien rentra des champs et Benjamin lui proposa de venir travailler avec lui dès qu'il embarquerait.

— Pourquoi pas? dit Vivien, on peut au moins en parler.

— D'autant, reprit Benjamin, que j'espère bien pouvoir faire construire très vite un deuxième courau.

181

Il se demanda aussitôt s'il ne péchait pas par trop d'optimisme, mais la confiance et le dynamisme de Ludovic Clarétie lui revinrent en mémoire et il se laissa aller à expliquer les projets du marchand qui comptait acheter du vin jusque dans le haut Médoc.

Le repas qu'ils prirent en commun fut très gai. Benjamin en oublia le naufrage de ses bateaux et la mort de son prouvier. Il s'en rendit compte lorsqu'il se remit en route, au milieu de l'après-midi. De même que Marie avait réembarqué aussitôt après l'accident de la Despouille, il avait tenu à repartir dès que les bateaux avaient été prêts. Il le fallait. Il le savait. Sa main n'avait pas tremblé au malpas du Gibanel, d'autant que le niveau des eaux avait beaucoup baissé. Dans moins d'un mois, elles ne seraient plus marchandes. Mais, tout en marchant d'un bon pas sur le chemin de rive, il se disait qu'avant l'été il aurait rejoint ces lieux bénis où les eaux seraient de voyage chaque minute qui lui serait donnée de vivre jusqu'à la fin de ses jours.

Troisième partie

LE CŒUR VA
OÙ VONT LES RIVIÈRES

10

En vieillissant, Marie avait l'impression que le temps passait de plus en plus vite. Elle avait aujourd'hui quarante-neuf ans et cela faisait déjà deux années qu'ils avaient quitté le haut-pays. Elle soupira, songea que sans le départ d'Émilien (qui avait tiré un mauvais numéro), ces deux ans n'auraient été que du bonheur. Deux ans de voyage sur le fleuve depuis Bergerac jusqu'à Pauillac, dans l'estuaire, ou jusqu'à Bordeaux, quai des Chartrons, où étaient amarrés les navires de haute mer.

Et Vivien les avait rejoints pour reprendre la vie qu'ils menaient à Souillac, Élina se portait toujours aussi bien malgré ses soixante-quatorze ans, et l'on avait pu acheter un deuxième courau l'an passé. Le premier s'appelait le *Victorien,* le second le *Vincent.* Du nom des deux hommes qui leur avaient appris à naviguer, à elle comme à Benjamin. Deux hommes qu'elle n'oubliait pas.

Pas plus, d'ailleurs, qu'elle n'oubliait Aubin, à Périgueux. Et elle ne se cachait pas de Benjamin pour y aller une fois par mois, même s'il se refusait toujours à parler de lui. Le ménage d'Aubin marchait bien, car Mathilde était une femme douce et courageuse, mais il manquait d'argent. Marie faisait en sorte, chaque fois qu'elle s'y rendait, de laisser quelques pièces sur le coin du buffet et, même si Mathilde n'oubliait jamais de la remercier, elle n'en disait rien à Aubin qui en eût été furieux.

Deux ans aussi que la santé de Marie s'était améliorée, à l'issue du premier été. Elle s'était alors rendue à l'hôpital de Libourne consulter un médecin. Celui-ci lui avait indiqué qu'elle était presque guérie, mais qu'elle demeurait sous la menace d'une rechute. Il ne pouvait dire exactement si la maladie était seulement endormie ou éteinte à jamais. En tout cas, elle ne toussait plus et ne s'était jamais sentie aussi bien que ce mois d'avril-là, tandis qu'elle suivait le courau conduit par Benjamin en direction de Saint-André-de-Cubzac. Plus loin, passé le bec d'Ambès, ils continueraient jusqu'à Blaye où ils devaient charger des barriques sur la rive droite, puis jusqu'à Pauillac, en haut Médoc, dans la mer bordelaise.

Les rives étaient parsemées de perrés, ces petits ports aménagés par les vignerons qui vendaient leur production à Ludovic Clarétie, où l'on pouvait accoster sans risque. Les deux bateaux ramenaient le vin dans les chais du marchand, quai du Priourat, à Libourne. De là, on les transportait à Bordeaux. En automne seulement, après les vendanges, les navires de mer venaient prendre directement livraison du vin à Libourne. Mais Marie et Benjamin ne naviguaient pas seulement sur la Garonne et la Gironde. Ils remontaient jusqu'à Bergerac sur la Dordogne, où ils prenaient livraison de vins des collines environnantes, et aussi de ceux qui venaient de Domme. Aussi connaissaient-ils maintenant tous les grands vins du Bordelais : les côtes de bourg, les médoc, les entre-deux-mers, les saint-émilion, les bergerac, toutes sortes de crus, rouges ou blancs, grâce auxquels Ludovic Clarétie prospérait, non sans inciter son gabarier attitré à acheter d'autres bateaux.

En été, cependant, à cause de la chaleur, on ne transportait pas de vin. Clarétie expédiait alors des tuiles en Saintonge et, au retour, Benjamin faisait nettoyer ses bateaux à Royan. Cela lui donnait l'occasion d'affronter l'océan sans trop s'éloigner des côtes. C'était une autre vie, mais c'était celle dont il avait longtemps rêvé. Marie ne le suivait jamais si loin. Lors des voyages en mer, c'était Vivien qui menait le *Vincent*. D'ailleurs elle avait plaisir à retrouver la terre ferme de temps en temps, tandis que Benjamin n'était heureux que sur l'eau.

Elle se plaisait dans leur logement de la rue Fontneuve, entre le quai du port et la place de l'hôtel de ville, où Élina s'était bien habituée, elle aussi. C'était une rue très animée que Marie connaissait depuis ses premiers voyages à Libourne, l'auberge où elle descendait se trouvant à proximité. Elle aimait à se rendre au marché avec Élina, à visiter les échoppes de la place centrale sous les arceaux, à observer tous les gens qui vivaient de la mer sur le quai Souchet : les cordiers, les tonneliers, les charpentiers de bateaux, les arrimeurs, les voiliers qui confectionnaient les voiles de lin des navires et chantaient en travaillant devant leur atelier. De l'autre côté du pont, sur les quais de Priourat et de la Rouquette, se trouvaient les chais. C'était là aussi la même animation joyeuse, entre les barriques qui attendaient les bateaux. Le port était encombré de gabares, de couraux, de filadières, de yoles, de goélettes, de cargos, de sloops, et c'était chaque fois un exploit que de se frayer un chemin entre eux, d'accoster au bon endroit, quai du Priourat, sans éperonner le moindre bateau.

Cette animation, cette fièvre éloignait chaque jour davantage Marie du haut-pays, et elle ne s'en plaignait pas, au contraire. Elle était heureuse là où était la vie. Depuis qu'à vingt ans elle avait connu Bordeaux, elle avait besoin de cette atmosphère de port, de voir travailler des gens autour d'elle, d'entendre les drisses claquer contre les mâts, de sentir l'odeur du grand large, celle des chais, du goudron, du poisson, et elle se disait qu'à Spontour, elle était peut-être tout simplement tombée malade d'ennui.

Dans un coin de son cœur, pourtant, restaient blottis Souillac et ses prairies qu'elle se promettait d'aller revoir bientôt. Elle en avait déjà eu l'occasion, l'été d'avant, mais elle y avait finalement renoncé, ne se sentant pas la force de retrouver les lieux où elle avait vécu « comme on doit vivre au paradis », songeait-elle souvent. Elle ne l'oubliait pas. Et cette présence chaude, sacrée, qui bougeait dans son cœur, souvent, l'aidait à oublier que ses enfants étaient loin d'elle : Émilien à Rochefort, Aubin à Périgueux, condamné à une sorte d'exil à cause de Benjamin. Si elle lui en avait voulu, elle ne lui en voulait plus. Elle espérait qu'un jour, bientôt, il accepterait de revoir son fils, et peut-être à l'occasion de l'heureux événement qu'on attendait à Périgueux. Si c'était un garçon, Benjamin n'y résisterait pas. Elle en était sûre. Mathilde devait accoucher en juin. Marie avait promis de l'aider. Elle ne désespérait pas d'emmener Benjamin avec elle.

Toutes les pensées qui tournaient dans sa tête, tandis qu'elle naviguait, lui faisaient souvent oublier les impératifs de sa tâche. Heureusement, près d'elle, Vivien veillait. Le problème, ce matin d'avril, était d'arriver à Blaye avant la marée contraire, sans quoi l'on devrait attendre la renverse pendant une demi-journée sur un perré. Cela s'était produit une fois : à moins de quatre cents mètres de Blaye, le mascaret avait surgi brutalement et les deux couraux avaient dû accoster aussitôt, immobilisés pour près de six heures.

Ce matin-là, donc, elle songeait, comme Vivien, qu'ils ne disposaient que de peu de temps pour entrer dans l'estuaire et remonter vers Blaye. Les rosées d'avril illuminaient les rives. Sur le fleuve, la luminosité était telle que l'on avait l'impression de naviguer sous un lustre. Marie cherchait à abriter ses yeux derrière un vieux chapeau noir sous lequel ses cheveux châtains lançaient des lueurs fauves.

Malgré la proximité du bec d'Ambès, elle n'était pas très inquiète : il était plus facile d'entrer dans l'estuaire en suivant la ligne droite sur tribord que de traverser la Garonne pour aller s'abriter sous l'île Cazeau en attendant de remonter sur Bordeaux. Certes, les gros navires surgissaient toujours de la même manière sur bâbord, mais on ne coupait pas leur route et il suffisait de bien longer la rive droite pour les laisser passer. Ce fut donc en pleine confiance qu'elle doubla le bec, incurvant légèrement la ligne vers tribord, sans trop se soucier du manque de visibilité.

Vivien eut à peine le temps de crier quand le cargo surgit, énorme, terrible, anormalement déporté vers la rive droite, près de fracasser le courau. Marie eut le réflexe de manœuvrer vers tribord, mais comme la voile était hissée pour arriver plus vite à Blaye, son bateau fusa sur l'eau et vint s'échouer brutalement sur un banc de sable, projetant les hommes sur le pont, tandis que le cargo redressait sa course et s'éloignait.

Agrippée à la barre, Marie, seule, était restée debout. Vivien, lui, ne bougeait plus. Il avait été propulsé vers les barriques vides alors que les deux matelots, eux, avaient été projetés contre le bordage. Depuis le temps qu'elle naviguait, c'était la première fois que Marie rencontrait un cargo fou. Le pilote, sans doute, était ivre, ou alors avait-il été ébloui, lui aussi, par l'extraordinaire lumière de ce matin d'avril. Marie se précipita vers Vivien qui, assommé par le choc, reprenait conscience lentement. Près d'elle, les matelots se relevaient, saignant un peu des coudes et du front. Vivien gémit puis se redressa :

— C'est rien, dit-il.

Et aussitôt, avec colère :

— Mais qu'est-ce qui lui a pris ?

Marie se rendit compte qu'elle n'avait même pas eu le temps d'avoir peur. Depuis deux ans, c'était le premier accident qui survenait sur le fleuve. Elle avait presque fini par oublier qu'il existait un danger, ici, aussi bien que dans le haut-pays. Et pourtant, malgré tout, elle ne ressentait pas les choses de la même façon. En aidant Vivien à se relever, elle eut la conviction que la lumière qui l'accompagnait désormais avait définitivement chassé le malheur de sa vie.

N'apercevant plus le *Vincent* derrière lui, Benjamin s'était arrêté sur un perré, puis, à la renverse, était retourné vers le confluent. L'échouage n'avait pas causé d'avarie au *Vincent*. On avait donc simplement attendu la marée haute, et le courau s'était désensablé tout seul. Puis, avec le jusant, on était reparti vers Blaye avec une demi-journée de retard. Debout au gouvernail, Benjamin se félicitait de ce que les couraux fussent solidement bâtis. En tout cas beaucoup plus que les gabares du haut-pays qui n'eussent pas résisté à un tel échouage.

Le *Victorien,* lui, qui jaugeait soixante-dix tonneaux et mesurait vingt mètres de long et cinq de large, était un bateau taillé pour la mer bordelaise et les coups de vent de la marée. Au contraire des gabares à fond plat, il avait une quille de presque deux mètres et portait un mât, des haubans, un gréement qui lui permettaient de remonter au vent dans l'estuaire.

Si Benjamin était fier de ses deux couraux (qu'il avait presque fini de payer), il rêvait d'autre chose : Ludovic Clarétie, comme la plupart des marchands de Libourne, avait noué des relations avec des négociants du port de Dunkerque et souhaitait leur livrer lui-même le vin tout au long de l'année.

— Je finance le bateau, avait dit Clarétie à Benjamin, et tu prends le commandement. Cent trente tonneaux. Deux mâts. Six matelots. Te voilà capitaine au long cours.

Benjamin n'avait pas dit non, mais il s'inquiétait de cette course folle à laquelle l'incitait le marchand. Où s'arrêterait-il ? Au reste, Benjamin était heureux sur le fleuve avec ses deux bateaux, et il sentait confusément qu'il ne devait pas trop s'éloigner de Marie. Elle se disait guérie, mais elle avait changé. Il lui semblait qu'il devait prendre le temps de profiter de cette vie qui lui était offerte et qui, depuis deux ans, le contentait. Il ne se sentait pas prêt à se lancer dans une nouvelle aventure, car l'accident du Gibanel était toujours présent dans sa mémoire. Il pensait souvent à la veuve de son prouvier et ne manquait jamais d'envoyer un peu d'argent pour elle à Jean, dont il n'avait guère de nouvelles.

Il sentait aussi que le fossé creusé entre Marie et lui n'était toujours pas comblé, et il ne tenait pas à le creuser davantage en naviguant sans elle. Il ne pouvait pas non plus se réconcilier avec Aubin : c'eût été renier toutes ces années où il s'était battu, s'avouer vaincu par le chemin de fer. Non, c'était au-dessus de ses forces. Il n'oubliait pas que cette blessure avait joué un rôle dans la maladie de Marie, mais s'il avait tout fait pour qu'elle guérît, même précipité le départ de Spontour, il ne pouvait toujours pas adresser la parole à un homme, fût-il son fils, qui travaillait pour ceux qui l'avaient ruiné.

Même s'il se plaisait dans le bas-pays où la proximité de la mer et le vent du large l'exaltaient, il pensait souvent à Souillac, comme Marie. Cependant ils n'en parlaient pas. Car la plaie n'était pas renfermée et ils ne pouvaient pas vivre tournés vers le passé. Alors il rêvait! Il rêvait qu'un jour, bientôt, il deviendrait capitaine d'un navire de mer, qu'il retrouverait la fougue de ses vingt ans, quand il montait au mât de misaine et que la tempête semblait vouloir engloutir le *Duguay-Trouin*. Et de penser à ce bateau le faisait songer à Pierre qui était mort là-bas, si loin, et à sa mère disparue dans la solitude et le dénuement. Aussi, chaque fois qu'il remontait jusqu'à Bergerac, il ne manquait jamais d'aller se recueillir sur la tombe des Bourdelle et de la fleurir...

La proximité de Blaye ramena Benjamin à la vigilance. Mais le danger, ici, n'était pas grand, car ce n'était pas l'activité des ports de Bordeaux ou de Libourne. Il n'eut aucune difficulté à accoster à l'endroit exact où attendaient les barriques de vin. Puis, tandis que les deux matelots et Vivien chargeaient les tonneaux pleins, Benjamin paya le marchand blayais. Ludovic Clarétie, en effet, lui faisait confiance et, pour gagner du temps, lui remettait de quoi payer. Ensuite, comme il était midi passé, l'on déjeuna sur les bateaux afin de pouvoir repartir le plus vite possible en profitant du jusant.

Il fallait, pour aller à Pauillac, traverser la Gironde et remonter du côté bâbord de l'île Bouchaud et de l'île Philippe. Entre les îles et la rive gauche de la Gironde, le fleuve était moins large et les couraux devaient se montrer plus prudents qu'en amont, non pas à cause du trafic de remonte (il était presque nul à cause du jusant), mais à cause des pêcheurs qui barraient l'estuaire avec leurs filets. Il s'agissait donc de se glisser entre les yoles et les filadières, et les incidents n'étaient pas rares entre les bateaux de cabotage et ceux de la pêche fluviale. L'an passé, Benjamin avait emporté un filet avec son courau, et il avait failli en venir aux mains avec les pêcheurs qui l'avaient poursuivi jusqu'à Pauillac. Finalement, tout s'était arrangé lorsqu'il avait accepté de payer la moitié de la réparation du filet. Il savait que pour Ludovic Clarétie il valait mieux payer que de perdre du temps.

Au-delà de Pauillac, l'estuaire, débarrassé des grandes îles qui l'encombraient, s'ouvrait sur la mer. Là, il semblait à Benjamin que le fort du Verdon et le phare de Cordouan l'attendaient, comme ce jour lointain où, fou de désespoir, il était allé se perdre dans l'océan jusqu'à ce que le souvenir de Victorien l'oblige à reprendre le combat. Là, également, il pensait toujours à la proposition de Ludovic Clarétie et, chaque fois, fouetté par l'air du large, ébloui par une lumière à nulle autre pareille, il se disait qu'un jour, bientôt, il poursuivrait sa route au lieu d'accoster à Pauillac et deviendrait enfin l'homme qu'il avait toujours rêvé d'être.

Il faisait si chaud, en ce début juin, que Marie, malgré les plaintes de Mathilde, avait laissé la porte ouverte pour laisser entrer un peu d'air. Il était sept heures du soir et l'enfant n'était pas encore né, bien que Mathilde eût ressenti les premières douleurs à midi. Ses deux fils étaient chez une voisine. Aubin n'était pas encore rentré du travail. La sage-femme (une mégère à chignon qui avait très mauvais caractère) n'en finissait pas de s'agiter entre la chambre et la cuisine, donnant des ordres à Marie qui lui obéissait dans la seconde même pour ne pas compliquer les choses.

Cela faisait huit jours que Marie était arrivée à Périgueux, car Mathilde était épuisée par sa grossesse et ne pouvait plus s'occuper de ses enfants. Heureusement que Vivien barrait le *Vincent* à sa place, sans quoi Marie aurait eu beaucoup de mal à convaincre Benjamin de la nécessité de passer tant de temps à

Périgueux. D'ailleurs, même avec de bonnes raisons, ça n'avait pas été facile :

— Comment avons-nous fait, nous, à ces moments-là ? avait-il demandé avec cette même hostilité dont il ne se départissait pas chaque fois qu'il était question d'Aubin et de sa famille.

— Nous avions Élina. Mon devoir est de faire pour eux ce que ta mère a fait pour nous, avait-elle répondu.

Il n'avait pas insisté, mais elle l'avait senti près d'exploser, bien qu'elle feignît de ne pas accorder d'importance à ces disputes de plus en plus fréquentes. Élina n'était-elle pas là, en son absence, pour veiller sur la maison ? Aussi Marie était-elle partie en voiture pour Périgueux sans le moindre remords.

Et ce soir, dans la chaleur de cette soirée qui n'en finissait pas de prolonger la lumière du jour, elle s'inquiétait du temps que mettait à naître l'enfant qui, selon la sage-femme, se présentait très mal. Quand Aubin arriva, sale, noir, les traits tirés par la fatigue, l'enfant n'était pas encore là. Marie donna à manger à Aubin dans la cuisine, tandis qu'ils entendaient Mathilde gémir dans la pièce d'à côté. Aubin avait un regard farouche, fiévreux. Sans doute sortait-il d'une réunion avec ses amis républicains. Marie ne reconnaissait plus l'enfant épanoui des rives de la Dordogne, celui à qui elle avait appris à nager dès son plus jeune âge et qui aimait tant l'eau. Et aujourd'hui il vivait dans ce quartier du Toulon où semblait régner la misère, engagé dans un combat qui ne pouvait que le briser.

Ce soir-là, elle en voulait à Benjamin plus que de coutume. S'il avait été là, elle lui aurait dit tout ce qu'elle gardait au fond de son cœur depuis des années. Heureusement, des vagissements d'enfant la tirèrent de ses pensées. Soulagée, elle se précipita dans la chambre.

— Un garçon ! dit la sage-femme en brandissant le bébé à bout de bras. Et pas n'importe lequel : il doit peser huit livres !

Elle revint dans la cuisine où Aubin, inquiet, s'était levé :

— Tu as un fils ! dit-elle. Viens voir comme il est beau !

Ils passèrent dans la chambre, s'attendrirent devant l'enfant, puis réconfortèrent Mathilde qui était épuisée. Aubin resta un moment avec elle, fut chassé par la sage-femme qui avait encore à faire.

— Je n'ai pas assez d'eau! grogna-t-elle.

Marie et Aubin prirent chacun un seau et sortirent. Il ne faisait pas nuit. Des hirondelles tournaient au-dessus des maisons en criant, des enfants demi-nus passaient dans les rues, les hommes et les femmes du Toulon étaient sur les seuils à la recherche de la fraîcheur du soir.

— C'est un fils! répondait Aubin devant chaque maison où l'on savait ce qui se passait chez lui.

— Comment allez-vous l'appeler? demandaient les femmes.

— Éloi! répondait Aubin.

Et on l'invitait à entrer pour fêter l'événement. Marie se rendait compte alors à quel point il était estimé par ses compagnons de travail, et il lui semblait que la pauvreté des lieux, dans cette soirée paisible de juin et la joie de la naissance, devenait belle, aussi, et chaude, et rassurante. Non! Aubin et les siens n'étaient pas seuls. Ils avaient une famille, ici, et ils n'étaient certainement pas malheureux. D'ailleurs les femmes se proposaient pour venir les aider, les hommes pour porter l'eau, et Aubin devait refuser ces offres avec précaution pour ne pas les fâcher.

Ils arrivèrent enfin devant le puits qui alimentait en eau tout le quartier. Ils remplirent leurs seaux en écoutant, tout près, le chant d'une femme qui essayait d'endormir un enfant. La nuit commençait à tomber, apportant enfin un peu d'air frais au parfum de chèvrefeuille. Des hommes vinrent féliciter Aubin, l'embrassèrent. Il avait été convenu qu'il devait dormir chez l'un d'entre eux, qui se prénommait Gustave. Comme tous les ouvriers du chantier, il était vêtu de ses vêtements de travail gris et sales mais il était seul à porter un foulard rouge autour du cou.

194

— Quand tu voudras, dit-il à Aubin. Je t'attends devant la porte.

Marie et Aubin retournèrent chez eux, mais ils mirent beaucoup de temps pour y parvenir, car il fallut donner des explications sur le nouveau-né devant chaque maison. Quand ils y arrivèrent enfin, la sage-femme était furieuse. Comme Aubin allait répliquer, Marie lui dit d'aller se reposer : elle allait s'occuper de Mathilde. Aubin embrassa sa femme, puis il partit retrouver son ami. Marie aida la sage-femme jusqu'à plus de minuit, puis celle-ci s'en alla et Marie put enfin se coucher.

Les jours suivants, Marie s'occupa de Mathilde, de ses enfants, d'Éloi et de la maison. Mathilde, qui n'avait plus de forces, ne pouvait pas se lever. Une voisine vint remplacer Marie pendant quarante-huit heures, le temps qu'elle aille à Libourne donner des nouvelles et prendre des dispositions. Elle n'attendit heureusement pas longtemps Benjamin et Vivien qui étaient à Sainte-Foy. Quand Benjamin arriva, le soir, elle lui annonça qu'il était grand-père avec une joie qu'il ne partagea pas. Elle en fut d'autant plus blessée qu'elle avait vraiment compté sur cette naissance pour le fléchir.

— Tu viendras le voir, j'espère ! fit-elle, avec des larmes dans les yeux.

— Tu n'as qu'a me l'amener.

— Je ne pourrai pas. Sa mère le nourrit au sein et elle est très fatiguée.

— Alors ça attendra ! fit-il avec une froideur et une hostilité qui la blessèrent une nouvelle fois.

Mais la douleur fut telle, ce soir-là, qu'elle trouva subitement les forces qui lui avaient manqué si souvent pour l'affronter.

— Je dois les aider, répondit-elle. Mathilde ne peut pas se lever. Il faudra que j'y revienne deux ou trois fois par semaine.

— Ah, oui ! Et comment feras-tu ?

Elle laissa passer quelques secondes, le temps de rassembler son courage et répondit d'une voix blanche :

195

— Je prendrai le train.

Un grand silence s'installa dans la cuisine. Même Élina, qui touillait un ragoût avec une louche, retint son geste. Marie, qui n'avait pas baissé les yeux, vit pâlir Benjamin et ses mâchoires se crisper. Quand il se leva, défiguré par la colère, elle crut qu'il allait la frapper.

— Tu ne prendras pas le train ! cria-t-il.

— Je ne peux pas faire autrement. En voiture, il faut presque un après-midi, et en train il faut deux heures seulement.

— Tu ne prendras pas le train, répéta-t-il, ou alors...

Élina mit le plat sur la table, s'interposant entre eux par sa seule présence, sans prononcer un mot.

— Je ne peux pas faire autrement, répéta Marie avec une telle lassitude dans la voix qu'il en fut un instant bouleversé.

Et elle ajouta, tout bas, avec humilité mais avec fermeté

— Si tu ne veux pas le comprendre, je resterai là-bas.

Il cogna alors si fort sur la table que les assiettes en furent soulevées, puis, livide, le regard fou, il s'en alla en claquant si fort la porte derrière lui qu'il brisa la poignée.

Durant tout l'été Mathilde fut malade et ne put se lever. Marie vint l'aider comme elle le lui avait promis et elle vit peu Benjamin qui s'arrangeait toujours pour naviguer quand elle passait à Libourne. Heureusement, Élina veillait et la rassurait :

— Ne t'inquiète pas, lui disait-elle ; il finira bien par accepter tout ça.

Mais Marie souffrait de plus en plus de ce fossé qui devenait entre eux chaque jour plus profond. Elle avait recommencé à tousser, sans s'en inquiéter au début, mais plus le temps passait et plus les voyages à Périgueux la fatiguaient.

En septembre, Mathilde étant enfin sur pied, Marie cessa d'aller à Périgueux aussi souvent, remonta sur les bateaux, mais sans revendiquer le gouvernail du *Vincent* que tenait désormais Vivien. Un soir qu'ils rentraient à pied depuis le quai du Priourat dans la rue Fontneuve, Benjamin lui dit :

— J'ai accepté l'offre de Clarétie. Il va mettre en chantier un cent trente tonneaux pour aller à Dunkerque. C'est moi qui le commanderai.

Marie crut que les murs des maisons s'écroulaient autour d'elle. Elle sentit ses jambes fléchir, mais ne dit pas un mot. Le soir, avant de se coucher, elle eut un malaise qu'elle parvint à dissimuler mais, à partir de ce jour, elle recommença à ressentir les effets de la maladie dont elle s'était crue définitivement guérie.

En octobre, elle dut revenir voir le médecin libournais qui s'était déjà occupé d'elle et qui, l'ayant auscultée, ne lui fit pas mystère des dangers qu'elle courait :

— Je vous l'ai déjà dit, madame, fit-il avec un rien d'agacement dans la voix : nous sommes presque impuissants. Tout ce que nous prescrivons tient en trois remèdes : repos, bonne nourriture, soleil. Or vous êtes à bout de forces. Comment voulez-vous guérir ?

Elle lui expliqua qu'elle avait dû aider sa belle-fille qui venait d'accoucher mais ne lui parla pas de Benjamin. Pas plus qu'elle, il n'aurait compris l'acharnement qu'il mettait à combattre son fils. Elle était tellement désespérée qu'elle ne put cacher au médecin les deux larmes qui débordèrent de ses yeux. Celui-ci se radoucit alors, réfléchit, déclara :

— Il faudrait passer l'hiver à Arcachon. Il y a sur les hauteurs des villas qui sont de véritables sanatoriums.

Et il expliqua comment un médecin cousin des banquiers Pereire (qui étaient propriétaires de milliers d'hectares de pins sur les collines) avait remarqué que les marins et les résiniers, malgré des conditions d'hygiène lamentables, n'étaient jamais atteints par la phtisie. Les frères Pereire avaient alors monté une colossale opération immobilière avec villas, parcs à l'anglaise, rues et allées dessinées pour éviter les courants d'air, que l'empereur en personne avait inaugurés avec sa femme et le petit prince. Depuis, tous les riches phtisiques d'Europe venaient là plutôt que d'aller sur la côte méditerranéenne.

— Les résultats y sont très bons, ajouta le médecin, et les guérisons nombreuses. Si vous ne pouvez pas y passer toute l'année, passez-y au moins l'hiver.

Au nom de l'empereur, Marie avait frissonné. Elle se contenta de répondre, après avoir remercié :

— Je ne pourrai pas payer. Et d'ailleurs je ne peux pas abandonner mon mari pendant trois mois.

— Cinq mois seraient mieux, observa le médecin.

Marie secoua la tête en souriant.

— Ce n'est pas possible, dit-elle.

Le médecin, qui avait la cinquantaine énergique et n'était pas habitué à ce que les malades ne lui obéissent pas, planta son regard clair dans celui de Marie, murmura :

— Ce qui est possible, madame, c'est que dans un an vous ne soyez plus là...

Et il ajouta, haussant légèrement la voix :

— Disons plutôt que c'est probable.

Marie, à ces mots, pensa à Émeline. En même temps, une sorte de renoncement s'abattit sur elle. A quoi bon se battre, sans répit, chaque jour, puisque Benjamin avait choisi de vivre sans elle ? Le médecin comprit qu'il devait forcer les choses :

— Revenez me voir dans un mois, dit-il. J'aurais trouvé une solution. Ça ne vous coûtera rien, ou pas grand-chose.

Elle balbutia quelques mots de remerciements, s'engagea à revenir le voir un mois plus tard et s'en alla. En chemin, cependant, elle s'en voulut de son renoncement en pensant à Aubin, à Mathilde, à Émilien qui finirait bien par revenir, à Élina qui restait seule trop souvent dans la rue Fontneuve, malgré son âge avancé, et qui allait de plus en plus avoir besoin d'elle. Il fallait qu'elle guérît, sinon pour elle, du moins pour ceux qui l'aimaient.

Le soir où Benjamin revint et qu'ils se retrouvèrent à table avec Élina, elle n'hésita pas à lui avouer qu'elle devait passer quelques mois à Arcachon. Elle ne rapporta pas les paroles exactes du médecin, mais Élina et Benjamin surent à quoi s'en tenir. Ne l'entendaient-ils pas de nouveau tousser depuis plusieurs semaines ? Benjamin ne lui posa pas la moindre question. Elle devina dans son regard une réelle inquiétude et il se montra prévenant durant les jours où il resta à quai. Quant à Élina, elle rassura Marie : elle se débrouillerait seule. L'essentiel était de guérir. Elles auraient ensuite tout le loisir de se retrouver et d'aller se promener sur les quais, comme elles en avaient pris l'habitude, le dimanche, pendant les beaux jours.

Un mois plus tard, le médecin libournais annonça à Marie qu'il lui avait trouvé une place de dame de compagnie auprès d'une personne âgée, malade elle aussi, qui louait chaque année une villa pendant les mois d'hiver. Elle employait une cuisinière qui lui servait aussi de femme de chambre. Marie n'aurait donc pas trop de travail. Elle pourrait se reposer sans que cela lui coûte de l'argent et se trouverait dans les meilleures conditions pour guérir. Elle était attendue pour la fin novembre.

Marie ne sut comment remercier, se perdit dans des mots dont elle n'avait pas l'habitude, se troubla.

— Ne me remerciez pas, madame, dit le médecin, cela vous était dû.

Il la dévisagea avec gravité, reprit .

— Il n'y a pas de hasard dans la vie.

Et, comme elle ne comprenait rien à ce qu'il voulait dire, il lui tendit un carton sur lequel était écrit :

Madame veuve Desplas, villa Richelieu,
Arcachon.

Elle pâlit, n'osa relever la tête, se retrouva à Sainte-Foy-la-Grande, au temps où elle transportait les armes pour les républicains. Elle revit le grand homme élégant, au regard sombre, à la cravate de soie qui parlait avec tant d'aisance et de distinction. Elle demanda à mi-voix :

— Il est mort ?

— Non, madame. Il est en Angleterre. C'est sa mère qui loue la villa Richelieu. Mais les temps ont changé : il vient souvent en France pour la voir.

— Et vous, donc ? fit Marie, osant enfin regarder le médecin.

— Octave est un ami. Nous avons mené le même combat. Quand je lui ai parlé de vous, il s'est souvenu. Vous voyez ? C'est tout simple.

— Mais vous ? fit-elle avec la méfiance qu'elle avait apprise durant cette période folle de sa vie, comment avez-vous su ?

— Je n'ai rien su jusqu'au jour où j'ai parlé de vous à Octave. J'ai donné votre nom. Il est ravi de vous rendre ce service après les risques que vous avez pris à l'époque.

Elle était sûre, pourtant, qu'Octave Desplas était mort. Mais elle se souvint brusquement de ce papier glissé sous la porte de sa chambre, la nuit où elle avait appris la mort de Philippe et l'arrestation des républicains : « Le combat continue ! Vive la République ! »

— C'était donc lui ! murmura-t-elle.

— Lui seul a réussi à s'échapper, dit le médecin. Il a franchi la Manche. Mais depuis deux ou trois ans il revient chaque année clandestinement. Vous aurez tout le loisir de le revoir bientôt.

Marie hocha la tête et ne trouva plus rien à dire. Cette réapparition soudaine dans sa vie la stupéfiait. Elle en éprouvait à la fois de l'excitation et la sensation d'une menace, un peu comme à l'époque où elle transportait les armes.

— Revenez me voir au printemps prochain, dit le médecin en se levant. Plus tôt si ça ne va pas.

Elle se dirigea vers la porte du cabinet, se retourna au moment de sortir.

— Merci, dit-elle.

— C'est à lui qu'il faudra le dire, fit le médecin.

En descendant l'escalier de l'hôpital, il lui sembla qu'elle allait reprendre un combat qui allait l'aider à vivre.

Benjamin et Vivien savaient que ce serait une épreuve que de traverser le port de Bordeaux avant de se lancer dans la Garonne. Se glisser entre les voiliers ancrés au milieu du fleuve, ceux qui déchargeaient leurs marchandises près des quais, les barques de pêche, les cargos, les bateaux du port, les couraux et les gabares du cabotage relevait de l'exploit. D'ailleurs les accidents étaient fréquents et ils ne l'ignoraient pas.

Si ce n'avait été le plaisir de remonter la Garonne après le quai de Paludate, Benjamin eût regretté le temps où il s'arrêtait à Lormont ou à La Bastide. Il ne commença à respirer vraiment qu'en doublant l'île d'Arsins, au-delà de laquelle on entrait dans la campagne bordelaise, tandis que d'aimables coteaux se détachaient dans le lointain, au-dessus des arbres de la rive gauche. C'était la première fois qu'ils s'aventuraient sur la Garonne en direction de La Réole, pour aller chercher du vin à Langoiran, Cadillac et Barsac. Une nouvelle initiative de Clarétie, qui semblait aussi bien réussir dans le commerce du vin que dans celui du bois. Il avait même embauché un autre batelier, car les deux couraux de Benjamin ne lui suffisaient plus. Et d'ailleurs, bientôt, Benjamin voguerait vers Dunkerque, ce qui nécessiterait son remplacement sur la Dordogne et la Gironde. « Comment résister à un tel homme ? » se demandait souvent Benjamin qui s'inquiétait parfois de l'enthousiasme du marchand. Il avait donc accepté de remonter la Garonne, et il ne le regrettait plus, maintenant que les dangers de Bordeaux étaient derrière lui.

Le plaisir de la découverte l'arrachait aux impératifs de la navigation, qui était très importante sur le fleuve, bien au-delà de Langon. Il allait être dix heures, ce matin-là, et la lumière était aussi vive qu'entre Ambès et Bordeaux, quoiqu'un peu moins aveuglante, peut-être, en raison de la végétation qui tapissait les rives. Les couraux allaient lentement, portés seulement par le courant de la marée, sans voile, car pour cette première remonte il fallait être prudent. Ils dépassèrent Portets, Langoiran (où ils ne chargeraient qu'au retour) et arrivèrent en vue de Rions, une petite ville fortifiée sur la rive droite de la Garonne.

Et brusquement, alors qu'ils naviguaient dans un silence de cathédrale, un grondement naquit dans le lointain, enfla rapidement, devint bientôt assourdissant. Benjamin se retourna, aperçut un bateau qui se dirigeait sur eux à grande vitesse. Il fit signe à Vivien de se garer sur tribord et manœuvra pour venir au plus près de la berge. Bientôt le grondement ébranla toute la vallée qui en fut comme soufflée par une tempête. C'était *La Garonne,* le bateau à vapeur qui reliait Bordeaux à Agen en transportant des voyageurs. Benjamin vit passer devant lui une énorme cheminée qui vomissait une fumée noire, un long bateau qui portait une grosse verrue en son milieu, des hommes et des femmes impassibles qui ne semblaient pas du tout indisposés par le vacarme.

C'était la première fois qu'il s'approchait si près d'un « vapeur », car il y en avait peu sur la Dordogne. Les vagues qu'il provoqua firent rouler le courau d'un bord sur l'autre, arrachant des jurons à Benjamin. Il regarda disparaître le vapeur à l'horizon, mais le grondement mit longtemps à s'éteindre. Benjamin était furieux, blessé : pour lui, la vapeur sur le fleuve c'était aussi celle des locomotives sur les voies ferrées. Il ne comprenait pas comment on pouvait ainsi souiller la paix d'une vallée et, en même temps, il ressentait la même menace que quelques années auparavant : tous les bateaux n'allaient-ils pas être équipés de la sorte ? A cette idée, le fleuve lui parut tout à coup moins beau et il se dit que cette première remonte en Garonne serait aussi la dernière. Désormais, il refuserait à Clarétie de venir jusqu'ici.

Cette journée, qui avait si bien commencé, en fut définitivement ternie. C'est à peine si Benjamin remarqua le château de Cadillac campé sur son éperon rocheux et, plus loin, face au perré de Barsac où il accosta, le petit bourg de Loupiac séparé de la Garonne par de paisibles cabanes de pêcheurs. Durant tout le temps que l'équipage mit à charger les barriques, il ne décoléra pas. L'après-midi, avec la renverse, il revint vers Cadillac puis vers Langoiran où il prit une nouvelle cargaison de vin. Benjamin demeura fermé, hostile, retrouvant à peine sa voix pour donner des ordres. Les bateaux à vapeur qui le dépassèrent après la renverse avivèrent encore sa blessure. Ils étaient le symbole du seul échec de sa vie, celui de son départ de Souillac et de l'éloignement de Marie. Or Marie avait besoin de lui. Il le sentait. Il en était sûr. Mais lui ne pouvait pas aller vers elle. Et peut-être allait-elle mourir.

Cette pensée l'obséda pendant les deux heures qu'il mit à regagner Bordeaux. Il eut la tentation de céder, d'accepter de voir Aubin — non pas pour Aubin mais pour aider Marie — mais un nouveau bateau à vapeur, remontant le jusant, lui infligea le spectre d'une nouvelle défaite qui serait peut-être encore plus cruelle que la première. Il se réfugia dans l'idée de partir sur l'océan vers Dunkerque, là où la vapeur ne le rejoindrait jamais. C'était s'éloigner davantage encore de Marie et l'abandonner à son sort. Mais pouvait-il faire autrement? Il avait accepté de la laisser aller à Arcachon. Dès qu'il pourrait, il irait lui rendre visite. Il pensa à leurs plongées dans les grands fonds de Souillac, la nuit, et à leurs retrouvailles dans les prairies. « L'été prochain nous y reviendrons », se dit-il. Mais en songeant que sept mois le séparaient de juin, il eut la terrible impression de l'avoir perdue à jamais.

11

Ce mois de janvier était froid, mais sec et ensoleillé. Marie, qui revenait de Libourne où elle était allée passer Noël, avait plaisir à se promener sur les collines parmi les pins. L'air qu'elle respirait ici lui faisait du bien, elle le sentait. Elle profitait des deux heures pendant lesquelles Mme Desplas se reposait, pour sortir. Le reste du temps, elle demeurait près de la vieille dame qui était très faible et très marquée par la maladie. A peine si elle trouvait la force de faire le tour de la villa — d'où on pouvait apercevoir Arcachon et l'océan —, donnant le bras à Marie qui s'était prise d'affection pour elle et l'aidait de son mieux.

Si son corps la trahissait peu à peu, la vieille dame gardait toute sa tête. Elle parlait beaucoup à Marie de son époux décédé dix ans auparavant, de leur vie à Libourne, de son fils Octave qui était en Angleterre. Marie n'avait pas pu garder son secret : elle avait avoué à la vieille dame qu'elle avait connu son fils et lui avait raconté dans quelles circonstances.

— Ainsi vous savez tout de lui, ou presque, avait soupiré la vieille dame.

— Oh non ! avait-elle répondu. Je ne savais pas qu'il était médecin.

— Médecin, oui, comme son père, et comme lui il aurait terminé sa brillante carrière à l'hôpital de Bordeaux si la fièvre de la politique ne s'était emparée de lui.

Mme Desplas avait soupiré, puis repris avec une grande lassitude.

— Mon fils unique... Il a toujours vécu de passions. Mais c'est son exil forcé qui a tué son père. Et moi, je suis là, suspendue à votre bras. Parlez-moi de lui, je vous prie, ça me fera tellement de bien.

Marie avait raconté plusieurs fois leur rencontre à Sainte-Foy, le transport des armes, la présence de Philippe à ses côtés et le drame qui s'en était suivi, mais la vieille dame ne s'en satisfaisait pas.

— Comment était-il, alors ? demandait-elle.

Et Marie décrivait l'homme élégant qu'elle avait découvert, l'influence qu'il exerçait naturellement sur les autres, et chaque fois elle revoyait le regard profond et noir qu'elle n'avait pu oublier.

— Il ne s'est jamais marié, reprenait la vieille dame. Il lisait, il étudiait, il soignait. Et moi je le regardais vivre en me disant que c'était ce que j'avais fait de plus beau dans ma vie. Aujourd'hui qu'il est loin, je passe mon temps à l'attendre. Et c'est vers lui que vont mes premières pensées, chaque jour, en me levant...

Ce soir-là, en rentrant de sa promenade, Marie avait poussé davantage vers le Pyla et s'était assise un moment face au bassin. La mer l'avait toujours apaisée. Et le ciel rouge à l'horizon semblait précipiter le coucher du soleil pour une paix meilleure. Marie s'allongea sur le sable, appuya sa tête sur un coude et songea aux hasards de la vie. Qui l'avait mise en situation de revoir Octave Desplas et pourquoi ? Elle n'en était pas inquiète, mais seulement curieuse. Après son arrivée dans la belle villa d'Arcachon, elle avait retrouvé sa confiance car elle sentait que la maladie, de nouveau, s'éloignait. Et la perspective de devoir revenir à Arcachon chaque hiver ne lui déplaisait pas, au contraire.

Elle se laissa aller sur le dos, ferma les yeux puis les ouvrit brusquement sur le ciel sans nuages. Le vent faisait gicler le sable sur ses joues. L'air fraîchissait. Elle rentra par la route d'où, entre les maisons et les pins, on aperçoit les flots immobiles. Une fois à la villa, dès qu'elle referma la porte, elle entendit des voix dans le salon.

Elle reconnut alors la voix de Mme Desplas et tout de suite après la seconde voix, grave, ferme, avec, pourtant, lors de certaines intonations, quelques failles où l'on devinait encore les accents de la jeunesse. Elle s'arrêta, n'osant entrer dans le salon. Mais la vieille dame l'avait entendue :

— Entrez, Marie... Entrez, je vous en prie.

Elle obéit, l'aperçut tout de suite tandis qu'il se levait, élégamment vêtu comme à son habitude, venant vers elle pour lui baiser la main. Elle croisa furtivement son regard fiévreux et sombre, songea qu'il avait vieilli. Ses cheveux noirs désormais grisonnaient, les traits de son visage, naturellement expressifs, s'étaient encore creusés.

— Je ne voudrais pas vous déranger, dit-elle en restant debout au lieu de s'asseoir.

— Pas du tout, Marie, dit Mme Desplas. Octave est arrivé dès votre départ. Je dois aller me reposer et je vous demande de bien vouloir lui tenir compagnie.

— S'il vous plaît! dit Octave Desplas en l'invitant à s'asseoir.

La vieille dame regagna la chambre et Marie, qui n'avait pu dire un mot, se retrouva seule avec Desplas, incapable de briser le silence qui s'était installé dans la pièce. Ce fut lui qui parla le premier d'une voix étrangement calme qui la surprit un peu, habituée qu'elle était à la sentir vibrer d'enthousiasme :

— Vous avez bien de la chance, madame, de ne pas accuser le poids des années.

Et il ajouta, tandis qu'elle souriait, amusée :

— Vous n'avez jamais été si belle.

Le sourire de Marie s'effaça sur ses lèvres. Elle avait toujours su que cet homme était habitué à séduire, mais elle n'aurait pas pensé qu'il s'intéressât à elle de la sorte.

206

— J'ai plus de quarante ans ! fit-elle délibérément, pour lui faire comprendre qu'elle ne le suivrait pas sur ce terrain-là.

— Non, madame, dit-il, pour moi vous ne les aurez jamais. Et cela seul m'importe.

Elle reconnut là l'autorité naturelle dont il usait avec les uns et les autres, se sentit glisser sous le charme de cette voix si chaude et si grave qui, dès la première fois, l'avait bouleversée.

— Je ne vous serai jamais assez reconnaissant de prendre aussi bien soin de ma mère que vous le faites.

— Ne renversez pas les rôles, dit Marie, vous savez bien que c'est moi qui dois vous remercier.

Un large sourire éclaira le visage de Desplas.

— Non, madame, dit-il, même pas. Car vous allez m'être utile et cela n'a pas de prix. Je possède des documents à faire parvenir à Bordeaux et Libourne. Vous voyez ? C'est moi qui suis votre débiteur.

Marie, outrée, voulut se lever et partir. Cet homme était encore plus redoutable qu'elle ne l'avait jamais imaginé. Il maniait la soie et le crin à sa guise, réduisait ses interlocuteurs à sa merci comme il le souhaitait.

— Et vous pensez que je vais accepter ? se rebella-t-elle d'une voix glaciale.

— Oui, madame, fit-il, mais pas pour les raisons que vous croyez.

Décidément, elle n'était pas de taille à lutter avec lui. Elle se demanda s'il n'avait pas accepté de la recevoir chez sa mère uniquement pour pouvoir se servir d'elle.

— Non parce que vous avez besoin de venir ici pour vous soigner, reprit-il, mais parce que vous étiez sincère dans votre combat, et qu'aujourd'hui il arrive à terme.

Il laissa couler quelques secondes, jeta négligemment un regard vers le feu allumé dans la cheminée, poursuivit :

— Les dernières élections ont montré que l'Empire était condamné. Même les réformes qu'il a lancées n'y pourront rien. Là n'est pas d'ailleurs l'essentiel, madame. La Prusse veut la guerre. Bismarck est prêt et notre armée vit dans

207

l'anarchie. Écoutez bien ce que je vous dis aujourd'hui : la République sera proclamée avant un an, mais nous la payerons très cher.

Marie réfléchit un instant, silencieuse, troublée par les certitudes de Desplas. Comment ne pas croire cet homme qui devait se mouvoir dans les milieux les mieux informés ?

— Puisque vous êtes si sûr de vous, fit-elle sans la moindre chaleur, je ne vois pas pourquoi vous avez besoin de moi.

Desplas prit le temps de se servir un fond de liqueur dans un verre, en proposa à Marie qui refusa, puis il se redressa dans son fauteuil et reprit :

— Les documents que vous porterez ne sont pas seulement destinés à Bordeaux et Libourne. Il y en a aussi pour Périgueux.

Marie sentit un frisson glacé courir sur sa colonne vertébrale. Cet homme était le diable. Elle avait deviné ce qui allait suivre avant même que de l'entendre :

— Ils seront très utiles à votre fils.

— Aubin ! fit-elle, près de jaillir de son fauteuil. Vous le connaissez donc ?

— Non, madame. Je ne l'ai jamais vu. Mais pour nous il fait partie de ceux qui, là-bas, comptent le plus.

Cela faisait à peine dix minutes qu'elle parlait avec Desplas et déjà, comme à Sainte-Foy il y avait quelques années, elle ne se sentait pas de taille à s'opposer à sa volonté. Mais qui était cet homme qui savait si bien subjuguer ceux qui l'approchaient ? Un sursaut de révolte lui fit demander :

— Est-ce que ce sera tout ?

Il sourit, répondit :

— J'aimerais que vous m'accompagniez dans le jardin pour faire quelques pas.

— Je suis fatiguée, dit-elle, et si ce n'est pas trop abuser de votre hospitalité, je préférerais regagner ma chambre.

Il se leva à demi, sourit.

— Comme vous voudrez, dit-il, nos retrouvailles pour le dîner n'en seront que plus agréables.

Elle sortit sans répondre et sans lui accorder le moindre regard.

Benjamin s'assit face à sa mère pour le repas du soir et se mit à manger sans la regarder. Élina, d'abord, fit de même, puis elle demanda, avec ce sourire qui lui était si familier :

— Elle te manque donc autant qu'à moi ?

Il releva la tête et retrouva, comme chaque fois que son regard se posait sur elle, la même impression de retomber brusquement en enfance. Et il avait plus de cinquante ans ! Mais ces yeux clairs, ces cheveux blancs sagement noués en chignon sur la nuque, ce sourire qui illuminait son visage étaient ceux d'une mère et il savait quelle chance c'était, pour lui, de l'avoir encore à ses côtés. D'ailleurs, le fait de se retrouver seuls dans la maison de la rue Fontneuve, depuis que Marie était à Arcachon, les avait rapprochés davantage. A soixante-seize ans, Élina était toujours alerte, vive et pleine d'optimisme.

— Vous le savez bien, dit-il. D'ailleurs n'est-ce pas aussi le cas pour vous depuis que mon père est mort ?

— Moi, je n'ai rien pu faire pour le garder près de moi, dit-elle, mais toi, es-tu sûr d'avoir fait tout ce que tu devais ?

C'était la première fois qu'elle se permettait d'intervenir ainsi dans sa vie, et il en fut si surpris qu'il ne répondit pas sur-le-champ. Cette phrase, pourtant prononcée avec douceur, vint lui confirmer ce qu'il savait déjà : il portait une grosse part de responsabilité dans la maladie de Marie.

— Et ton fils ? poursuivit-elle, pourquoi refuses-tu encore de le voir ? Tu ne crois pas que ça a assez duré comme ça ?

Comment répliquer à l'infinie tendresse de cette femme qui avait toujours su aimer les siens plus qu'elle-même ? Il garda le silence, ne pouvant avec elle employer ses armes favorites : la violence des mots ou la froideur. Quelques secondes passèrent, durant lesquelles Élina porta un plat de pommes de terre sur la table, puis, quand elle lui tendit la cuillère, leurs regards se croisèrent. Il vit alors qu'elle lui souriait.

— Je pars demain pour Dunkerque, dit-il brusquement, comme s'il désirait se délivrer d'un secret.

C'est vrai qu'il s'en voulait de la laisser seule et qu'il ne savait comment le lui annoncer. Certes, il y avait bien à Libourne la femme de Vivien et leurs enfants, mais ils habitaient dans la rue des Guîtres, et cela n'empêchait pas qu'Élina, en l'absence de Marie, mangeait seule, dormait seule, vivait seule. A soixante-seize ans ! Et si elle tombait malade, une nuit, sans personne pour l'aider !

— Qu'est-ce que ça va changer ? dit-elle calmement. Je suis habituée. Vous, les hommes, n'êtes-vous pas toujours partis sur l'eau ?

Il hocha la tête, répondit :

— J'ai toujours rêvé de l'océan et aujourd'hui que je vais réaliser ce rêve, j'ai des remords.

— Le seul remords que tu puisses avoir, dit-elle, c'est d'avoir décidé de ne plus parler à ton fils

Il ferma les yeux, soupira

— J'ai déjà dit à Marie que je ne pouvais pas. Vous comprenez ça ? Je ne peux pas.

— C'est pourtant simple, fit-elle.

— Pas pour moi.

— Et son enfant ?

— Je n'ai jamais refusé de le voir.

— Et Marie ?

— Quoi ? Marie ?

— Elle ne guérira pas.

Il posa sa cuillère, demanda :

— C'est vous qui me dites ça, alors que grâce à vous nous avons toujours guéri de tout.

— Pas cette fois, Benjamin. Tu ne peux pas savoir ce que représente un enfant pour sa mère.

— Ce n'est pas un enfant, c'est un homme.

— Pour elle, c'est son enfant, et tu le renies.

210

— Je ne le renie pas ; je ne veux pas le voir, c'est tout.

— C'est la même chose !

— Pas pour moi.

Il avait presque crié. Les deux yeux clairs d'Élina brillaient étrangement. Il détourna vivement les siens, ne pouvant se mesurer à l'immense tendresse qu'il y lisait, et qui lui donnait la certitude d'en être indigne.

— Je ne t'ai jamais rien demandé, dit-elle, mais aujourd'hui...

— Non ! Mère ! S'il vous plaît ! N'ajoutez rien, la coupa-t-il en se dressant à demi.

Elle se tut, repoussa son assiette, soupira puis reprit :

— Je ne te demanderai rien, c'est entendu. Mais je veux que tu saches une chose : c'est que ton père, lui, dans les mêmes conditions, il serait allé vers toi.

Il ferma les yeux, revit en un éclair Victorien devant son lit à l'hôpital de Bordeaux. « Prends mes jambes, petit ! disait-il, je serai heureux pourvu que tu vives debout. » Mais, aussitôt après, Benjamin se souvint du bouvier qui l'avait humilié en public en refusant de prendre sa cordelle. Et tout cela parce que le chemin de fer lui volait ses marchés. Pourquoi donc les femmes ne pouvaient-elles pas comprendre que refuser d'abdiquer devant son fils c'était aussi refuser d'abdiquer devant le chemin de fer ? Et que c'était vital pour lui ?

— Il faut que j'aille me coucher, dit-il en repoussant doucement son couvert. Demain, je me lève à six heures.

Élina ne chercha pas à le retenir. Elle le regarda disparaître dans l'escalier, persuadée que bientôt il pourrait enfin entendre sa voix.

Quatre jours plus tard, Benjamin entrait dans la Gironde au gouvernail de la goélette *Ludovic* qui appartenait à Clarétie, le marchand libournais. A son bord se trouvaient cinq hommes d'équipage et un mousse prêts à hisser les voiles, dès qu'il en donnerait l'ordre. Heureusement, ce matin-là, malgré le froid, le temps était clair. Car Benjamin n'avait eu que huit jours pour se familiariser avec le bateau, ses deux mâts et ses cent trente tonneaux qui en faisaient un navire de haute mer. Le danger le plus important, du fait que la quille de la goélette était beaucoup plus grosse que celle des couraux, était les bancs de sable nombreux entre les îles et la rive droite. Mais depuis le temps qu'il venait en Médoc, Benjamin connaissait bien les passes. Aussi n'avait-il pas connu de grosses difficultés pour remonter jusqu'à Blaye, Pauillac, puis Talmont, le fort du Verdon et enfin le phare de Cordouan qui ouvrait les portes de l'océan.

Depuis combien de temps attendait-il ce moment? Depuis des années! Peut-être même depuis toujours. Certes, il avait passé le phare une fois, mais dans quelles conditions! Aujourd'hui, il était capitaine d'une goélette alors que la première fois il était un vaincu que le désespoir envoyait là pour se perdre. Et même s'il avait pour instruction de ne pas s'éloigner des côtes de plus de vingt milles marins, il naviguait avec, devant lui, l'immensité de l'océan et du ciel réunis, là-bas, à l'horizon.

Sur cette mer étonnamment calme de janvier, il avait oublié ce qui s'était passé les jours précédents. Il était tout à son plaisir, à sa fierté, se refusait à penser qu'un jour, peut-être demain, le temps fraîchirait. Il ne pensait ni à Élina, ni à Marie, ni à ce qu'il avait vécu dans le haut-pays. Il respirait à pleins poumons l'air marin qui était vierge de toute odeur de terre depuis des milliers de kilomètres, il regardait ses mâts, le grand et l'artimon, ses focs, ses drisses, sa grand-voile dans laquelle s'engouffrait le vent de sud-ouest, tandis que la goélette fendait l'eau avec la douceur d'une caresse.

Passé les côtes de Saintonge, et malgré le trafic assez important, il put se laisser aller à sa passion du large en oubliant l'appréhension qui l'habitait depuis le départ de Libourne. Le beau temps lui laissa apercevoir la côte sur tribord : l'île d'Oléron, puis La Rochelle, Nantes et l'estuaire de la Loire le lendemain, qu'il devina plus qu'il ne le distingua dans la brume qui se levait. Elle amena le vent et, au milieu de la journée, la pluie et le gros temps. Dès son premier voyage, Benjamin comprit qu'il allait devoir montrer à son équipage et à lui-même de quoi il était capable.

Ce fut à l'approche de la Bretagne que le grain fondit brusquement sur la goélette. Benjamin savait qu'il était important de passer bien au large d'Ouessant avant de s'engager dans la Manche. L'absence de visibilité et les creux de six mètres lui firent un moment regretter de ne pas pouvoir s'arrêter à Lorient, Quimper, Port-Launay, Landernau ou Brest, comme le faisaient les marins libournais quelques années plus tôt, avant que les nécessités du commerce les contraignent à remonter jusqu'à Dunkerque. Il se demanda même s'il n'avait pas été présomptueux d'accepter ces voyages, surtout lorsqu'il aperçut son mousse en haut du grand mât, qui peinait pour affaler la drisse de la grand-voile qui venait de se déchirer. Il fallut amener la flèche et la fortune [1] pour se mettre à la cape une heure ou deux, le temps que le grain s'éloigne.

Le vent ne tomba pas durant deux jours et deux nuits. Il était très dangereux de laisser la goélette à la cape à cause des courants. L'équipage, qui était peu expérimenté, ne prenait aucune initiative et attendait les ordres, si bien que les manœuvres arrivaient toujours trop tard et ne donnaient pas au bateau le répit qu'il attendait pour bien se comporter contre les vagues. Afin de ne pas dériver trop longtemps, il fallut enverguer une voile d'artimon en guise de grand-voile. La goélette reprit alors sa route, mais en enfournant des paquets de mer sur bâbord. Benjamin ne quitta pas son poste pendant douze heures. Puis il alla dormir un peu, se fit réveiller par son second, un Bordelais qui n'avait, comme lui, que l'expérience de la navigation fluviale.

Enfin, deux jours plus tard, le vent faiblit, mais la brume demeura. Benjamin calcula qu'il devait se trouver au large de Cherbourg et qu'il atteindrait sans doute Dunkerque le

---

1. Petites voiles de goélette

lendemain matin. Ce qu'il craignait le plus, maintenant, c'était les cargos qui devaient croiser sa route au retour de Dunkerque, d'Ostende et d'Amsterdam. Il ne s'autorisa même pas une heure de repos, car il redoutait de ne pas trouver le bon rail s'il se trompait dans l'évaluation rapide des données.

La nuit tomba, aussi épaisse que la brume, alors qu'il distinguait à peine ses propres feux. Comment quitter son gouvernail pour fermer les yeux quelques minutes? Ce n'était pas possible : il ne pouvait pas laisser la responsabilité du bateau à son second dans des conditions aussi difficiles. Appuyé sur la barre, il perdit conscience quelques instants. Il devait être aux alentours de minuit quand la corne de brume du cargo, en retentissant brusquement, le réveilla d'un rêve où, justement, son bateau se trouvait devant une muraille sombre. C'était le cas. Énorme et noir, le cargo lui paraissait si proche qu'il crut la goélette perdue. Heureusement, son instinct de survie joua, et il manœuvra le gouvernail aussi vite que son esprit assoupi le lui permit. La goélette fit une embardée sur elle-même, puis parut s'arrêter : le cargo lui avait coupé le vent. Toute manœuvre était devenue impossible. Il se vit écrasé par la masse gigantesque et noire qui approchait. Quand elle passa près de lui, il eut l'impression de pouvoir la toucher de la main. En fait, elle se trouvait encore à dix mètres, mais la vague qu'elle souleva faillit faire chavirer la goélette qui venait brusquement de reprendre le vent.

Agrippé à la barre, Benjamin tremblait. Il lui semblait que quelqu'un ou quelque chose se vengeait de lui. Il se sentait coupable. Il allait être châtié. Les longues heures qui passèrent durant cette nuit hostile lui furent autant de preuves que trop d'orgueil menait toujours à la catastrophe. Il songea à Élina, à Marie qu'il avait abandonnées, s'en voulut et se promit de ne plus quitter le fleuve désormais. Quand le jour se leva, il était épuisé. Encore lui fallut-il de longues heures avant de trouver les balises de Dunkerque et la passe qui devait l'emmener vers le port. Au moment où il doubla la jetée, il eut l'impression que la brume se déchirait et que la tempête n'avait jamais existé. Il

longea des quais interminables, dut manœuvrer dangereusement entre les centaines de bateaux qui, comme à Bordeaux,
encombraient le chenal, put enfin s'amarrer, dès qu'il trouva
une place, avant de se renseigner pour savoir où se trouvaient
les hangars de Jacques Walemme, le marchand dunkerquois
qui traitait avec Clarétie. Il eut la conviction, en sautant sur le
quai, qu'il ne retrouverait le calme et la sérénité qu'au moment
où il entrerait de nouveau dans l'estuaire de la Gironde, entre
palus et Médoc, là où il n'ignorait rien du vent et des marées.

Avant de quitter Arcachon, Desplas avait beaucoup parlé
avec Marie, qui avait accepté de porter les documents à
Bordeaux, Libourne et Périgueux lors de son prochain voyage.
A l'occasion de deux ou trois promenades autour de la villa, il
s'était laissé aller à quelques confidences : il ne s'était jamais
marié mais avait avoué que, l'âge venant, il souhaitait la
présence d'une femme auprès de lui. Marie n'avait pas
répondu, ayant feint de ne pas comprendre. D'ailleurs elle
n'aurait jamais pensé que cette confidence lui était adressée si,
le dernier jour, il ne s'était brusquement tourné vers elle et, lui
prenant les mains, avait murmuré :

— Venez avec moi, Marie ! C'est d'une femme comme vous
que j'ai besoin. Vous n'avez rien à redouter : nous serons de
retour en France avant la fin de l'année

Elle s'était brusquement reculée de quelques pas, avant de
répondre avec hostilité :

— Mais comment pouvez-vous penser que vous allez
pouvoir vous servir de moi à votre guise ?

Il avait esquissé son sourire de loup, avait répondu :

— Parce que, vous et moi, Marie, nous savons que nous
sommes de la même race.

— Vous vous trompez. C'est une femme soumise qu'il vous
faut. Pas une femme qui conduit des bateaux.

Il avait repris ses mains avant de poursuivre :

— Vous verrez, la soumission, pour une femme, n'est jamais très loin du bonheur.

Elle avait levé sa main droite pour le gifler, mais il l'avait retenue au dernier moment. Alors elle s'était enfuie, furieuse de ne savoir se faire respecter de cet homme qui prétendait avoir besoin d'elle.

Depuis ce jour, il lui tardait de partir d'Arcachon, et elle cherchait comment pouvoir y retourner l'hiver prochain sans l'aide de Desplas. Heureusement, elle allait mieux, ses forces revenaient et elle toussait moins, en tout cas moins douloureusement, comme si, de nouveau, la maladie avait décidé de lui accorder un répit. Mais elle avait besoin de rentrer deux ou trois jours à Libourne pour prendre un peu de recul par rapport à cette vie si étrange, si troublante parfois, qu'elle menait à Arcachon.

Trois jours avant son départ, un matin, alors qu'elle s'apprêtait à accompagner Mme Desplas qui voulait faire quelques pas dans l'allée gravillonnée du jardin, on sonna à la grille. Marie alla ouvrir, se trouva face à face avec Émilien qui se précipita dans ses bras. Elle demanda à la vieille dame la permission de le faire entrer, le conduisit dans le salon tandis que la cuisinière, Célestine, accompagnait Mme Desplas dans sa promenade.

Une fois assise face à son fils, Marie l'observa un long moment en souriant. Plus il vieillissait, plus il ressemblait à Benjamin, excepté ces deux fossettes au creux des joues qui lui donnaient encore, par instants, des expressions d'enfant.

— Alors, dit-elle enfin, comment vas-tu ?

— C'est plutôt à vous qu'il faut poser cette question. J'ai été bien surpris d'apprendre que vous étiez ici

— Tu es donc passé à Libourne ?

— A Libourne et à Périgueux.

— Comment vont-ils, eux ?

Quel plaisir c'était, pour Marie, d'avoir des nouvelles des uns et des autres : d'Élina, d'Aubin, de Mathilde, de tous ceux vers lesquels ne cessaient d'aller ses pensées. Elle jura à

Émilien qu'elle allait beaucoup mieux, l'écouta lui décrire sa vie qui était dure, certes, à bord du *Jean Bart*, mais pas plus que celle dont lui avait parlé Benjamin à son retour de la marine. Émilien termina en disant qu'il allait partir pour les îles et ne reviendrait pas avant un an.

— Et après? fit-elle; quand tout sera fini, viendras-tu avec nous?

— C'est si loin, répondit-il.

Puis, comme il n'avait pas vu son père, à Libourne, il demanda à Marie comment marchaient les affaires. Elle lui expliqua qu'ils avaient fini de payer les couraux, que Benjamin avait décidé de conduire une goélette jusqu'à Dunkerque. Elle fut un peu blessée de la lueur qui s'alluma alors dans le regard d'Émilien qui lui avoua prendre goût à la navigation de haute mer. Puis il lui dit que Mathilde, à Périgueux, attendait un autre enfant et, subitement, tout le bonheur qu'elle avait éprouvé depuis l'arrivée d'Émilien s'effondra.

Comme l'heure du repas approchait, Mme Desplas insista pour garder Émilien : la famille de Marie n'était-elle pas devenue un peu la sienne? En s'installant à table, Marie se demanda comment elle allait pouvoir lui faire admettre, en mars, au moment de son départ, qu'elle ne reviendrait plus chez elle. « Mais dans un an, songea-t-elle, qui sait si elle ou moi serons encore en vie? » Et, tandis qu'Émilien répondait aimablement à la vieille dame, songeant à Mathilde et au fait que sa présence allait être de nouveau nécessaire là-bas, Marie se demanda si elle allait en trouver la force. Il lui semblait à présent que tout le bénéfice qu'elle avait emmagasiné pour sa santé venait d'être anéanti. Elle se sentait lasse à nouveau et l'avenir lui paraissait incertain.

Quand Émilien repartit, au début de l'après-midi, elle le suivit jusqu'à la gare en le tenant par le bras. Puis, tandis qu'il esquissait un petit signe de la main à travers la portière du wagon, les larmes lui vinrent aux yeux à l'idée que, peut-être, elle ne le reverrait plus. Elle se détourna vivement et remonta vers la colline en inspirant bien à fond l'odeur des pins qui se balançaient dans le vent en gémissant doucement.

Benjamin revint vers le quai, furieux. L'entrevue avec Ludovic Clarétie s'était très mal passée, car le marchand ne comprenait pas son revirement subit. Il avait fait construire une goélette uniquement parce qu'il avait confiance en Benjamin. Il n'était donc pas question de la confier à d'autres, et d'ailleurs il n'y avait pas à Libourne de mains capables de prendre un tel commandement dans l'immédiat. Benjamin était d'autant plus furieux qu'il savait que sa démarche était injustifiable. Il n'avait pas d'autre solution que de faire face à ses engagements, quoi qu'il lui en coutât.

Revenu sur le quai du Priourat, il s'apprêta, avec Vivien, à passer les deux couraux de l'autre côté de la Dordogne, au port du Nouguey, où se trouvaient des barriques à charger chez le marchand Lejeune. Ce n'était pas une manœuvre facile, car il fallait traverser la Dordogne en s'aidant du courant de marée qu'amenait la renverse. Et c'était aussi l'heure où tous les bateaux manœuvraient en même temps. En outre, cette mi-février était grise et froide, parfois balayée par des rafales de neige qui ne tenait pas sur les bateaux, mais dont les flocons piquaient la peau comme de minuscules aiguilles.

Vivien partit le premier sur le *Vincent,* et Benjamin suivit dès qu'il trouva un passage dans le trafic très dense. A peine eut-il atteint le milieu du fleuve qu'une gabare, brusquement surgie sur tribord, vint violemment heurter son courau. Malgré les difficultés de la navigation dans le port, c'était la première fois que cela lui arrivait. D'abord il s'en prit à son prouvier, puis, comme les deux bateaux présentaient une brèche, il fallut aller accoster à l'extrémité du port de Nouguey et « s'arranger à l'amiable ». Un bateau qui traversait n'avait pas la priorité. Benjamin ne put pas laisser libre cours à sa colère et, au contraire, dut faire des concessions, ce qui augmenta sa mauvaise humeur. Il perdit en outre beaucoup de temps et ne rentra chez lui qu'à la nuit tombée, transi de froid, excédé, épuisé.

Marie, qui revenait de Périgueux, l'y attendait. Il lui parut tellement fatigué, qu'elle en fut touchée et demeura avec lui tandis qu'il mangeait, levant de temps en temps sur elle des yeux où il lui semblait lire un appel. Pour essayer de franchir le mur qui les séparait, elle lui parla plus qu'elle n'en avait l'habitude d'Arcachon et de Périgueux. Alors, faisant aussi un pas vers elle, il demanda :

— Comment vont-ils ?

— Mathilde a fait une fausse couche mais elle s'est bien remise. Éloi et les deux autres vont bien. Aubin aussi.

Il hocha la tête, ne dit rien contre son fils, contrairement à son habitude. Marie, qui ne savait pas qu'Élina avait entrepris son patient travail de persuasion, n'osait croire à cette embellie. Ils parlèrent ensuite des couraux conduits par Vivien, de Dunkerque, de Clarétie, puis, dès que Benjamin eut fini de dîner, tandis qu'Élina débarrassait la table, ils prirent place de chaque côté de la cheminée, face à face. Élina ne tarda pas à monter se coucher afin de les laisser seuls. Ils demeurèrent un moment silencieux, puis Benjamin s'inquiéta de la santé de Marie.

— Comment te sens-tu ? Il me semble que tu tousses moins, dit-il.

Et il ajouta, tout bas, d'une voix qui, aussitôt, la transporta des années en arrière :

— C'est d'être loin de moi qui te guérit ?

Elle rencontra son regard, vit briller la lueur chaude et dorée qu'elle croyait éteinte. Elle sourit, murmura :

— Je guérirais plus vite si tu étais près de moi, tu le sais bien.

Il hocha la tête, sourit à son tour. L'un et l'autre, ce soir, comprenaient que tout redevenait possible, qu'on ne traversait pas le temps côte à côte sans que les jours ne tissent un autre lien que celui de l'amour, et bien plus fort, celui-là, bien plus solide, capable de résister à ces vents redoutables qui rôdent aux portes de la mort. Marie, mise en confiance, n'hésita pas a parler de Desplas, des documents qu'elle avait transportés, des propos qu'il avait tenus devant elle sur l'empereur. Elle lut un léger désarroi dans les yeux de Benjamin qui avait senti que leur vie s'était peut-être jouée sans qu'il en sût rien. Elle en profita pour ajouter, parlant d'Aubin sans prononcer son nom :

— Il prend beaucoup de risques, tu sais. Je n'aurais jamais cru qu'il ait de telles responsabilités.

Mais elle ne voulut pas mettre en péril l'espoir fragile qui était né en elle et n'insista pas.

— Parfois je me demande, dit-elle simplement, si cet homme a dit vrai : la République avant la fin de l'année ! Est-ce que tu te rends compte ?

Il était trop préoccupé par le rôle joué par Aubin dans le combat que lui-même avait abandonné pour pouvoir lui répondre. Marie le comprit, parla alors de Mathilde, de ses enfants, d'Éloi.

— Il te ressemble, dit-elle, il a les mêmes yeux que toi.

Une nouvelle fois, une lueur de désarroi passa dans le regard de Benjamin. Elle le retrouva semblable au garçon qu'il avait été, doué d'une grande force et quelquefois cependant désarmé devant elle. Et ils vivaient ensemble depuis toujours. Que s'était-il donc passé ? Quelle était cette faille qui s'était insinuée entre eux sans qu'ils y prennent garde ? Elle ressentit tout à coup le besoin de ne rien lui cacher, souffla :

— Desplas m'a demandé d'aller vivre avec lui en Angleterre.

Il ne réagit pas tout de suite, et, tandis qu'elle se demandait s'il avait bien compris ce qu'elle venait de dire, elle le vit sourire :

— Cela te fait sourire ? demanda-t-elle doucement.

Il hocha la tête, se redressa légèrement et dit :

— Qui veux-tu qui nous menace ? Nous sommes allés tellement loin, tous les deux.

Le mois de mars s'achevait, et Marie s'apprêtait au départ en espérant bien qu'elle ne reverrait pas Desplas. Elle avait fait part à son hôtesse de son désir de ne pas revenir à Arcachon l'hiver prochain : n'était-elle pas guérie aujourd'hui ?

— Oh ! Vous savez, ma fille, l'hiver prochain, je serai loin ! avait répondu la vieille dame.

Elle avait deviné que les relations qui existaient entre son fils et Marie n'étaient pas ordinaires, mais elle était trop bien élevée pour chercher à l'influencer. Marie attendait donc avec impatience la fin de la semaine, quand Desplas arriva un matin, comme s'il avait deviné qu'elle partait. Elle fit tout ce qu'elle put pour l'éviter, y parvint le premier soir, mais ne put l'empêcher de la rejoindre le lendemain, alors qu'elle marchait entre les pins en direction du Pyla, en longeant la côte.

— Ainsi, vous me fuyez, madame, dit-il en lui prenant le bras d'autorité.

Elle se dégagea vivement, continua d'avancer sans répondre, espérant le décourager. Un pâle soleil essayait de percer les nuages. Il n'y avait pas de vent. La mer était d'un vert très clair, sans aucune vague.

Marie le sentit revenir à sa hauteur, se retourna brusquement, lança :

— J'ai fait ce que vous m'avez demandé de faire. Maintenant je n'attends qu'une chose : partir et ne plus vous revoir.

— Venez, dit-il, il faut que je vous parle.

Et, la reprenant par le bras, il se dirigea vers la lisière des pins, où commençait le sable.

Elle ne songea même pas à résister, car il y avait dans sa voix une sorte de gravité qui l'intriguait. Il s'assit sur un banc, l'invita à faire de même. Puis, comme il restait muet, elle demanda :

— Alors ? Qu'y a-t-il de si important ?

Il se rapprocha d'elle, essaya de lui prendre les mains, souffla :

— Il y a, madame, que vous m'avez fait perdre le sommeil.

— Tiens donc! fit Marie, vous devriez essayer la tisane.

— Ne plaisantez pas! Je n'accepterai pas de vivre sans vous.

— Ah oui! Et moı! Vous vous êtes demandé si j'accepterais de vivre avec vous?

— Je ne me suis jamais posé la question.

— Eh bien, faites, s'il vous plaît! Et considérez que je suis mariée avec un homme qui sait, lui, me demander mon avis.

Il la considéra en souriant, demanda :

— Vous en êtes si sûre?

— Parfaitement, dit-elle. Et d'ailleurs cela ne vous regarde pas.

— Si, madame, cela me regarde, puisqu'il vous prend à moi.

Elle se demanda s'il plaisantait ou non, mais le trouva si sérieux qu'elle en fut ébranlée.

— Marie, dit-il tout à coup, saurez-vous jamais combien j'ai rêvé de vous, depuis l'instant même où je vous ai vue à Sainte-Foy? Saurez-vous jamais combien j'ai tremblé pour vous en sachant les armes sur vos bateaux, et combien j'ai espéré le moment de vous revoir? Et aujourd'hui je touche au port : je vous ai retrouvée, le pays nous attend ; le pouvoir, les palais sont à nous. Vous serez riche, je vous ferai connaître tout ce que vous ignorez. Nous vivrons à Paris : les salons, les dîners, les toilettes, rien ne sera trop beau.

Elle avait peur, soudain, de cet homme qui avait tombé le masque et qui parlait avec fièvre. Pourtant, la conviction d'en avoir triomphé la grisa un instant. Là-bas, la mer bougeait à peine, et le vent, dans les pins, murmurait doucement. Quel était cet instant? Elle ferma les yeux, sentit le soleil sur sa peau, soupira. ·

— Rentrons, dit-elle.

Mais il ne l'entendit pas, poursuivit :

— Un bateau nous attend à Bordeaux. Nous partirons quand vous le voudrez.

Elle ne parvenait pas à reprendre pied dans la réalité et

cependant elle savait qu'elle allait devoir s'y résoudre. Elle eut envie de prolonger la magie un peu folle de ces minutes-là, et dit, tout en sachant que le jeu devenait dangereux :

— Vous arrivez trop tard.

— Il n'est jamais trop tard.

Marie regarda passer un bateau, les mouettes qui l'accompagnaient. Le soleil commençait à basculer dans la mer. Comment prolonger ce moment sans risquer de se perdre ? Quand le visage de Desplas s'approcha du sien, elle recula soudain, et demanda :

— C'est donc tout ce que vous attendez de la République : les palais, les dîners, les salons ?...

Elle se souvint alors de son soupçon, à Sainte-Foy-la-Grande, d'avoir affaire à un orléaniste chargé de ranimer les mouvements républicains pour mieux chasser l'empereur. Et, songeant à ceux qu'elle avait rencontrés à Bordeaux, à Libourne, mais songeant aussi à Aubin, elle eut peur de les avoir trahis sans le savoir. Et cette idée d'avoir mis son fils en péril lui rendit toute sa lucidité.

— Qui êtes-vous ? demanda-t-elle.

Ayant retrouvé son aplomb, il sourit, murmura :

— Sait-on jamais qui nous sommes vraiment ?

— Moi, oui.

— Dites-moi, je vous prie, cela m'intéresse vraiment.

Il y avait de nouveau du défi dans la voix de Desplas.

— Je suis d'un monde où l'on travaille de ses mains, et où l'on ne sait pas trahir.

— Ce n'est pas ce que l'on m'a dit.

Elle pâlit, se leva, comprenant que, n'ayant pas cédé, elle était redevenue pour lui une ennemie.

— Et que vous a-t-on dit ? demanda-t-elle.

Il eut un geste vague de la main, murmura :

— Laissons cela, quelle importance ?

— Cela en a pour moi.

Il se leva, lui tourna le dos, et, sans la regarder :

— J'ai connu les Lassale, à Bordeaux.

Puis, tandis qu'elle comprenait qu'il avait fouillé dans sa vie pour mieux la manipuler :

— Vous voyez, Marie, donner des leçons de vertu n'implique pas qu'on n'ait jamais trahi. Voilà pourquoi je comprends mal que vous me refusiez à moi ce que vous avez donné à d'autres.

Brûlée jusqu'aux os, elle retrouvait l'homme redoutable dont elle n'aurait jamais dû s'approcher.

— Allez-vous-en ! dit-elle.

— Allons ! fit-il. Et l'hiver prochain, que ferez-vous ?

— Je resterai à Libourne.

— Et vous ne guérirez pas.

— Non, dit-elle, peut-être, mais je n'aurai plus à vous dire merci.

— Ne soyez pas stupide. Tout vaux mieux que perdre la vie.

— Pour vous, dit-elle. Pas pour moi.

Il hésita un instant, demanda :

— Ainsi donc c'est fini.

— Rien n'est fini, puisque rien n'a jamais commencé. Allez-vous-en !

Comme il ne bougeait pas, elle voulut s'élancer, mais il la retint par un poignet.

— Un jour, vous saurez qui je suis, et vous regretterez de ne pas m'avoir suivi.

— Jamais, dit-elle, soyez-en sûr.

Et, comme il ne la lâchait pas, elle lança, tremblante d'une colère froide qui tenait autant à sa naïveté coupable qu'au sentiment d'être un jouet pour lui :

— Les mains, chez nous, ça sert à tenir des outils, pas le poignet des femmes. Tous les vrais républicains savent ça.

Puis elle se dégagea vivement et se mit à courir vers la route où elle arrêta une voiture qui l'emmena loin de cet homme qui avait su la faire rêver mais qu'elle haïssait, maintenant, comme elle n'avait jamais haï personne.

12

L'été déclinait. Il avait été chaud et sec, et Marie, chaque jour, avait profité du beau temps jusqu'à la tombée de la nuit, à l'heure où le vent de la mer apporte un peu de fraîcheur. Elle allait mieux, beaucoup mieux, après avoir voyagé sur le courau de Vivien qui lui abandonnait le gouvernail. Si ce n'avait été la guerre entre la France et la Prusse qui avait éclaté en juillet, elle n'aurait eu aucun souci, cet après-midi-là, en rentrant chez elle. Mais elle s'inquiétait beaucoup du sort et de la situation d'Émilien, ainsi que des batailles perdues par l'armée française.

Dans la rue Fontneuve que la canicule, en ce milieu d'après-midi, rendait déserte, elle trouva la porte de sa maison fermée à clef. Pourtant Élina savait qu'elle rentrait aujourd'hui. Marie frappa plusieurs fois et, comme elle n'entendait aucun bruit à l'intérieur, elle interrogea les voisins qui n'avaient pas vu Élina depuis la veille. Très inquiète, elle alla chercher un serrurier dans la rue des Chais, revint avec l'homme qui fit son travail et rentra chez lui.

Dans la maison sombre, pas un bruit. Marie appela, puis, comme personne ne lui répondait, elle monta à l'étage. Une fois sur le palier, elle appela de nouveau :

— Élina ! Élina !

Elle retint son souffle, hésita, poussa doucement la porte de la chambre qui grinça. Puis elle avança d'un pas, d'un autre, et enfin elle la vit, couchée sur le dos, reposant calmement, endormie sans doute, avec une sorte de sourire étonné sur son visage si peu marqué par les ans. Marie s'approcha, murmura :

— Élina... Élina...

Comme elle ne bougeait pas, Marie posa sa main sur celle d'Élina et alors, seulement, elle comprit que sa belle-mère était morte dans son sommeil, sans doute sans souffrance, puisqu'elle avait gardé le sourire qui avait toujours éclairé sa vie. Marie ne put résister au besoin de s'asseoir au bord du lit pour regarder ce visage encore empreint de sagesse. Elle essuya vivement une larme qui coulait sur ses joues, s'en voulut de pleurer, alors que cette mort était d'une simplicité, d'une douceur infinies. Elle le sentait. Elle en était sûre.

Se levant sans bruit comme s'il s'agissait de ne pas la réveiller, elle descendit prévenir les voisines, puis s'en fut chez Vivien, dans la rue des Guîtres, et revint avec Élise. Ensuite, aidée par les femmes, elle fit la toilette de la morte et l'habilla. Le prêtre arriva, puis des gens de connaissance. Marie ne sentait pas la douleur. C'était la première fois qu'une mort lui paraissait aussi sereine, aussi acceptable, puisqu'il n'y avait aucune souffrance inscrite sur le visage d'Élina.

Vers sept heures, elle partit en direction du quai de Priourat où était attendue la goélette *Ludovic* avant la nuit. Celle-ci s'y trouvait déjà. Marie s'approcha du quai, n'aperçut pas Benjamin parmi les hommes qui s'activaient entre le bateau et les chais. Elle se dit qu'il devait être chez Ludovic Clarétie, faillit y·aller mais quelque chose la retint. Elle s'éloigna vers le pont, attendit, puis, comme il n'apparaissait toujours pas, elle s'approcha de nouveau. Enfin il apparut, accompagné par le marchand qui, comme à son habitude, faisait de grands gestes en parlant.

Benjamin tourna la tête en direction du pont, aperçut Marie. Il s'arrêta, laissant avancer le marchand qui ne se rendit compte de rien. Benjamin devina qu'il s'était passé quelque chose de grave. Cependant il restait immobile, hésitant à rejoindre le marchand pour le prévenir de la présence de Marie ou à se diriger vers elle qui, il en était sûr, n'était pas venue là sans raison. Il fit signe à Clarétie qu'il allait revenir à l'instant où celui-ci s'étonnait de ne pas le voir à ses côtés puis, marchant vers Marie, il sentit une sueur glaciale couler dans son dos.

Une fois près d'elle, il eut l'impression d'avoir déjà vécu cet instant, mais il ne se souvint pas où ni dans quelles circonstances. Marie cherchait ses mots, ne se décidait pas à parler.

— Qu'est-ce qu'il y a ? demanda-t-il en s'essuyant le front d'une main moite.

— Élina.

— Quoi ? dit-il.

— Elle ne s'est pas réveillée.

Elle fut contente de n'avoir pas dit « elle est morte », et se sentit soulagée en constatant qu'il avait compris. Il demeura un instant immobile, puis il tourna sur lui-même comme un oiseau frappé par la foudre et s'en alla lentement vers le pont. Elle le suivit sans oser le rattraper, lui parler. Il avançait lentement, d'une démarche d'homme ivre, la tête levée vers le ciel. Il s'arrêta à l'entrée du quai, se laissa aller contre le mur, ferma les yeux.

— Tu sais, elle n'a pas souffert, dit Marie en s'approchant.

Il hocha la tête mais ne la regarda pas.

— Comment est-ce arrivé ? demanda-t-il d'une voix si faible qu'elle entendit à peine.

— Je l'ai trouvée en rentrant cet après-midi.

Marie voulut lui prendre le bras, mais il se dégagea, continuant d'observer sans les voir les bateaux qui arrivaient au port.

— Ça s'est passé cette nuit, puisque les voisines l'ont vue hier, reprit Marie.

Puis, s'attachant à cette idée, comme à une bouée qu'elle voulait lui jeter :

— Elle souriait dans son sommeil : je suis sûre qu'elle n'a pas souffert.

227

Enfin il se tourna vers elle. Ses yeux brillaient un peu, mais ses traits étaient durs. Il saisit brusquement les mains de Marie et dit douloureusement :

— Elle n'a pas souffert, mais elle était seule.

Que répondre à cela ? Marie tenta de l'apaiser en disant :

— Le médecin m'a dit qu'on n'aurait rien pu faire.

— Qu'est-ce qu'il en sait ? souffla-t-il.

Elle comprit qu'il valait mieux qu'elle se taise, qu'il n'y avait aucun remède à sa souffrance. Et il restait là, appuyé au mur, le regard de nouveau perdu sur la Dordogne où le soleil couchant jetait des lueurs orangées.

— Viens ! dit-elle doucement.

— Oui, je viens.

Mais il ne bougea pas. Au contraire, il ferma les yeux, respirant lentement, étranger à ce monde, aux bateaux, à la rivière, à Marie. Deux ou trois minutes passèrent sans qu'elle osât parler. Il soupira, se redressa lentement et, quand son regard se posa sur elle, il n'avait plus la même dureté, au contraire.

Ils s'en allèrent vers la rue Fontneuve, tandis qu'au-dessus de la ville les hirondelles tournaient en une ronde folle. L'air était épais et lourd. Il y avait un tel poids sur la terre qu'ils sentaient l'un et l'autre leur sang cogner contre leurs tempes. Tout à coup il s'arrêta et murmura :

— Ma mère est morte.

Elle hocha la tête, sentit les larmes lui venir aux yeux et, pour qu'il ne les voie pas, elle se remit à marcher.

Une fois dans la chambre, il resta un long moment à regarder Élina, étonné à son tour par ce sourire que la mort ne parvenait pas à effacer. Un peu plus tard, tandis que veillaient les voisines, il se retrouva seul avec Marie dans la cuisine.

— Tu avais raison, dit-il, j'espère seulement qu'elle ne s'est pas vue partir et qu'elle n'a pas appelé.

— Non, dit Marie, je ne crois pas.

Mais elle sentit que ce n'était pas suffisant pour le rassurer tout à fait et ajouta :

— Je voudrais moi aussi mourir comme ça.

Il trouva alors la force d'esquisser un sourire et elle comprit que le plus dur, peut-être, était passé.

Elle se trompait, car il fallut ensuite prendre une décision pour les obsèques. On ne pouvait pas attendre. Il faisait trop chaud. Benjamin souhaitait qu'Élina fût enterrée avec Victorien à Souillac, mais ils n'avaient pris aucune disposition et c'était trop tard pour obtenir les autorisations pour transporter le corps. Élina fut donc enterrée dans le cimetière de Libourne, derrière les chais, à quelques centaines de mètres de la Dordogne.

Quand ils rentrèrent, une fois la cérémonie terminée, Benjamin, défiguré par la douleur, dit à Marie qui marchait près de lui :

— Cette fois, elle est vraiment seule.

Deux jours plus tard, le dimanche 4 septembre, ils apprirent dans la matinée que l'empereur avait été fait prisonnier après le désastre de Sedan. C'est Benjamin qui l'annonça à Marie en revenant de la place de l'hôtel de ville où il avait été acheter des cordages. Ils n'eurent même pas l'envie de se réjouir, tellement la situation du pays était devenue pitoyable. Et pourtant Marie se souvint de ce jour où, à Bordeaux, elle avait croisé le regard de cet homme qui lui avait fait tant de mal. Quant à Benjamin, depuis les obsèques d'Élina, il semblait ne plus voir les gens ni les objets.

— Tu te rends compte ? dit Marie, à midi, tandis qu'ils déjeunaient tous les deux seuls, désormais, dans la cuisine trop grande ; il est prisonnier, c'est fini, il n'y a plus d'empereur.

Il la regarda sans sourire, murmura :

— A quel prix !

Puis il lui parla de la décision de ne plus aller à Dunkerque, de rester sur le fleuve.

— Clarétie n'acceptera jamais, dit Marie, tu le sais bien.

— S'il n'accepte pas, je travaillerai pour d'autres marchands. Plus personne, chez moi, ne mourra seul, sans secours.

Elle comprit que la blessure était beaucoup plus grave qu'elle ne l'avait imaginé et qu'il ne se pardonnerait pas d'être parti si loin et si longtemps sans se soucier des siens.

Le lendemain, il se rendit sur la goélette pour vérifier que tout était en place, avant d'aller chez le marchand. A neuf heures, il faisait déjà chaud, et la Dordogne, à marée basse, était à peine navigable pour les plus gros bateaux. Benjamin était en train de vérifier drisses et haubans quand il aperçut Marie qui courait sur le quai. Il n'eut pas peur, cette fois, mais se demanda ce qui se passait, tandis qu'elle criait, tendant une main vers lui :

— Benjamin ! Benjamin !

Il l'aida à monter à bord, la fit asseoir. Elle tremblait. Il s'inquiéta vraiment quand il aperçut les larmes sur ses joues, la prit par les épaules pour l'obliger à parler.

— Qu'est-ce qu'il y a ? fit-il. Qu'est-ce qui se passe ?

— Oh ! Benjamin ! dit-elle. Ça y est ! Ça y est !

— Quoi ? Quoi ? Mais parle donc !

Elle ne pouvait pas, étouffée qu'elle était par une émotion qui la dévastait. Enfin, deux mots passèrent ses lèvres :

— La République.

— Où ça ? Comment ?

— A Paris ? Benjamin ! La République ! Proclamée hier ! A l'hôtel de ville !

Et elle répétait

— Benjamin ! La République ! La République !

Il avait compris, enfin. Il s'assit à côté d'elle sur une barrique, bouleversé lui aussi, regardant la Dordogne, des larmes pleins les yeux, les mains ouvertes devant lui, incapable de prononcer le moindre mot, songeant à son exil en Algérie, à son combat abandonné, à cette victoire qui, enfin, lui ouvrait les bras, alors que depuis quelque temps il se prenait de nouveau pour un vaincu. Et sa vie tout à coup reprenait un sens, et Marie était là près de lui, et les cloches de Libourne se mettaient à sonner, tandis qu'une sourde rumeur montait de la ville.

— Viens ! dit-elle, viens !

Il respirait très vite, le regard ébloui, n'essayant même pas de lui cacher ses larmes, mais désireux de rester là, sur le bateau, sur la rivière, pour éprouver jusqu'à satiété cette joie folle, indicible, qui le submergeait

— Viens ! répétait-elle, viens !

Il la regardait sans comprendre ce qu'elle disait et il tremblait lui aussi maintenant, songeant à Pierre mort à Cayenne, à leur arrestation à Marmande, au camp de Mers el-Kébir, et tout se mêlait dans sa tête, tandis que les cloches de l'église Saint-Jean résonnaient douloureusement en lui, comme à l'occasion des obsèques d'Élina.

Il se leva enfin, courut avec elle sur le quai et, par la rue Fontneuve, ils rejoignirent les hommes et les femmes qui se hâtaient vers la place de l'hôtel de ville. Il en arrivait de partout : de la rue Saint-Jean, de la rue Sainte-Catherine, de la rue Saint-Thomas. C'était une clameur qui montait au-dessus de la ville et semblait aussi envahir la vallée. Sur la place, il y avait foule. Des gens criaient, d'autres chantaient, certains dansaient. Benjamin et Marie s'avancèrent jusqu'à la fontaine couverte, que Marie escalada en se retenant aux grilles. Elle remarqua que l'horloge de la tour marquait dix heures. Des hommes se pressaient sous les arceaux, cherchant à entrer eux aussi dans l'hôtel de ville. La fenêtre située sous l'horloge s'ouvrit brusquement. Un remous libéra l'espace devant elle. Benjamin, qui avait rejoint Marie en s'agrippant à la grille lui aussi, vit basculer le buste de l'empereur qui s'écrasa en contrebas. La fenêtre du grand bâtiment attenant à la tour de l'hôtel de ville s'ouvrit également. D'elle jaillit une voix qui entonna les premières notes de « la Marseillaise » et toute la foule assemblée sur la place la reprit en chœur. Puis il y eut d'autres chants, d'autres cris : « Dehors les Prussiens ! Mort aux Bonapartistes ! Vive la République ! » et l'agitation ne cessa qu'aux alentours de midi.

Marie et Benjamin retournèrent dans la rue Fontneuve où, encore sous le choc de ce qu'ils avaient vu le matin, ils déjeunèrent face à face, à peine conscients de l'absence d'Élina tant il s'était passé d'événements depuis sa disparition. Tout en mangeant, Marie observait Benjamin : si ses traits s'étaient creusés, c'étaient toujours les mêmes boucles châtains qui fleurissaient sur son front et, de nouveau, aujourd'hui, la même lumière dorée dans ses yeux, celle de sa jeunesse. Elle le retrouvait enfin après avoir failli le perdre. Et désormais ils étaient seuls dans cette maison déjà trop grande. Elle fut tentée de lui parler d'Aubin, de son désir de les faire venir, lui et sa famille, à Libourne où ils pourraient travailler et vivre ensemble, mais elle n'osa pas troubler le charme de cette journée qui avait jusqu'à présent été si belle. Elle n'osa pas davantage le retenir quand il voulut se rendre chez Ludovic Clarétie pour lui faire part de sa décision. Rien de mal ne pouvait survenir aujourd'hui.

Aussi ne s'inquiéta-t-elle pas, tout le temps qu'il passa chez le marchand, même si elle attendit son retour avec impatience.

— Alors ? demanda-t-elle quand, de nouveau, ils se retrouvèrent dans la cuisine où la chaleur demeurait oppressante.

— Alors rien ! Il trouvera quelqu'un d'autre, c'est tout.

— Vous ne vous êtes pas fâchés ?

— Mais non ! Il a besoin de nous autant que nous de lui.

Et il ajouta, d'une voix subitement grave :

— Elle ne sera pas morte pour rien. Je sais désormais ce qui compte vraiment.

Elle ne répondit pas, se contenta de sourire tandis qu'il ajoutait :

— Demain nous remonterons jusqu'à Bergerac avec les deux couraux. Nous en profiterons pour aller sur la tombe des Bourdelle.

— Je viendrai avec toi, dit Marie.

Il comprit qu'ils avaient achevé de gravir la montagne et que désormais ils allaient descendre côte à côte vers la plaine paisible de la vieillesse, sur l'autre versant de leur vie

Il y avait longtemps que Marie n'avait pas remonté la Dordogne jusqu'à Bergerac. Et c'était un bonheur oublié qui, en cet après-midi de septembre lourd de parfum de vignes, fondait sur elle. Passé Castillon, le courant de marée s'éteignait, et il fallait se faire tirer par les rares attelages qui attendaient encore les bateaux sur les chemins de rive. Que d'images, d'odeurs, de souvenirs affluaient en ces instants, chez Marie comme chez Benjamin ! Il faisait chaud, mais un peu moins que les jours précédents, comme si l'automne parvenait enfin à se glisser sous la chape brûlante qui s'était posée sur la vallée.

Au relais de tire de Saint-Pierre-d'Eyraud, on avait vraiment la sensation d'entrer en Périgord à cause des rives crépues qui dominaient de longues îles paresseuses où les aulnes disputaient l'espace aux peupliers. Et puis c'était Gardonne avec son pont suspendu, les confluents de la Gardonnette et celui de l'Eyraud descendu de la forêt de Lagudal. Les bouviers ne se pressaient pas. On arriverait bien avant la nuit. Marie se tenait à côté de Benjamin qui surveillait du regard l'arrimage des barriques vides et la traction de la cordelle reliant le mât du courau à l'attelage sur le chemin du halage. Autant les coteaux de la rive droite étaient boisés de chênes et de châtaigniers, autant la rive gauche était basse, peuplée de prairies et de champs labourés.

On respirait là un air qui n'était plus celui du bas-pays, et Marie ne pouvait s'empêcher de penser à Souillac. Depuis combien de temps n'y était-elle pas revenue ? Deux ans ? Trois ans ? Elle eut envie de demander à Benjamin de l'y conduire, puis elle songea qu'ils n'auraient pas le temps. D'ailleurs il n'y avait plus de remonte en amont de Limeuil. Il aurait donc fallu remonter à pied, et abandonner les couraux pour un jour ou deux. Non, ce n'était pas possible. Il valait mieux attendre une occasion qui ne tarderait sans doute pas.

Tandis que les bateaux passaient sous le château de Saint-

Martin, elle pensa à Émilien dont elle avait enfin reçu des nouvelles. C'était incroyable, mais pendant toute la guerre, il n'avait pas quitté Rochefort. Il espérait bien que le nouveau gouvernement de la République allait réduire le temps de service militaire, du moins dès que le pays ne serait plus occupé. Et cette pensée avait donné un nouvel espoir à Marie, même si Paris venait d'être investi par les Prussiens. Mais Paris était loin, et cette remonte près de Benjamin rappelait à Marie celle qui avait suivi leurs retrouvailles à Bordeaux et précédé leur mariage, il y avait si longtemps.

Elle laissa son regard errer sur la plaine qui, sur sa droite, était carrelée de vignes et de vergers. Les récoltes étaient proches. L'après-midi sentait le fruit et le sucre chauds, ce qui donna à Marie une forte envie de confiture. Elle se tourna vers le coteaux de gauche, sur lesquels une corbeille de maisons voisinait avec un château en partie détruit : La Force, juché sur la lèvre verte du plateau. Un peu plus loin, ce fut l'église de Lamonzie et son petit cimetière si paisible, deux cingles creusés dans les alluvions et, là-bas, tout près maintenant, les maisons et les clochers de Bergerac

Il était six heures quand ils sautèrent sur le quai, face au faubourg de la Madeleine, où ils chargèrent du vin du pays et du vin venu des coteaux de Domme. Ensuite ils partirent vers le cimetière où se trouvait la tombe des Bourdelle. Marie acheta à un marchand ambulant un petit bouquet de fleurs des champs, puis ils marchèrent un long moment dans les rues qui, avec la relative fraîcheur du soir, recommençaient à vivre.

Une fois au cimetière, dont les grilles rouillées étaient ouvertes, ils se dirigèrent vers la tombe des Bourdelle. C'était dans un angle, tout au fond, une simple sépulture couverte de gravillons, où reposaient le père et la mère de Pierre, ainsi que le précisait une plaque de marbre noir

Benjamin et Marie se recueillirent un long moment, après qu'elle eut déposé son petit bouquet que le soleil couchant fit rougeoyer un instant. Réalisant ainsi la promesse faite à la mère de Pierre, Benjamin prononça quelques mots tout bas, comme pour lui-même :

— Pierre, nous avons la République. Maintenant tu peux dormir.

Ils restèrent encore quelques minutes devant la tombe sans parler, puis ils repartirent, toujours silencieux, dans le soir qui s'étendait sur la ville comme un drap trop épais. Toutes les rues sentaient la futaille et le pressoir. Et pourtant les vendanges n'avaient pas encore commencé. Au lieu de rentrer à l'auberge, ils marchèrent longtemps au bord de la Dordogne, jusqu'à ce que la nuit tombe. Tous les deux pensaient au long chemin parcouru côte à côte depuis qu'ils s'étaient engagés dans le combat pour la République, aux risques partagés, à la séparation qui en avait découlé. Quand ils se retrouvèrent seuls dans l'obscurité, Benjamin attira Marie contre lui, murmura :

— Est-ce que tu croyais vraiment qu'on gagnerait un jour ?

— Bien sûr ! fit-elle.

— A la fois contre le chemin de fer et contre Napoléon ?

— Oui.

— Qu'est-ce qui nous reste à faire alors ?

— A prendre soin de nous et surtout de nos enfants.

Il ne dit rien, mais elle fut certaine qu'Aubin s'était glissé entre eux et que Benjamin n'avait rien fait pour repousser cette présence.

A la fin du mois d'octobre, elle revint voir le médecin de Libourne qui s'occupait d'elle. Il l'examina longuement, lui dit en souriant :

— Je crois que vous êtes vraiment guérie. Mais par précaution, si vous passiez un autre hiver à Arcachon, je crois qu'au printemps prochain je pourrais être encore plus catégorique.

— Je n'irai pas à Arcachon, dit-elle, je ne veux plus rien devoir à M. Desplas ou à sa mère.

235

— Elle est morte il y a un mois, dit le médecin.

Marie, qui s'était bien habituée à la présence toujours attentive et gaie de la vieille dame, fut bouleversée.

— Ah! dit-elle, je ne l'ai pas su.

Ça ne m'étonne pas. Depuis septembre, Octave a d autres soucis en tête à Paris. Il doit se présenter aux prochaines élections.

— Et sous quelle bannière? Vous pouvez me le dire?

— Comme candidat républicain, bien sûr, répondit le médecin surpris par une telle question.

Marie, tout a coup, se sentit soulagée. Ainsi, l'homme qui s'était joué d'elle n'était pas un monarchiste déguisé en républicain. Il ne l'avait donc pas trompée jusqu'au bout, et avait dû être sincère quelquefois. Il lui sembla en même temps qu'Aubin n'était plus en danger, et ce fut comme si un grand poids glissait de ses épaules.

— Ne vous inquiétez pas, dit le médecin, je vous trouverai autre chose.

Elle ne répondit pas. Elle se sentait heureuse de pouvoir croire en elle, aux autres, à sa guérison prochaine. Elle promit au médecin de l'écouter et de passer un dernier hiver à Arcachon, et elle s'en alla, l'esprit en paix.

Quand elle arriva chez elle, Émilien l'y attendait, attablé avec son père. Elle le serra dans ses bras, lui trouva bonne mine mais s'étonna de l'air un peu gêné qu'ils avaient tous les deux, comme s'ils lui cachaient quelque chose.

— Qu'y a-t-il? demanda-t-elle en s'asseyant.

Émilien baissa la tête, et Benjamin lui-même ne put soutenir le regard de Marie.

— Qu'avez-vous? reprit-elle. Il est arrivé quelque chose à Aubin?

— Mais non, dit Émilien, j'arrive tout droit de Rochefort.

— Alors?

— Alors il va repartir, dit Benjamin.

— Pas pour se battre au moins?

Un lourd silence répondit à Marie qui sentit de nouveau se

refermer dans sa chair un étau dont elle avait oublié la morsure. Et, comme ni Benjamin ni Émilien ne se décidaient à répondre :

— Tu ne vas pas te battre, Émilien ?

— Il s'est engagé dans l'armée de la Loire, dit Benjamin très vite.

Marie les dévisagea l'un et l'autre, une incrédulité glaciale sur son visage, puis :

— Vous êtes devenus fous ?

— Écoute ! dit Benjamin.

— Non ! Je ne veux rien écouter. Cette guerre est finie, nous avons la République et mon fils veut se faire tuer.

Et, se tournant vers Émilien :

— C'est ce que tu es venu me dire ?

Émilien ne put répondre. Il appela du regard Benjamin à son secours, et celui-ci expliqua :

— La guerre n'est pas finie ; les Prussiens sont chez nous. Il faut faire quelque chose.

— Alors tu es d'accord avec lui ? fit Marie, horrifiée.

Et elle reprit, avec une violence désespérée dans la voix :

— C'est une guerre voulue par l'empereur. Il l'a perdue. C'est pour lui que tu veux te battre et mourir ?

— Non, dit Émilien. Je veux me battre mais pas mourir.

— On ne te demandera pas ton avis.

— C'est la République qui fait appel au peuple en ce moment, dit Benjamin, pas l'empereur. Si nous ne répondons pas à son appel, qui le fera ?

— Nous lui avons donné plus de dix ans de notre vie, à la République. Qui peut en dire autant ? demanda-t-elle avec une infinie tristesse dans la voix, car elle savait déjà qu'elle avait perdu.

Un bref silence s'installa, que Benjamin rompit en reprenant doucement :

— C'est maintenant qu'elle a besoin de nous : si elle ne gagne pas la guerre, ce ne sera pas un empereur que nous aurons, mais un roi.

Le regard de Marie, de nouveau, alla de l'un à l'autre tandis qu'elle cherchait d'autres arguments qui pussent les fléchir.

— De toute façon, cette guerre est perdue, dit-elle. Alors à quoi bon aller se faire tuer?

— Elle n'est pas perdue, dit Benjamin avec fermeté. En 1793, il y a eu aussi une levée en masse et le pays a été libéré.

— Et un empereur est arrivé, dit Marie. C'est toujours pour eux ou pour les rois que nos enfants se sont fait tuer.

Il lui sembla qu'elle avait réussi à les fléchir, retrouva un peu d'espoir. Mais Benjamin reprit, avec un fond de colère dans la voix :

— De toute façon, on n'a pas le choix! Si nous ne croyons pas dans la République, personne ne le fera à notre place!

Marie se tourna vers Émilien qui s'obstinait à ne pas la regarder :

— C'est donc ce que tu veux? demanda-t-elle. Tu as bien réfléchi?

— Oui, mère, dit Émilien. Il le faut.

Elle se tut un instant, puis elle se leva et dit avant de sortir, un sanglot dans la voix :

— Quand vous vous réveillerez de cette folie, il sera trop tard et moi je serai loin.

Cet hiver-là fut un peu moins froid que le précédent. Marie avait passé trois jours à Noël à Libourne et à Périgueux, puis elle était revenue à Arcachon, chez les Desfontaines, une grande famille bordelaise, où elle était employée comme cuisinière. Elle avait beaucoup moins de loisirs que chez Mme Desplas, mais le travail ne la dérangeait pas, bien au contraire : il l'aidait à oublier son angoisse depuis qu'elle avait appris, à la mi-décembre, que l'armée de la Loire, dans laquelle se trouvait Émilien, avait été vaincue par les Prussiens. Depuis, elle n'avait reçu aucune nouvelle de son fils, pas plus que de Benjamin. Mais chaque jour, en servant, elle était au courant de tout ce qui se passait dans le pays, car ses maîtres ne cessaient d'en parler à table. Et ce qu'elle apprenait alors, loin de la rassurer, l'angoissait davantage.

Les troupes républicaines, en effet, n'étaient pas parvenues à libérer Paris ni à repousser les Prussiens au-delà des frontières malgré des combats acharnés. Les Desfontaines disaient que les hôpitaux étaient débordés, que les soldats français n'étaient pas aussi bien équipés que ceux de l'ennemi, qu'il eût mieux valu demander l'armistice à Bismarck plutôt que de sacrifier inutilement tant de jeunes vies. C'est à cette idée-là que Marie s'attachait, les jours où l'angoisse l'oppressait tellement qu'elle s'abrutissait dans le travail sans songer à sa santé.

A la mi-janvier, un peu après midi, lors d'une journée humide et froide, tandis qu'elle s'apprêtait à profiter des trois heures de repos de son après-midi pour dormir, Benjamin frappa à la porte de la cuisine qui se trouvait au sous-sol de la villa. Elle lui en voulait depuis qu'il avait encouragé Émilien à partir. Et si elle avait formé le projet de demander à Benjamin de la suivre à Périgueux à Noël, elle y avait renoncé au dernier moment, préférant revoir Aubin et Mathilde seule, comme ils en avaient maintenant l'habitude. Et puis elle n'avait pas eu le courage de se lancer dans un nouveau combat, même si Benjamin avait changé et l'écoutait maintenant sans colère quand elle lui parlait de son fils.

Elle eut très peur, ce jour-là, en l'apercevant derrière les vitres de la cuisine, ruisselant de pluie, très pâle, un air hagard sur son visage crispé par le froid. Aussi, dès qu'il fut entré, elle sentit la panique la submerger tandis qu'elle criait, accrochée aux bras de Benjamin :

— Émilien ! Émilien !

Il hocha la tête, baissa les yeux.

— Il est mort ?

— Non, dit Benjamin, non. Il est blessé seulement.

Elle le lâcha, se laissa tomber sur une chaise, tandis qu'il restait debout, mal à l'aise, se sentant coupable de ce qu'il lui annonçait, mais coupable aussi de la trouver dans cette cuisine

sombre, avec son tablier, contrainte de servir des étrangers
pour pouvoir se soigner.

— Qu'est-ce qu'il a ? gémit Marie.

— Ce n'est pas trop grave, dit-il.

Et, aussitôt, voulant lui montrer qu'il n'avait pas abandonné Émilien à son sort :

— Il est à l'hôpital d'Angoulême. J'en reviens.

— Alors tu l'as vu ?

— Oui.

— Qu'est-ce qu'il a ? répéta-t-elle.

— Une jambe cassée, et de la mitraille dans une épaule.
Mais il va bien, maintenant.

Elle tremblait, n'osait croire qu'Émilien était en vie alors
qu'elle avait eu si peur. Benjamin s'approcha, mit sa main sur
l'épaule de Marie.

— Il ne risque plus rien, dit-il.

Elle leva la tête vers lui, comprit qu'il lui en coûtait d'être
venu pour lui annoncer une telle nouvelle et que, sans doute, il
avait eu peur autant qu'elle. Et c'était vrai qu'en se rendant à
Angoulême, il avait songé à la visite de son propre père,
Victorien, à Bordeaux, il y avait si longtemps, et il avait
ressenti la même émotion que lui, en s'asseyant au bord du lit
d'Émilien un peu plus gravement blessé qu'il ne l'avouait à
Marie. Car la mitraille avait emporté une partie de la chair de
l'épaule et on ne savait pas s'il retrouverait un bon usage de
son bras droit.

Marie se leva brusquement.

— Viens ! dit-elle.

Elle entraîna Benjamin dans sa chambre qui était aussi
située au sous-sol et où brûlait un grand feu dans la cheminée.

— Enlève ton manteau. Il est tout mouillé.

Il le quitta, enleva aussi son chandail qu'elle mit à sécher
sur une chaise, tandis qu'il s'allongeait sur le lit. Il se sentit un
peu rassuré de voir qu'elle vivait ici dans des conditions
acceptables, mais il s'aperçut qu'elle continuait de trembler.

— Approche-toi ! dit-il, il ne faut pas prendre froid.

Elle le rejoignit, s'allongea contre lui, et, tandis qu'il lui parlait d'Émilien qui ne repartirait plus à la guerre, elle s'apaisa enfin, retrouvant des sensations d'un bonheur ancien où affluaient les heures douces de Souillac.

13

Enfin le printemps était là, lustrant les berges de la Dordogne d'une rosée que le soleil n'asséchait pas avant onze heures. Marie avait regagné Libourne à la fin du mois de mars, persuadée qu'elle avait passé son dernier hiver à Arcachon. Et c'est vrai qu'elle se sentait bien avec l'arrivée des beaux jours, qu'elle ne toussait plus et avait retrouvé sa confiance.

Elle avait voulu oublier que les élections de février avaient donné une majorité aux monarchistes dont les candidats avaient été élus en masse dans les provinces. Le parti républicain n'avait connu le succès qu'à Paris et dans les grandes villes. Sans doute parce qu'il voulait continuer la guerre alors que les royalistes promettaient la paix. Le 20 mars, pour protester contre Thiers qui faisait bon marché des souffrances des Parisiens et venait d'installer son gouvernement à Versailles, une « commune » avait été élue à Paris. Dans les jours qui avaient suivi, Thiers avait organisé le siège de la capitale où les troupes avaient fraternisé avec les « insurgés ».

Contrairement à Benjamin qui s'inquiétait fort de ce qui se passait à Paris, Marie ne s'en était guère souciée : Thiers avait fait la paix avec les Prussiens et la République existait toujours. Cela lui suffisait. Aussi était-elle partie avec impatience pour Périgueux visiter Aubin et sa famille qu'elle n'avait pas vus depuis Noël. Elle était loin de s'attendre à ce qu'elle

242

avait découvert là-bas, et qui, dans le train qui la ramenait vers Libourne, ne cessait de la hanter douloureusement.

La veille, dans l'après-midi, elle avait été surprise par le peu d'animation dans les rues du quartier du Toulon et par ces rideaux qui bougeaient aux fenêtres. Elle avait trouvé Mathilde accablée, les yeux rougis, qui lui avait raconté ce qui s'était passé. Tout avait commencé le 11 avril au matin : l'ordre avait été donné par le gouvernement aux responsables des ateliers de Périgueux d'expédier des wagons blindés vers la capitale. Aubin et ses amis républicains avaient compris que ces wagons allaient servir aux Versaillais de Thiers pour ouvrir des brèches dans l'enceinte fortifiée de Paris. Ils avaient exhorté les ouvriers à s'y opposer en affirmant que ces « wagons avaient été fabriqués pour lutter contre les Prussiens, non contre les Français ». Aux cris de : « Ils ne partiront pas ! », les ouvriers du Toulon avaient cessé le travail et fermé le chantier. L'après-midi, accompagnés par leurs femmes et leurs enfants, ils étaient allés manifester devant la préfecture, sur les allées Tourny, puis vers la caserne du premier bataillon des chasseurs à pied, criant : « Vive Paris ! A bas les Versaillais ! » Enfin, redoutant que les wagons ne disparaissent en leur absence, ils avaient regagné le Toulon. Dans la nuit qui avait suivi, trois mille hommes de troupe étaient arrivés, avaient démantelé le piquet de grève, installé des mitrailleuses sur les quais. Au matin, les hommes n'avaient pas pu résister. Les wagons étaient partis devant eux, qui demeuraient immobiles, accablés, impuissants. A onze heures, Aubin, qui faisait partie des meneurs, avait été arrêté.

— Il est en prison... il est en prison, n'avait cessé de répéter Mathilde qui, par ailleurs, ne savait rien d'autre, depuis que les familles, terrorisées, se terraient dans leurs maisons.

Marie avait essayé d'aller frapper aux portes, mais tout le monde avait peur. Alors elle avait décidé de rentrer à Libourne le lendemain matin pour prévenir Benjamin. Et, dans le train qui roulait le long des prairies déjà vertes, elle se demandait comment il allait réagir en cette circonstance si grave qu'elle s'imaginait déjà privée de son fils pour des mois, peut-être même pour des années.

Elle dut attendre le soir, car Benjamin et Vivien étaient allés à Blaye. Le courau arriva bien avant la nuit mais, dès qu'elle l'aperçut devant les chais, elle préféra regagner sa maison plutôt que de parler à Benjamin devant l'équipage.

— Je ne t'attendais pas aujourd'hui, dit-il en refermant la porte et en l'apercevant dans la cuisine.

Et, comprenant aussitôt que sa présence cachait quelque chose :

— Quelqu'un est malade, là-bas ?

— Non, fit-elle, personne n'est malade, mais Aubin est en prison.

Elle n'avait pu retenir un sanglot en prononçant le mot « prison ».

Il s'approcha, le visage grave, demanda :

— Comment ça, en prison ? Qu'est-ce qui s'est passé ?

Et elle expliqua brièvement ce qu'elle avait appris de Mathilde, termina en disant.

— Qu'est-ce qu'on va faire ? Qu'est-ce qu'il va devenir ?

Benjamin, les traits sombres, réfléchissait, et elle comprit qu'un combat terrible se livrait en lui : allait-il abandonner son fils ou voler à son secours ? Il refusait de le voir depuis tellement longtemps qu'elle s'imagina seule, perdue, incapable de venir en aide à Aubin qui se trouvait réellement en danger pour la première fois.

— Aide-le ! dit-elle, je t'en supplie.

Son regard rencontra celui de Benjamin et elle y lut une réelle douleur, qui, plus que l'affoler, la rassura.

— On partira demain dans la matinée, dit-il brusquement. Je louerai une voiture.

Il sembla à Marie que l'angoisse qui l'oppressait depuis la veille venait de disparaître en quelques secondes.

En conduisant la voiture sur la grand-route, Benjamin ne cessait de penser à Aubin. Il n'était pas blessé, certes, mais il risquait gros. Et s'il allait vers lui, c'était en souvenir de son père Victorien qui était venu le retrouver, lui, Benjamin, à l'hôpital de Bordeaux. Il s'agissait là d'une promesse qu'il s'était faite : ne pas capituler, sauf si un jour son fils était en grand danger. C'était le cas. Il allait le défendre. Et il n'avait pas besoin pour ça de prendre le train. Un cabriolet et un cheval suffisaient.

Il sentait qu'à ses côtés Marie était presque heureuse malgré ce qui les attendait à Périgueux. Il savait qu'il venait de faire le pas qui allait les rapprocher définitivement, leur apporter la paix. Du moins s'il parvenait à tirer Aubin de ce mauvais pas. Et il songeait que c'était une occasion comme celle-là qu'inconsciemment, sans doute, il attendait.

Ils achevèrent leur voyage sous une petite pluie fine qui les obligea à tirer la capote du cabriolet, arrivèrent au milieu de l'après-midi. Ils louèrent une chambre à l'auberge de la route d'Angoulême, y laissèrent la voiture et le cheval, et allèrent à pied vers le quartier du Toulon. Benjamin ne connaissait ni Mathilde, ni ses enfants, ni Éloi. Il fit leur connaissance avec une émotion qu'il dissimula mal, surtout quand Marie lui mit dans les bras son premier petit-fils. Puis ils interrogèrent Mathilde qui avait réussi à glaner quelques nouvelles : les meneurs seraient jugés avant un mois, mais de grands avocats périgourdins s'étaient proposés pour les défendre : tous étaient des républicains modérés. Les familles avaient repris espoir, d'autant qu'à Périgueux même, des voix s'étaient élevées pour prendre le parti des accusés.

Benjamin ne s'attarda pas dans la maison du Toulon. Il réussit avant la fin de la journée à voir l'un des avocats qui s'était proposé pour défendre les prisonniers. Il s'appelait Louis Mie, était le chef de file du mouvement républicain en Dordogne, avait même été député en 1848 et 1849. C'était un homme au regard grave et noir, au front haut, à la barbe grise, dont l'accueil chaleureux réconforta Benjamin. L'avocat avait bon espoir, car, disait-il, « les temps avaient changé, les juges seraient obligés de tenir compte de l'opinion ». Au reste, s'il s'était proposé pour défendre Aubin, c'est parce qu'il le connaissait, s'étant plusieurs fois trouvé avec lui dans la même réunion. Sur la demande de Benjamin, il réussit à obtenir un entretien avec Aubin le lendemain dans l'après-midi.

Benjamin s'y rendit seul, muni d'une autorisation du juge qui devait statuer rapidement sur l'affaire. La prison se trouvait dans la vieille ville, tout en haut d'une ruelle dont on ne voyait jamais le bout. Après plusieurs minutes d'attente, Benjamin fut introduit dans une pièce où se trouvait une sorte de guichet qui la séparait en deux parties très sombres. Il attendit encore un long moment avant que ne s'ouvre une porte par où apparut Aubin flanqué de deux gendarmes. Dans la pénombre, Aubin eut bien du mal à reconnaître son père et il dut s'approcher du guichet. Un sourire erra alors un instant sur ses lèvres, tandis qu'il murmurait :

— C'est vous ?

— Oui, fils, c'est moi. Ça t'étonne ?

Aubin demeura silencieux un moment, répondit :

— Non, père. Je savais que vous viendriez.

— Vraiment ? Tu en étais sûr ?

— Oui, père.

Benjamin le trouvait très amaigri, terriblement changé. Il n'avait jamais imaginé quelle vie difficile menait son fils si loin de la rivière. Et de le découvrir ainsi déjà vieilli, il en fut bouleversé, ne réussissant qu'à demander, sans parvenir à cacher son émotion :

— Alors comme ça, tu savais que je viendrais ?

Aubin hocha la tête, sourit.

— Ça ne fera que la deuxième fois que vous venez me chercher chez les gendarmes.

— C'est pourtant vrai ! fit Benjamin, se souvenant de l'affaire du pont du Buisson.

Et, de nouveau, songeant à tout ce temps qu'il avait vécu loin de son fils, le laissant se débattre dans un combat que lui-même avait abandonné, il s'en voulut si fort qu'il murmura :

— Je suis là. Je vais te tirer d'affaire. Ne t'inquiète pas.

— Je ne m'inquiète pas, dit Aubin, sinon pour Mathilde et les enfants.

— Ils vont tous bien. Ta mère est avec eux.

— Vous les avez donc vus ?

— Oui.

— Éloi aussi ?

— Éloi aussi.

Le silence revint un bref instant, puis :

— C'est un beau garçon, reprit Benjamin, il a des mains faites pour tenir un gouvernail.

Aubin ne répondit rien, mais Benjamin comprit qu'il lui avait fait plaisir.

— Ah, la Dordogne ! fit Aubin.

— Il ne tient qu'à toi d'y revenir.

— A condition de sortir d'ici !

— Mais bien sûr que tu sortiras ! J'ai vu Louis Mie, l'avocat, il s'occupe de toi.

— Cher Louis ! fit Aubin.

— Tu le connais donc si bien ?

— Oh, oui !

Et Aubin parla des réunions clandestines dans lesquelles il retrouvait l'avocat avant la fin de l'Empire, raconta comment s'était réellement passée cette aventure qui s'était achevée si tragiquement.

— C'est fini, pour moi, ce chantier, dit-il en terminant. Quoi qu'il arrive, ils ne me reprendront pas.

— Moi, je te reprendrai.

Leurs regards se croisèrent. Gênés, ils détournèrent bien vite la tête, puis Aubin murmura :

— Ma vie était ici, pourtant. C'était très dur, mais entre nous on se tenait chaud.

— Tu retrouveras des amis à Libourne. Si tu avais vu la foule sur la place de l'hôtel de ville, le 5 septembre !

Aubin soupira.

— Ils ne me feront aucun cadeau. Nous allons peut-être prendre dix ans, ou vingt ans.

— Non ! Pas avec un tel avocat. Et puis il va se passer tellement de choses à Paris !

— Justement ! dit Aubin, j'ai bien peur que nous nous soyons battus pour rien.

— Moi je sais aujourd'hui qu'on ne se bat jamais pour rien.

— Puissiez-vous avoir raison !

L'un des deux gendarmes qui étaient restés dans la pièce s'approcha et lança :

— C'est terminé !

Benjamin eut un geste vers Aubin qui reculait.

— Regarde cette main, fils ! dit-il. Elle n'a jamais lâché un gouvernail.

Il ajouta d'une voix subitement changée.

— Prends-la, s'il te plaît.

Aubin s'approcha de nouveau, mit sa main dans celle de son père qui la referma.

— Serre-la bien, fils ! Et tu ne l'oublieras pas.

Les yeux d'Aubin se brouillèrent.

— Merci, père, dit-il. Prenez soin de vous.

Et, tandis qu'il s'éloignait, il sentit encore contre sa peau la chaleur et la force de cette main qu'il n'avait jamais vu trembler.

Le 9 mai, Aubin avait été condamné à quinze jours de prison. Certains, parmi les meneurs, avaient été condamnés à deux mois, d'autres avaient été acquittés. En cette matinée de juin qui sentait déjà l'été, Marie était heureuse comme elle ne l'avait pas été depuis longtemps. Aubin, qui avait purgé sa peine et ne pouvait plus rester au chantier du Toulon, avait accepté de venir travailler à Libourne. Il s'était installé, avec Mathilde et sa famille, dans un logement de la rue des Chais. Fin mai, Marie s'était rendue chez le médecin qui lui avait affirmé qu'elle était guérie. Il lui avait également appris la mort d'Octave Desplas, à Paris, dans la bataille qui s'était engagée entre la Commune et les Versaillais. Il était mort parmi les républicains les plus radicaux, les armes à la main. Cette fois encore, apprenant de la bouche du médecin le destin de Desplas, elle en avait été soulagée. Non de sa disparition, certes, mais du fait qu'il avait été sincère quelquefois avec elle. peut-être même plus souvent qu'elle ne l'avait pensé.

Ce matin de juin, Marie retrouvait enfin la Dordogne aux côtés de Benjamin pour ce voyage à Souillac qu'elle projetait depuis si longtemps. Ils étaient convenus de remonter jusqu'à Limeuil et de continuer à pied par le chemin de rive. Ils avaient à cet effet loué une petite gabare et laissé les couraux à Vivien et Aubin pour que Ludovic Clarétie ne trouve rien à redire à leur absence. Et, tandis que le courant de marée portait le bateau vers Saint-Jean-de-Blaignac, Marie oubliait enfin son angoisse des dernières semaines, s'ouvrait au soleil et aux parfums qu'elle aimait. Qui eût dit un mois auparavant que ce voyage eût été possible, et dans de si bonnes conditions ? Même Émilien, qui achevait de se remettre de ses blessures à l'hôpital, projetait de revenir a Libourne. Si bien que Benjamin avait fait mettre en chantier un troisième courau et qu'ils pourraient bientôt naviguer tous ensemble. Qui savait si alors elle ne resterait pas à quai pour aider Mathilde à élever ses enfants, comme Élina l'avait fait auprès d'elle ? Marie n'en était pas encore tout à fait sûre, mais elle se disait que, peut-être, le temps était venu de s'occuper des siens, au lieu de naviguer loin d'eux.

La Dordogne dessinait un coude entre des rives hérissées de peupliers dont la cime semblait caresser le bleu du ciel. La gabare allait lentement au gré du courant. Benjamin et Marie demeuraient silencieux, attentifs aux flocons de bruit qui venaient jusqu'à eux, trahissant à peine la vie paisible des rives vertes. Après Castillon, il fallut trouver un attelage pour tirer le bateau. Ils durent attendre plus d'une heure à Pessac, car les bouviers, même dans le bas-pays, se faisaient de plus en plus rares. Ils en profitèrent pour manger, à l'ombre, le contenu d'un panier préparé par Marie. Dans l'après-midi, ils purent dépasser Sainte-Foy, mais n'arrivèrent pas à Bergerac avant la nuit. Ils couchèrent sur leur bateau à Gardonne, repartirent au lever du jour, parvinrent à Limeuil le soir même et dormirent dans l'auberge qu'ils connaissaient si bien.

Le lendemain, laissant là leur gabare comme ils l'avaient prévu, ils partirent à pied en direction de Souillac par le chemin de halage sur lequel les relais de tire avaient disparu. Mais ils l'avaient déjà constaté, et ce chemin déserté ne leur faisait pas aussi mal qu'ils l'avaient redouté. Peut-être parce qu'ils savaient que la vie continuait ailleurs, sans doute aussi parce que le soleil donnait à la vallée une vie plus secrète, plus belle, dont eux seuls, ce matin-là, pouvaient profiter. C'est vrai qu'ils n'avaient jamais pris le temps de flâner le long de la rivière et que, ayant abandonné ce secteur depuis quelques années, ils la redécouvraient beaucoup mieux qu'en bateau. Et puis il convenait de s'approcher doucement de Souillac. De bien s'y préparer. Marie se souvenait des battements fous de son cœur chaque fois qu'elle était passée devant les maisons du port, venant du haut-pays, et se méfiait un peu de ce voyage dont, pourtant, elle avait tellement rêvé.

Ils passèrent successivement Siorac, Beynac, La Roque-Gageac, Cénac, Domme, le cingle de Montfort, Grolejac où le soir les trouva fatigués mais heureux. Comme la nuit tombait tard, ils décidèrent de pousser plus loin mais de ne pas aller jusqu'à Souillac. Ils voulaient franchir le pas du Raysse dans la lumière du matin et découvrir le port, les prairies à leur éveil. Ils continuèrent donc jusqu'à Saint-Julien-de-Lampon, dormirent une nouvelle fois à l'auberge, un peu inquiets, sans se l'avouer, de se trouver si près du lieu béni où ils avaient passé plus de quarante ans de leur vie. Ils dormirent très mal tous les deux, mais ne songèrent pas à renoncer : ils avaient voulu vivre ce retour ensemble. Ils l'avaient décidé. Le port et les prairies les attendaient.

Ils se levèrent avec le jour, déjeunèrent à l'auberge et partirent lentement sur le chemin où la rosée faisait scintiller les toiles d'araignées. Il faisait frais. Les prés et les champs fumaient légèrement, dégageant ce parfum des matinées de juin qui donne l'illusion que la vie dure toujours. La journée serait belle, comme les précédentes. « Ainsi, songea Marie, je pourrai profiter de tout. » Elle avait beau essayer de se raisonner, plus elle avançait vers Souillac, et plus son cœur s'affolait. A Cazoulès, elle voulut s'arrêter un moment pour regarder au loin le rocher du Raysse d'où elle avait plongé, un jour de désespoir. Mais aujourd'hui était un autre jour. Sans même se concerter, ils quittèrent le chemin de rive pour aller retrouver la route qui passait en haut du rocher du Raysse. De là, ils verraient mieux.

Il était à peine huit heures quand ils arrivèrent au sommet de la côte au-delà de laquelle la route bascule vers Souillac. Marie haletait un peu, mais elle ne ralentit pas l'allure et, quand les maisons du port apparurent sous une brume bleue, elle retint à grand-peine un gémissement. Et puis ce furent les prairies, le bourg de Souillac, le château de Cieurac, la vallée tout entière qui respirait là-bas à quelques centaines de mètres, son enfance, sa jeunesse, sa vie passée qui entraient de nouveau en elle, envahissaient chaque pouce de sa peau, de sa chair, de son cœur. « Mon Dieu ! se dit-elle, est-il possible que j'ai perdu cela ? » Et elle ne vit plus rien, soudain, et elle tendit les mains vers la maison où elle était née.

Benjamin la prit par le bras. Ils descendirent la route puis, à trois cents mètres du sommet, dévalèrent le talus en direction des prés. De là, ils s'approchèrent de la Dordogne et remontèrent vers le port. « J'y suis, songeait Marie, voilà, j'y suis ! » Et l'eau, sur sa droite, avait cette couleur particulière, entre le gris et le vert, qu'elle ne prenait nulle part ailleurs, et le chemin, ici, paraissait mystérieusement préservé, et le parfum de l'herbe, mélangé à celui des pierres des collines, coulait dans le corps de Marie comme un sang éternel.

Dix minutes plus tard, ils arrivèrent sur l'appontement qui

251

était toujours debout. Ils y demeurèrent un moment, tournés vers l'eau, vers Cieurac, les prairies d'en face où ils avaient passé des nuits inoubliables. Marie continuait à respirer très mal. Elle avait beau se battre, lutter contre ce flot qui l'étouffait, elle se sentait emportée au-delà d'elle-même.

Ils se dirigèrent vers les maisons qui étaient habitées maintenant par des métayers et des pêcheurs. Ils s'arrêtèrent un instant devant celle qui leur avait appartenu. Une femme apparut sur le seuil, puis des enfants en bas âge.

— Nous avons habité là, dit Benjamin.

— Ah! fit la femme, qui était très grosse, peignée en chignon, avec une tache de vin sur la joue; mais elle ne leur proposa pas d'entrer.

Ils continuèrent sur le chemin, arrivèrent devant la maison des Paradou, celle où était née Marie. Un petit vieux fumait sa première pipe sur une chaise devant le seuil. Marie s'expliqua.

— Vous voulez entrer? dit le vieux.

— Oui, dit-elle, je voudrais bien; mais pas longtemps, je ne vous dérangerai pas.

— Vous ne me dérangez pas, dit le vieux, je suis seul, ma femme est partie au marché vendre le poisson.

Marie fit un pas dans la grande cuisine, ferma les yeux, faillit tomber. Et c'était sa mère et son père qui la retenaient maintenant, et ses frères riaient, et elle attendait près du feu l'heure de se mettre à table, et elle avait envie d'appeler tous ceux qui avaient peuplé son enfance, de les garder serrés contre elle à jamais. Puis elle ouvrit les yeux. Le choc fut terrible. Elle tendit les mains vers les ombres aimées, faillit crier.

— Viens! lui dit Benjamin, en lui prenant le bras.

Mais elle ne bougeait pas, demeurait aimantée par les ombres dont elle entendait distinctement la voix et sentait le souffle vivant sur sa peau. Elle se laissa entraîner avec en elle la sensation d'une perte irréparable, se réveilla en marchant sur le chemin des prairies, sous le grand chêne où elle avait attendu Benjamin et Aubin le jour où ils avaient tiré au sort

Avec la fraîcheur, elle se sentait un peu mieux. Ils tournèrent à gauche pour traverser les prairies, les jardins, marchèrent longtemps, se donnant le bras, silencieux, occupés tous les deux à deviner la silhouette de ceux qu'ils avaient croisés là.

Vers onze heures, ils retournèrent vers la Dordogne, se dirigèrent naturellement vers la plage de galets où ils s'étaient si souvent retrouvés. En arrivant sur la berge, ils s'aperçurent que l'arbre sur lequel ils avaient l'habitude de s'asseoir avait disparu, sans doute emporté par une crue. Marie étouffa un sanglot, voulut s'asseoir quand même sur le talus, à l'ombre d'un frêne Il lui semblait que quelque chose d'inquiétant s'était joué en son absence, quelque chose qui était aussi grave que le fait de venir au monde ou de le quitter.

— Mais qu'est-ce qui s'est passé ? gémit-elle.

Benjamin, effrayé par sa pâleur, répondit :

— C'est le temps qui a passé.

— Mais non ! dit-elle.

Et elle se vit dans ces lieux à dix ans, à vingt ans, et c'était hier.

— Je ne veux pas, dit-elle encore.

Il ne comprit pas ce qu'elle voulait dire et il se mit à regretter d'avoir accepté ce voyage. Il se leva, la prit par la main, l'obligea à le suivre. Elle était si bouleversée par ce qu'elle vivait qu'il voulut l'entraîner loin de la rivière et des prairies. Il l'emmena à Souillac où ils déjeunèrent à l'auberge de la place de la halle, sur cette même place où, enfant, Marie vendait ses truites. Tout le temps qu'ils restèrent à l'intérieur, l'expression douloureuse du visage de Marie s'adoucit.

— Pourquoi réagis-tu comme ça ? fit-il. Tu devrais être contente puisque tu retrouves tout !

— Je ne me retrouve pas, moi, murmura-t-elle.

— On n'y peut rien, dit-il, c'est comme ça pour tout le monde.

— Moi, je ne veux pas. Je veux vendre mes truites, là-bas, et avoir peur des gens ; je veux aller à l'école, je veux avoir huit ans.

253

— Arrête ! dit-il. Tu te fais du mal pour rien.

Il essaya de la forcer à repartir, mais elle s'y refusa. Elle voulut au contraire aller voir l'école, l'église, puis, de retour dans les prairies, se rendre au cimetière. A six heures, Benjamin insista encore pour qu'ils repartent avant la nuit.

— Non ! dit-elle, s'il te plaît, baignons-nous cette nuit et dormons de l'autre côté, dans les prairies.

Il hésita, concéda :

— A une condition : qu'on ne revienne plus jamais.

Elle promit. Mais il comprit qu'elle aurait promis n'importe quoi, à ce moment-là, pour aller au bout de sa quête impossible. Ils se couchèrent dans l'herbe, puis allèrent acheter à manger sur le port, et retournèrent dans les prairies. Dans le ciel vert de juin, virevoltaient des hirondelles ivres de lumière, tandis que la vallée s'assoupissait. Benjamin ne savait que dire, regardait Marie à la dérobée, s'inquiétait vraiment des larmes qui roulaient sur ses joues sans qu'elle s'en rendît compte.

La nuit tomba lentement, dans le chant des grillons et les soupirs des arbres. Au-delà de la plage de galets, la Dordogne riait sous la lune. L'air devenait frais.

— Traversons ! dit Marie.

L'eau, encore froide de la fonte des neiges, les surprit. Ils durent précipiter leurs mouvements pour pouvoir continuer. Marie se tourna vers les étoiles, se laissa porter jusqu'aux galets du Raysse, suivie de près par Benjamin. Frissonnant l'un et l'autre, ils marchèrent encore dans les prairies de Cieurac, puis ils creusèrent un lit dans l'herbe haute et s'y allongèrent, enlacés. Ils écoutèrent un long moment la nuit respirer autour d'eux, ivres de ce parfum de foin qui avait toujours été pour elle un des bonheurs les plus simples, mais aussi les plus forts de la vie.

— Plus jamais, souffla-t-elle, plus jamais.

Elle venait de comprendre que seul le souvenir du bonheur peut rendre quelquefois heureux les vivants.

Marie avait souffert physiquement de ce voyage. Il lui avait fallu plus de huit jours pour s'en remettre. Elle savait désormais qu'elle ne reviendrait plus à Souillac. Il était inutile d'aller à la recherche d'un passé qui n'existait plus là-bas, mais qui vivait en elle. Elle savait aussi qu'elle allait s'arrêter de naviguer à la fin du mois de juin. Aussi comptait-elle bien profiter de son dernier voyage en Médoc dont le départ, ce matin-là, s'annonçait de la meilleure des manières, tellement le temps était clair et la température douce.

Le soleil n'était pas encore levé lorsque les deux couraux passèrent devant le tertre de Fronsac. Aubin se trouvait aux côtés de Vivien ; Marie, comme elle en avait maintenant l'habitude, près de Benjamin. A sept heures, le fleuve n'avait pas encore allumé ses lumières, mais ses eaux qu'agitait le jusant semblaient avoir été imprégnées par la pâleur de la lune. Marie regardait droit devant les deux grands méandres de Fronsac et de Vayres, que des vignes étincelantes escortaient fidèlement. Ce monde-là était désormais le sien. Elle en était sûre. Elle en connaissait maintenant chaque pouce de terre, chaque courant, chaque banc de sable, chaque pin parasol veillant sur les collines.

Immobile près de Benjamin, elle faisait provision de tout ce qui venait vers elle, regardait, respirait, accueillait le moindre souffle de vent, la moindre caresse d'embrun, le moindre trait de lumière. Ainsi attentive à cette dernière descente, elle dénombra pour elle seule les églises, les villages, les châteaux de la rive droite et les nombreux esteys de la rive gauche.

Le soleil se levait quand le bateau arriva en vue du pont de chemin de fer de Saint-André-de-Cubzac. Un train passa alors à vive allure et disparut, là-bas, derrière les vignes. Puis la brume se déchira d'un coup, et au moment où le courau passa sous le pont, derrière l'écharpe qui achevait de monter vers le ciel, s'éleva l'âme ardente dont leur avait parlé le vieil Émilien.

— Regarde ! dit Benjamin, ils ont construit un pont, les trains passent dessus mais, elle, elle est toujours là

— Nous aussi, dit Marie.

— Mais pour combien de temps ? demanda-t-il en soupirant.

— Jusqu'à ce qu'elle nous dise de partir, tu le sais bien.

— Où irons-nous alors ? fit-il avec gravité.

— Là où les bateaux ne cessent jamais de naviguer, où les nuits ont la couleur des jours, et où l'on peut être enfant et vieux à la fois, répondit-elle.

— Et tu crois que ça existe, un endroit comme celui-là ?

— Bien sûr ! fit-elle en lui prenant le bras, c'est la vie éternelle.

Épilogue

Quoique déclinant régulièrement, la batellerie marchande et de cabotage a survécu à Libourne et dans les ports du bas-pays jusque dans la première moitié de notre siècle. Les gabariers du haut-pays, eux, ont continué de descendre la rivière et de remonter à pied jusqu'à la Première Guerre mondiale, certains jusque dans les années 30. Aujourd'hui, la Dordogne ne porte plus que des barques de pêche, des bateaux à touristes ou des canoës de randonnée. Que sont devenus Marie, Benjamin et leurs enfants? Ils sont morts, bien sûr, mais leurs descendants sont demeurés dans la basse vallée et certains sont partis pour l'Afrique ou vers les Amériques. Ils sont entrés dans l'autre monde, celui des navires à moteur, des trains à grande vitesse et des avions supersoniques. Bref, ils nous ressemblent.

J'ai longtemps cru que pour eux, comme pour moi, la vraie vie de la vallée, celle d'avant la révolution industrielle, était perdue à jamais. Jusqu'à ce jour de mai 1985 où je suis allé seul, et au hasard, me promener au bord de la Dordogne. Mais est-ce vraiment le hasard qui m'a conduit aux alentours de l'ancien port de Souillac, dans ces prairies qui sont devenues des jardins qui sentent si bon l'herbe, les feuilles, les arbres et le bonheur d'être au monde?

J'ai vu, ce matin-là, vers huit heures, le premier rayon de soleil caresser l'eau et faire monter la brume. Et je l'ai vue elle, l'âme éternelle du vieil Émilien, d'un rouge orangé, prendre son envol vers le ciel. Je suis allé m'allonger sur l'herbe dans le silence et la lumière. C'est alors que sont arrivés deux enfants qui se tenaient par la main. Le garçon était châtain, mince, les cheveux bouclés, et dans ses yeux marron brillait un cercle d'or. La fillette, elle, était petite, fine, presque rousse, avec des yeux verts. Ils sont passés devant moi, m'ont souri, puis ils se sont dirigés vers la rivière. Je n'ai pas pu entendre ce que Benjamin disait à Marie, mais je n'ai jamais pu oublier leur regard ébloui.

Souvent je suis revenu là-bas dans l'espoir de les revoir, mais ils ne m'ont pas fait cette grâce. Alors j'ai décidé d'aller les surprendre une nuit, pour ne pas les effaroucher. Je suis entré dans la maison de Benjamin qui fait face au château de Cieurac, j'ai regardé par la fenêtre de sa chambre et j'ai vu les gabares qui l'attendaient sur le port pour son premier voyage avec son père Victorien sur la Rivière Espérance. Cette nuit-là, je me souviens, l'aube était loin et pourtant la rivière étincelait...

Brive, le 19 septembre 1992

BIBLIOGRAPHIE

BOMBAL Eusèbe : *La haute Dordogne et ses gabariers*, Treignac, Éditions Les Monédières, 1980.

BOURLIAGUET Léonce : *La longue eau verte*, Paris, Éditions Desclée de Brouwer, 1961.

COCULA-VAILLIÈRES Anne-Marie : *Un fleuve et des hommes. Les gens de la Dordogne au XVIIIe siècle*, Paris, Éditions Tallandier, 1981.

COLLECTIF : *La Dordogne et sa région : fleuve, histoire, civilisation*, Bordeaux, Éditions Bière, 1959.

COLLECTIF : « Le Port et la navigation à Libourne au XVIIIe au XXe siècle », *Revue historique et archéologique du Libournais*, N° 220, 2e trimestre 1991.

COLLECTIF : *Deux siècles d'images à Libourne*, Comté culturel de Libourne, 1985.

DESGRAVES Louis : *Bordeaux. Côte de Beauté, côte d'Argent*, Paris, Arthaud, 1957.

FAYOLLE Gérard : *La vie quotidienne en Périgord au temps de Jacquou-le-Croquant*, Hachette, 1977.

GOUYON Jean : « Les maîtres de bateau sur la Dordogne », *Bulletin archéologique de la Corrèze*, n° 86, janvier-décembre 1964.

GRELIÈRE Paul : *La Dordogne : Ancien Périgord*, Périgueux, Imprimerie Joucla.

LAGRANGE Jacques : *Le chemin de fer en Périgord*, Périgueux, Imprimerie Réjou, 1982.

LESAGE Fabien : *Souillac et sa région au début du siècle*, Brive, Imprimerie Chastrusse, 1987.

NEUVILLE J. A. : *Les proscriptions de Marmande*, Agen, Imprimerie Bonnet et fils, 1882.

POMMARÈDE Pierre *Bergerac oublié*, Périgueux, Fanlac, 1982.

SECRET Jean : *La Dordogne au fil de l'eau*, Périgueux, Éditions Fanlac, 1972.

SUFFRAN Michel : *Bordeaux naguère, 1859-1939*, Paris, Payot, 1981

normandie
roto
impression
s.a.

61250 Lonrai

Reproduit et achevé d'imprimer en août 2001
N° d'édition 01111 / N° d'impression 011457
Dépôt légal septembre 2001
Imprimé en France

ISBN 2-7382-1497-5
33-6497-3